Monique Joncos
Juillet 2007

Des années folles

Tome 1
Camille

Données de catalogage avant publication (Canada)

Gagnon, Lyne 1958-

Des années folles

Sommaire: t. 1. Camille.

ISBN 2-89074-698-4 (v. 1)

I. Titre. II. Titre : Camille.

PS8613.A448D47 2005   C843'.6   C2005-940606-2
PS9613.A448D47 2005

Édition
Les Éditions de Mortagne
Case postale 116
Boucherville (Québec)
J4B 5E6

Distribution
Tél. : (450) 641-2387
Téléc. : (450) 655-6092
Courriel : edm@editionsdemortagne.qc.ca

Dépôt légal
Bibliothèque nationale du Canada
Bibliothèque nationale du Québec
Bibliothèque Nationale de France
2e trimestre 2005

ISBN : 2-89074--698-4

1 2 3 4 5 – 05 – 09 08 07 06 05

Imprimé au Canada

Nous reconnaissons l'aide financière du gouvernement du Canada par l'entremise du Programme d'aide au développement de l'industrie de l'édition (PADIÉ) et celle du gouvernement du Québec par l'entremise de la Société de développement des entreprises culturelles (SODEC) pour nos activités d'édition. Gouvernement du Québec – Programme de crédit d'impôt pour l'édition de livres – Gestion SODEC.

Lyne Gagnon

Des années folles

Tome 1
Camille

Éditions de Mortagne

Merci Jean-Marc, mon ami, mon amour.
Merci de cette route partagée.
Merci de tes mains, de ta tête et de ton cœur.
Merci d'être là et de m'aider à façonner un
sens à ma vie.

Ce roman, bien qu'inspiré de l'histoire de Saint-Jérôme en 1923, est avant tout une œuvre de fiction. Tous les personnages sont imaginaires et toute ressemblance avec des personnes ayant déjà existé ne serait que pure coïncidence.

Sommaire

Partie 4
Carrousel – Début juin 1924

Partie 5
Cavalcade – De fin juin à septembre 1924

Partie 6
Après la mascarade – Entre février et juin 1925

Chaque homme doit regarder en lui pour apprendre le sens de la vie. Ce n'est pas quelque chose à découvrir : c'est quelque chose à façonner.

Antoine de Saint-Exupéry

Partie 1

Virage
Novembre et décembre 1923

Chapitre 1

Fracas

Une flamme naissait difficilement entre les boules de papier journal entassées au fond du poêle à bois. Camille souffla. Un feu rutilant jaillit et réchauffa aussitôt la chambre de fonte du poêle endormi. Camille sourit. Elle allait déposer une bûche d'érable bien sèche dans le brasier, mais Rose interrompit son geste.

– Camille ! Non ! Tu n'as pas mis assez de petit bois ! Tu vas l'étouffer !

Chaque matin, Rose recommençait. Elle semblait oublier que Camille et ses sœurs avaient su exister avant elle. Elle semblait oublier que les filles McCready s'étaient débrouillées et pendant de longues années, avant qu'elle n'atterrisse dans la vie d'Ernest et dans la leur. Rose répétait. Chaque jour, elle serinait sa volonté. Par des gestes banals, elle s'entêtait, inlassablement, à effacer les traces d'un bonheur qu'elle n'avait pas partagé. Un bonheur qu'elle avait envié, en retrait, et dans lequel elle n'avait joué aucun rôle. Un bonheur qui lui échapperait toujours. Inexorablement. Ça, elle ne l'oubliait pas.

Camille replaça la bûche là où elle l'avait prise et disparut. Sans la voir, Rose plongea tête la première dans la boîte à bois. Elle en brassa le contenu dans un fracas opiniâtre. Les pièces de bois avaient l'air semblables : tailles comparables, teintes similaires, essence identique... Mais, tout en marmonnant son laïus quotidien, Rose faisait voler les billettes, sans les entendre s'éparpiller sur le plancher de bois, s'obstinant à se compliquer la vie.

Ernest descendit l'escalier. Il avait pris un sacré coup de vieux, en un an. Ses quarante-sept ans lui pesaient comme s'il en avait soixante. Tandis que l'éclat de ses yeux s'était émoussé, le roux de ses boucles laissait place à une teinte argentée, et sa stature imposante s'était affaissée. Cette scène, il l'avait vue et revue pendant la dernière année. Il avait eu le bonheur d'y assister chaque matin, et cela, depuis le jour de son arrivée dans la maison de Rose. Pourtant, il ne s'y habituait pas. Chaque fois, le spectacle lui faisait ravaler ses regrets. L'évidence crevait les yeux : la relation entre sa fille aînée et sa nouvelle épouse n'allait jamais s'améliorer.

Camille enfila ses bottes. Elle passa son manteau sans le boutonner et prit son foulard, son chapeau et ses gants. Elle en avait assez.

– Je vais à la malle, dit-elle d'une voix atone et sans se retourner. Tante Rose sait si bien faire les choses, marmonna-t-elle en sortant.

Camille s'éloigna de sa démarche un tantinet garçonnière et à la fois délicieuse. De dos, son pas rappelait à Ernest cette façon unique de bouger qu'avait sa mère. Hermione n'avait légué à aucune autre de ses sept filles cette manière si particulière d'occuper l'espace. Planté au milieu de la cuisine, le cœur gros et les mains dans les poches, Ernest la regarda partir. La peur le paralysait. L'écho de la porte claquée résonnait dans sa tête. Chaque jour, ce bruit devenait plus sourd et plus lourd, et lui percutait l'esprit encore plus cruellement. Camille allait finir par se lasser, une fois pour toutes, des jérémiades de Rose. Un bon matin, sa grande fille passerait la porte et ne reviendrait plus.

– Encore ! Ah, celle-là ! Qu'est-ce qu'elle a dit, en sortant ?

– Je ne sais pas.

– Elle n'en fait qu'à sa tête. Tu l'as vue ? Oui, tu la vois ! Et tu ne dis jamais rien. Jamais. Hermione, elle, n'aurait jamais toléré ça.

– Rose ! Laisse Hermione reposer en paix, je t'en prie.

Rose bourra rageusement le poêle.

– Hermione... Oui, laissons-la reposer en paix, ronchonna-t-elle. Chère Hermione. Celle qui a tout eu. Celle qui a eu le choix. Celle à qui le bonheur a collé à la peau comme une ventouse brûlante au dos d'un malade. Celle qui a même eu la bonté d'engendrer, avant son départ, une copie conforme de son esprit enchanté. Chère Hermione...

Ernest marcha jusqu'à la fenêtre d'un pas qu'il avait peine à garder lent. Il se blottit en retrait, contre le mur, à l'abri des lueurs de l'aube, derrière son carreau, celui qui était situé à hauteur d'homme et dont le cadrage de bois abritait son regard. Là, emmuré dans l'anonymat de ses sentiments inextricables et sourds à la raison, il suivit Camille des yeux comme il suivait Hermione, dix ans plus tôt, quand, trop heureux qu'il était, il craignait de ne jamais la revoir. Il savourait tout le délice, mêlé d'amertume, de cet amour d'une intensité inexplicable qu'il éprouvait pour sa fille. Il avait tant redouté que la vie finisse par déjouer cet amour excessif et qu'elle le force, un jour, à y renoncer. Trop aimer devait être une sorte de péché. Il avait dû renoncer à l'amour d'Hermione, douze ans plus tôt. Il aurait bien, tôt ou tard, à renoncer à celui de Camille. Quand ce moment viendrait, il aurait déjà rejoint les anges, se plaisait-il à croire. Cependant, depuis qu'il avait épousé Rose, sa peur grandissait. Son mariage avait fouetté le destin, il en était certain, et pour obtenir réparation, le gredin lui réservait une de ses sales entourloupettes. Il souhaitait ce jour encore loin, mais au fond de lui, il le savait très près. Trop près.

Chapitre 2

Animal

Le froid mordait. Un épais brouillard couvrait le sol. Malgré les vingt-cinq degrés Fahrenheit au-dessous de zéro qui rougissaient à peine la colonne du thermomètre, Wizard avait rejoint sa maîtresse avec une excitation évidente. Le petit chien noir, mi-cocker, mi-colley, sautillait de bonheur et branlait la queue dans tous les sens. Il collait aux talons de Camille qui faisaient craquer la neige durcie par le froid prématuré de décembre. De l'écurie, Lucky les entendit venir. Aux grincements des gonds de la porte qui se plaignirent avec une sécheresse inhabituelle, l'étalon s'agita dans son box. Le cheval piétinait la paille qui couvrait le sol de son espace devenu trop étroit pour contenir sa joie. Sa queue balayait l'air et sa belle tête se balançait de haut en bas dans un mouvement de plus en plus rapide. Sa maîtresse arrivait !

– Bonjour, mon beau. Tu vas bien ?

Camille se colla contre les naseaux humides et tièdes du cheval et blottit la grosse tête de l'animal entre ses mains qu'elle avait pris soin de déganter. Quel bonheur elle éprouvait ! Ainsi soudée à lui, elle sentait la vie, la force, la grâce et la beauté battre en elle, tout comme elle entendait

Lucky lui murmurer son contentement. Camille demeura ainsi un long moment. Une fois repue, elle alla décrocher le mors suspendu au mur de la grange. D'un geste sûr, elle enfonça la tige métallique dans la gueule de l'animal et remonta les lanières de cuir jusque derrière ses oreilles.

– Arrête de bouger, mon vieux ! Oui, on sort ! Viens !

Camille empoigna la têtière de l'attelage et tira Lucky hors du box. Elle prit la brosse de crin roux, rangée sur le dessus d'un caisson de pommes en bois qui faisait office d'espace de rangement. Elle glissa sa main sous la sangle de vieux cuir fragilement rivée à chacune des extrémités de l'instrument. Beaucoup d'autres mains avaient tenu cette brosse, celle d'Hermione, par exemple. Son grand-père Zoël lui avait souvent raconté combien Hermione aimait brosser les chevaux. Au fil des ans, la main de sa mère et celle de Zoël avaient arrondi les contours équerrés de la brosse et elles avaient creusé, de chaque côté, des loges parfaites pour le pouce, l'index, le majeur et l'annulaire. L'instrument épousait maintenant la main comme un gant. Camille préférait croire que le temps avait façonné une âme à l'objet.

La jeune femme fit glisser la brosse sur la robe alezane de Lucky. Le cheval ne broncha pas. Les yeux fermés, la bête savourait le geste. Dans un mouvement intense et régulier qui la soulevait presque de terre tant elle devait s'étirer pour atteindre le dos, Camille étrilla l'animal de la tête à la croupe, et de la croupe à la tête.

– Assez ! Tu vas devenir vaniteux ! rit-elle en entraînant Lucky à l'extérieur de la grange. Attends-moi là, je reviens !

Avant qu'elle n'ait pu s'éloigner, le cheval la poussa de son chanfrein, comme s'il réclamait quelque chose.

– Je sais. Un peu de patience, d'accord !

Camille retourna à la grange et tira le buggy, par les attelles de bois, jusque derrière le cheval. Lucky, en animal docile qu'il savait être en certaines occasions, ne bougea pas. Elle revint devant lui et embrassa la longue tache blanche de son chanfrein qui contrastait avec ses grands yeux noirs et toujours embués.

Lucky aimait les câlins de Camille et, parfois, il lui arrivait d'en redemander. Mais là, il désirait autre chose. L'animal se remit à agiter la tête jusqu'à ce que Camille cède enfin et lui tende une carotte échevelée. Heureux, Lucky mâchouilla sa petite douceur quotidienne, et Camille acheva d'atteler la voiture des jours de semaine. Finalement, la jeune femme se hissa sur le siège. Sous le marchepied, Wizard se dandinait l'arrière-train sur la neige pétrifiée et attendait fébrilement une invitation.

– Allez, monte !

En moins de deux, le chien se blottit contre sa maîtresse. Camille sortit de sa poche un petit paquet de papier brun ciré qui contenait des morceaux de lièvre salé, dérobés dans la réserve de Rose. Wizz reconnut l'odeur du festin. Ces effluves euphorisants auraient pu le réduire aux pires bassesses qu'un chien puisse oser pour une si divine collation. Mais Camille l'aimait trop pour l'assujettir à de quelconques minauderies, aussi lui tendit-elle le trésor sur-le-champ.

« Dommage que l'on ne puisse pas apprivoiser le destin comme on apprivoise un cheval ou un chien, pensa Camille. On a beau lui dire où on veut aller, c'est lui qui joue le rôle d'aiguilleur de notre vie. On a beau l'implorer, le supplier, le séduire, il traite les demandes en fonction de ses humeurs, et Dieu sait combien elles sont imprévisibles. C'est le destin qui décide de nous faire plier l'échine ou relever la tête. C'est lui qui distribue les cartes. Il ne nous reste qu'à les jouer ! » Camille secoua la tête, agrippa les guides et les fit claquer sur le dos de Lucky.

– Hue donc, mon cheval ! Hue donc !

La voiturette décolorée se mit en marche et disparut dans le brouillard givré de la rue Saint-Georges, hors de la vue d'Ernest. L'homme resta rivé à son carreau devant le tableau déserté. Le travail l'appelait, mais il ne voulait pas l'entendre. Pas tout de suite. Quelque chose le sommait de goûter à la toute dernière émotion, à cette douce lueur orangée du matin encore empreinte de l'image de sa fille qui, avec son sourire d'Hermione, lui semblait avoir encore douze ans.

Chapitre 3

Perspectives à la McLaren

Douglas Tiernan nourrissait une admiration inconditionnelle pour Patrick McLaren. Comme lui, Patrick avait des origines irlandaises. Comme lui, il aimait les affaires. Et comme lui, il ne pouvait vivre sans l'extase du risque. Mais Patrick McLaren, lui, avait monté beaucoup plus qu'une affaire. Il avait bâti un véritable empire. Il faut dire qu'il n'était pas parti de rien ; il avait eu un maître et un modèle extraordinaire. Mais tout de même ! Personne ne pouvait nier que cet homme avait de l'instinct et du talent. Son père s'était lancé dans la carrière d'entrepreneur, en 1864, en achetant une scierie construite sur les berges de la Lièvre. À cause de l'intérêt précoce que démontrait Patrick pour les affaires, son père en avait rapidement fait son allié. Il lui avait appris tout ce qu'il savait et l'avait encouragé, dès son jeune âge, à participer au développement de l'entreprise. Une confiance réciproque s'était vite établie entre les deux hommes. Quelques années après leur association officielle, Patrick avait convaincu son père de diversifier ses activités forestières du côté du bois de pulpe, parce qu'il pressentait le déclin de l'industrie du sciage. Principalement grâce à sa perspicacité et à son audace, la McLaren roulait aujourd'hui sur l'or. Bien que la presque totalité de la vallée de la Lièvre appartînt à la compagnie, l'usine de Buckingham était certainement le fleuron de sa réussite. Connue de Montréal à Sainte-Agathe, cette entreprise embauchait à elle seule au-delà de cinq cents travailleurs et produisait, à l'aide d'équipements mécaniques des plus sophistiqués, plus de soixante-quinze tonnes de pâte à papier par jour. Les ouvriers étaient bien payés et le chiffre d'affaires de l'usine augmentait chaque année. Mais Patrick McLaren voyait plus grand encore. Il rêvait de construire une papeterie et une usine de pâte chimique à Masson. Il souhaitait agrandir l'usine de Buckingham et investir dans le développement hydroélectrique.

Douglas connaissait le fils McLaren depuis environ cinq ans. Dès le premier coup d'œil, ils s'étaient reconnus. Chacun avait senti chez l'autre cette passion commune qui les animait : l'amour des affaires ! Pour Tiernan et McLaren, les affaires étaient d'abord et avant tout un jeu. Ils y jouaient tous deux avec une fougue semblable. L'extase que leur procurait l'incertitude répondait, pour l'un comme pour l'autre, à un besoin viscéral. Les conflits les nourrissaient et les défis à relever ajoutaient à leur valeur d'être d'humain. Pour chacun, faire des affaires signifiait vivre. Douglas était au courant des projets de Patrick et Dieu sait combien il admirait son audace. À tout dire, il l'enviait. Il lui avait souvent dit qu'il souhaiterait, un jour, faire équipe avec lui. Patrick, d'ailleurs, ne lui avait jamais fermé la porte. Mais quelques onces de cran manquaient encore pour que Douglas passe de la parole aux actes et joigne les « ligues de pros ».

Douglas avait accepté avec empressement l'invitation de Patrick à visiter ses installations, même s'il craignait que ce soit l'occasion de lui démontrer qu'il avait des couilles et qu'il était plus qu'un beau parleur. Au pire, il se heurterait à son manque de courage, mais dans tous les cas, il apprendrait de cette expérience. Il avait prévu faire le voyage avec William Flynn, mais son fidèle conseiller s'était décommandé à la dernière minute, à cause d'un problème de santé de sa femme, Candide. Qu'importaient les aléas, Douglas, fidèle à lui-même, faisait confiance à la vie ; il saurait bien faire face à la situation. En attendant, il profiterait simplement des bons côtés de cette escapade, loin de Montréal, loin de sa femme et loin de sa fille. Aussi eut-il vite fait de chasser de son esprit ses préoccupations oiseuses et, sitôt à bord du train, il ne pensa plus qu'à reluquer les jolies dames. Rien de tel que la beauté des courbes féminines pour s'aérer l'esprit et oublier ses tracas ! Le scotch faisait aussi l'affaire, mais le problème avec l'alcool, c'était que les maux de tête et d'estomac succédaient trop souvent à l'euphorie du moment. Hélas, tout avait un prix, en cette vie de ripaille !

Le cœur content, Douglas descendit de la diligence du maquignon du village qui l'avait conduit, de la gare de Buckingham, jusque devant l'imposant édifice de pierre qui abritait les bureaux de la McLaren. L'empire de Patrick était aussi impressionnant qu'il l'avait imaginé. Derrière l'édifice principal haut de trois étages et surplombé d'un clocher, cinq bâtiments secondaires s'aggloméraient en bordure de la rivière. Deux cheminées de briques crachaient à plein ciel, déjà à cette heure matinale, les vapeurs du travail d'ouvriers absorbés. Sous le bouillonnement des réservoirs d'eau hautement perchés, les grincements des scieuses faisaient écho, sans relâche, aux claquements des broyeuses, dans une cacophonie infernale. Dans un étourdissant va-et-vient, hommes, femmes et enfants en quête d'un emploi rémunérateur montaient et descendaient le large escalier qui menait jusqu'à la porte d'entrée de la renommée McLaren.

Douglas s'arrêta un moment pour replacer son manteau et mettre son chapeau, avant de traverser le chemin en demi-cercle qui permettait aux visiteurs de se garer devant l'édifice sans emboutéiller la route principale. Il avait noté chaque détail de cette scène remarquable qui continuait à le fasciner. Pourtant, tout à coup, le paysage autour de lui disparut. Il en était sidéré. Une magnifique jument, grande, grosse et fière, arrêtée là, à quelques pas de lui, l'obnubilait. À cet instant, seul cet animal existait. C'était une bête splendide, à la robe noire, plus noire encore qu'une nuit sans lune. Il succomba. Il devait aller lui flatter le chanfrein et se perdre la main dans le lustre miroitant de son pelage brossé avec grand soin. Douglas traversa la route en coup de vent, oubliant l'achalandage des lieux, comme si un aimant avait exercé sur lui une attraction invincible. Cette bête était, de loin, l'une des plus belles juments qu'il avait vues depuis fort longtemps. Plus il s'approchait, plus la perfection de ses courbes l'enchantait et plus l'énergie troublante que dégageait la bête l'attirait. Il la sentait rebelle, courageuse et forte, et cette impression anesthésiait sa raison.

Enfin, Douglas allongea ses longs doigts sur le cou musclé du cheval. Mais l'animal n'apprécia pas la visite fortuite de l'inconnu, trop envahissant à son goût. Les naseaux de la jument se gonflèrent comme si l'odeur de Douglas lui était insoutenable. Sa respiration s'accéléra. Puis, la bête remua la tête et, dans un élan soudain, fit voler derrière l'intrus le chapeau de celui dont elle était déterminée à repousser la présence.

– Oh ! là, ma jolie ! Il ne faut pas s'emballer pour si peu !

Le jeune propriétaire de la bête émergea de derrière le buggy auquel la jument était attelée. Il regarda, l'air amusé, le chic quinquagénaire au pas alerte courir derrière son chapeau que le vent faisait rouler, sans pitié pour son souffle haletant. Au bout d'une course démentielle, Douglas, hors d'haleine et mort de rire, rattrapa son feutre noir tout neuf. Il revint vers le cheval, fixa la bête droit dans les yeux et lui chuchota à l'oreille :

– Tu as compté un point, ma belle, mais tu n'as pas gagné la partie !

La réaction de Douglas fit sourire le propriétaire du cheval.

– Il ne faut pas lui en vouloir, monsieur. Ma Flamme arrive du chantier. Ça fait longtemps qu'elle n'est pas descendue en ville. On dirait qu'elle a oublié les bonnes manières.

– Flamme ! *Boswell !* Un beau petit nom chaleureux ! Et toute une bête ! Rétive comme je les aime.

– Oui, elle a du caractère !

– Et des pattes, mon garçon... Quelles pattes !

– De vraies belles pattes ! Parfaites ! Longues, fines et bien droites. Existe-t-il quelque chose de plus beau, ici-bas, que deux belles paires de pattes ?

– Oh ! Toi, tu parles à mon goût, mon jeune !

Dans un élan du cœur, Douglas tendit la main au jeune homme à l'air conquérant et vêtu comme un nouveau marié.

– Tiernan, mon nom ! Douglas Tiernan.

– Calvé. Félix Calvé. Ça me fait plaisir, monsieur. Ça me fait toujours plaisir de rencontrer de vrais amateurs de chevaux.

– Es-tu un employé de McLaren ?

– Non... Mais je souhaiterais bien le devenir, par exemple. Je suis draveur sur la Rouge, pour la CIP. Draveur-dynamiteur ! Je fais sauter les bouchons de pitounes qui bloquent le flottage. Les affaires de la compagnie vont mal, ces temps-ci. Il y a eu une grève sur le chantier, en octobre passé, et depuis, le prix du bois n'arrête pas de baisser. Nos salaires aussi ! Je pense qu'il est temps pour moi de changer d'air. Il n'y a plus d'avenir, là et j'ai passé l'âge de giguer sur la dynamite.

– L'âge ! Hé, garçon ! C'est vrai que tu as la tête d'un acteur de petites vues, mais c'est à peine si tu as le nombril sec !

– J'ai vingt-cinq ans, monsieur. Et dix ans de métier.

– Ouais. Dix ans à jouer avec des explosifs dans le courant de la Rouge, ça doit user les nerfs. Et là, tu viens rencontrer McLaren pour un emploi ici ?

– Oui... Euh... En fait, je n'ai pas de rendez-vous, mais...

– McLaren est un homme occupé. N'importe qui ne peut pas le rencontrer comme ça.

– Je m'en doute. Mais je me dis qu'il n'y a rien comme d'essayer, monsieur ! Et un homme comme moi, c'est un cadeau du bon Dieu pour un patron. Croyez-moi !

– Tu parles à mon goût, *boswell* ! Viens avec moi, mon grand. On va voir en dedans si on ne pourrait pas faire quelque chose pour toi.

Les deux hommes grimpèrent l'escalier d'un pas léger comme celui des adolescents excités par une nouvelle rencontre. Leurs rires se superposaient au vacarme plaintif et cynique de la machinerie du moulin. Il n'en fallait pas plus pour rendre deux hommes heureux.

Chapitre 4

Sinistré

Camille poussait Lucky à fond de train. Par un froid pareil, nul n'avait envie d'errer au village et Camille n'avait pas l'intention d'éterniser sa sortie. Le buggy dévala la côte Saint-Georges à une allure folle. Devant l'église, il bifurqua sur une petite rue perpendiculaire et s'enfonça dans les fumerolles glacées qui s'échappaient de la Rivière du Nord. Au terme d'une course fulgurante et sans avoir perdu le moindre écrou, il s'immobilisa finalement devant le bureau de poste. Grisée par la vitesse, Camille ne remarqua pas qu'elle venait de s'arrêter à quelques pouces à peine de Gonzague, presque totalement fondu dans le décor surréaliste.

Seul un photographe pouvait être assez fou pour se planter là, immobile, complètement enveloppé dans le brouillard de la rivière, à une température pareille. Ni Camille, ni Lucky n'avait soupçonné sa présence. Quant à Gonzague, il faillit bien mourir d'un arrêt cardiaque quand il sentit les naseaux humides de Lucky lui glacer l'inspiration. La désagréable sensation lui fit relever la tête. Du coup, il abandonna bien contre son gré l'image inversée du viseur, à laquelle il travaillait avant que ces fauteurs de trouble n'envahissent brusquement son espace de création.

Malgré l'épaisse brume qui l'empêchait de distinguer le visage de ses assaillants, Gonzague Chaperon n'attendit pas pour adresser à ces mal élevés un inopiné et interminable torrent de mots totalement incompréhensibles.

Wizz s'élança tout à coup sans tenir compte de ce charabia. L'animal semblait possédé du démon. Il sauta avec rage sur le voile noir qui pendouillait de l'appareil photo et déchiqueta sans merci le coin inférieur de l'étoffe. Gonzague prit dans ses bras sa Nettel 6 x 13 stéréo couleur pour la protéger des assauts de cet idiot de chien qui redoublait d'ardeur. Wizz secouait l'étoffe dans tous les sens, mais Gonzague résistait vaillamment aux saccades, serrant de plus en plus fort son instrument. Jamais Gonzague n'aurait cédé sa Nettel, à moins d'une catastrophe ou d'une véritable fatalité. Jamais le renommé photographe n'aurait laissé qui que ce soit, et encore moins un misérable chien bâtard, lui enlever ce à quoi il tenait le plus au monde : sa Nettel 6 x 13 stéréo couleur. Gonzague et Wizz menaient un combat féroce et aucun des deux n'avait l'intention de perdre.

– Wizz ! Bon sang ! Arrête-toi. Camille ! Ton chien, Camille ! Ton chien...

Wizz était un bon chien. Mais le voile noir de Gonzague Chaperon devait sans doute lui rappeler de menaçants fantômes d'une quelconque vie antérieure. Allez savoir ! Chose certaine, en sa présence, il devenait intenable. Dès qu'il repérait cette pièce de tissu noir, Wizz bondissait avec rage et hargne et ne se calmait que lorsqu'il l'avait complètement déchiquetée. C'était précisément ce qu'il était en train de faire. Encore une fois. Pour tout dire, c'était le quatrième voile noir de monsieur Chaperon auquel Wizz s'attaquait. Le bilan des combats, jusqu'à ce jour, se résumait à trois victoires pour Wizz et, à la manière dont se déroulait le présent affrontement, tout portait à croire que Gonzague allait en concéder une quatrième.

Gonzague Chaperon s'apprêtait à faire l'autochrome du siècle. Il avait mis des heures et des heures à fabriquer ce traîneau hybride métallique monoplace, à l'allure d'un bobsleigh, mais en plus court et en plus dodu. Il avait réussi, après moult refus, à convaincre la belle et non moins charmante mademoiselle Fournier, de revêtir ses plus beaux atours et de poser pour lui. Pendant des mois, il avait espéré ce matin de brouillard, cette lumière corail et mauve. Toutes ses plaques couleur avaient été vérifiées et chargées ; elles étaient prêtes à être exposées. Tout avait été pensé et calculé, tout devait être parfait. Mais il avait fallu que ce crétin de chien vienne bousiller son travail !

La pression de Gonzague montait dangereusement. Il s'apercevait que son obstination à gagner ne le menait nulle part. Tout ce qu'il voulait, maintenant, c'était libérer l'étoffe du bouton déclencheur de l'appareil, afin que ce satané chien disparaisse avec son trophée de chasse et que l'on n'en parle plus. Point ! Mais Wizz était si occupé à mâchouiller sa victime aux allures de guenille funeste en lambeaux baveux, qu'il ne comprenait pas que Gonzague tirait le voile avec l'intention de lui accorder la victoire et le laisser filer ensuite avec son butin. Or, Wizz, excité par le défi, continuait à tirer toujours plus fort sur le voile.

La tension du tissu était à son paroxysme. Gonzague ne pouvait plus dégager le voile du boîtier. L'heure était fatidique. Mademoiselle Fournier décida d'intervenir. Mais, pour arriver à ses fins, elle devait d'abord s'extirper de son bolide des neiges. L'espace cabine était plutôt restreint et les vêtements qu'elle portait, bien que fort jolis, ne facilitaient en rien ses mouvements. En dépit de ces contraintes, mademoiselle Fournier réussit à sortir, avec peine, misère et contorsions, sa jambe droite de l'habitacle. Son pied touchait presque le sol lorsque le bas de son pantalon, beaucoup trop large pour ce genre d'activité, fut retenu par la manette de freinage de l'engin. Le besoin de retrouver son équilibre la porta vers l'avant dans une étrange acrobatie, mais son réflexe de survie n'eut pas tout à fait le résultat escompté. Non seulement son pied balançait toujours dans le vide, mais son élan désengagea le frein du traîneau. Le véhicule de fortune s'emballa vers la pente et sa poussée fit de l'occupante désarticulée sa passagère forcée. Mademoiselle Fournier disparut dans la brume de la rivière en laissant en haut de la côte son petit chapeau de feutre vert et l'écho d'un interminable cri de détresse.

Ce tapage infernal sonna Wizz. Du coup, il cessa le combat et fonça au secours de ce que son instinct lui indiquait comme une victime en péril. Gonzague, éberlué, se retrouva étendu de tout son long sur le sol enneigé, sa Nettel entre les bras. Un silence momentané lui fit croire qu'il pouvait savourer la paix. Brusquement, l'image du visage terrorisé de mademoiselle Fournier dévalant vers la rivière lui revint à l'esprit. Avec la vitesse de l'éclair, il se releva et trouva, à ses côtés, Camille affichant un sourire qui lui semblait plutôt inapproprié.

– Laissez-moi vous aider, monsieur Chaperon. Laissez-moi prendre votre caméra.

– Non ! Non, non, non ! Ton satané chien, Camille. Te rends-tu compte de ce qu'il a fait ?

– Je suis désolée. Vraiment désolée, monsieur Chaperon. Je remplacerai votre voile noir, c'est certain. Aujourd'hui ! Aujourd'hui, si vous le voulez.

Rouge de colère, Gonzague resta muet. Il écarta les pattes de son trépied et les enfonça dans la neige. Il réinstalla sa caméra sur le tablier et la sécurisa. Une fois sa caméra hors de danger, il courut vers la pente, ignorant complètement Camille.

– Mademoiselle Fournier... Ça va ? Rien de cassé ? J'arrive !

Wizz était déjà sur les lieux de l'accident. Il léchait affectueusement le visage de la sinistrée, espérant lui prodiguer la tendresse nécessaire pour qu'elle se remette de ses émotions. Gonzague dévala la pente et arriva à la rescousse.

– Ça va, Wizz. Laisse mademoiselle Fournier tranquille. Va-t-en ! Va-t-en, je te dis ! Ce que tu as la tête dure, chien stupide !

– Monsieur Chaperon ! cria Camille du haut du talus. Vous avez besoin d'un coup de main ?

– Oui ! Appelle ton chien et disparais, s'il te plaît !

Camille comprenait la colère de monsieur Chaperon, mais son ressentiment lui paraissait quelque peu exagéré et, dans les circonstances, bien inutile. Elle ne s'en fit pas outre mesure. Monsieur Chaperon était un homme émotif et, à l'occasion, il réagissait trop vivement à certaines... contrariétés ! « Demain, l'histoire sera oubliée », pensa-t-elle.

– Wizz ! Viens, mon chien ! On s'en va ! Passez une belle journée, monsieur Chaperon. Vous pareillement, mademoiselle Fournier ! Ne vous inquiétez pas pour votre chapeau. Je l'ai placé sur la caméra de monsieur Chaperon.

– Camille ! cria Gonzague. Laisse ce qui reste de mon voile sur la caméra. J'en ai encore besoin.

Camille se dirigea vers le bureau de poste en faisant de son mieux pour retenir son rire. Du bureau de poste, Alma Ménard et Bella Labelle avaient assisté à la scène. Plantées derrière la fenêtre carrelée du côté sud, elles riaient encore pendant que le maître de poste maugréait en silence. Monsieur Beaudry détestait ce désobligeant penchant qu'avaient parfois ses deux employées de fouiller l'intimité d'autrui et d'en colporter les travers. Il sentait le rouge de l'irritation lui monter au nez et aux pommettes. L'homme contrarié frappait son maillet de bois à intervalles constants et avec une vigueur ajoutée, oblitérant les enveloppes qu'il empilait devant lui avec une brusquerie inaccoutumée. L'ardeur monta et monta encore. C'en fut assez ! Les claquements s'interrompirent. Monsieur Beaudry, d'une voix grave, rappela sèchement aux deux vieilles filles qu'il y avait encore beaucoup de lettres à classer. Les deux catherinettes s'éloignèrent de la fenêtre en étouffant leurs rires. Bella retourna à la poche de courrier que le train du matin en provenance de Montréal venait de laisser, et Alma se remit à rouler et à ficeler *La Patrie* de la semaine. Camille entra.

– Mademoiselle McCready ! lança Alma, qui l'accueillit au comptoir avec un sourire coquin. C'est un peu gênant de vous demander comment vous allez, ce matin. Disons que ça a l'air de mieux aller pour vous que pour mademoiselle Fournier et... monsieur Chaperon ! Hé ! Il ne vous portera pas dans son cœur, monsieur le photographe ! Pas pour un temps, en tout cas !

– Bah... Il ne faut pas faire un plat d'un petit incident comme ça. Ça met juste un peu de piquant dans la vie, c'est tout. Ça va lui faire des histoires à raconter pendant ses vieux jours. C'est dommage qu'on ne puisse pas prendre de photographie de moment d'action comme celui-là. Ça, ce serait de la photographie !

— Vous avez bien raison, mademoiselle McCready, rétorqua Bella, la tête enfouie dans le sac de courrier afin de mieux étouffer son rire.

— Bon ! Assez parlé de son prochain. Avez-vous de la malle pour nous autres, ce matin ?

Bella ressurgit d'entre les lettres et se rendit jusqu'au casier de bois où le courrier des Jérômiens était classé selon le nom de famille du destinataire. Elle extirpa joyeusement du casier des « M » un colis enveloppé de papier brun et attaché d'une corde de jute.

— Vous avez reçu un paquet, mademoiselle McCready ! De Montréal ! Hé ! Trois cents que ça a coûté à monsieur...

Bella s'arracha les yeux pour arriver à lire le nom de l'expéditeur, inscrit dans le coin supérieur gauche du colis.

— ... Monsieur TI-RE-NAN. Oui ! C'est ça. Ça a coûté trois cents à monsieur Douglas TI-RE-NAN pour vous envoyer ça. C'est bien enveloppé, hein !

— Tiernan, Mademoiselle Labelle ! Tiernan, répéta Camille avec l'accent anglais. C'est un nom irlandais, comme McCready. Comme le nom de papa et comme mon nom à moi : McCready !

— Oui, TI-RE-NAN, c'est ce que j'ai dit. Un nom, c'est toujours bien rien qu'un nom. Hé ! Que c'est un beau paquet ça, mademoiselle ! Et pesant, à part ça ! Je me demande ce qu'il peut bien y avoir là-dedans !

– Craignez pas, mademoiselle Labelle. Je viendrai vous raconter ça après le jour de l'An. Je vous souhaite une bonne et heureuse année ! À vous aussi, monsieur Beaudry ! À l'année prochaine !

Camille sortit du bureau de poste avec son colis. Elle était surprise que son oncle ait pris le temps de lui expédier ce paquet. Son oncle était un homme si occupé... Sa compagnie de matériaux de construction en gros, en pleine expansion, lui prenait tout son temps. Camille l'avait constaté *de visu* quand son oncle l'avait embauchée chez Tiernan and Son, l'année avant qu'elle ne s'établisse à Saint-Jérôme. Elle avait été étonnée de tout le travail que cet homme pouvait accomplir en une journée. Il ne s'arrêtait jamais. Il allait en Europe, revenait et repartait aussitôt pour les chantiers de la CIP ou de la McLaren. Il courait d'un rendez-vous d'affaires à un autre, à Montréal, à Lachute ou aux États-Unis. Il disait passer des heures et des heures avec son fidèle conseiller financier, William Flynn, ce fameux William Flynn que Douglas louangeait constamment mais dont elle n'avait jamais vu le bout du nez en un an. Ensemble, ils vérifiaient les états de compte de la compagnie, ils discutaient d'investissements et de projets d'avenir et, conseillé par son précieux collaborateur, Douglas signait des chèques. Beaucoup de chèques ! En plus de toutes ces occupations-là, Douglas trouvait le temps de faire un brin de jasette avec l'un ou l'autre de ses cinquante employés. Sa vie filait à cent à l'heure sans qu'il semble se rendre compte combien il était un homme occupé.

Camille savait que son travail avait été apprécié par son oncle Douglas. Au cours de cette année où elle l'avait assisté dans ses fonctions, il lui avait souvent exprimé sa satisfaction. Maintes fois, son oncle lui avait dit qu'il était aussi fier d'elle que si elle avait été son fils. Camille avait toujours senti que le cousin de son père éprouvait pour elle une affection particulière. À certains moments, ses sentiments la gênaient. Elle avait parfois l'étrange impression que son oncle la préférait à sa propre fille. Douglas ne parlait jamais de Carmen et il agissait avec elle d'une manière qui pouvait laisser croire que sa fille l'exaspérait. Pourtant, Carmen était si belle et si talentueuse !

Camille connaissait suffisamment Douglas pour savoir qu'il n'aurait jamais fait de tels compliments si, dans son for intérieur, il n'avait pas été sincère. Quand Douglas disait à Camille qu'elle était plus « d'affaires » qu'un homme, il le croyait. Quand il lui disait qu'elle savait mieux compter qu'un homme, il le pensait aussi. Et cet éloge l'amusait particulièrement, parce qu'il sous-entendait qu'un homme savait naturellement mieux compter qu'une femme. Quelle idée saugrenue ! Il fallait voir comment le père de Camille se débrouillait avec les chiffres pour constater que cette croyance ne tenait absolument pas. Où Douglas allait-il chercher de pareilles convictions ? S'il avait été le père de sept filles, comme son cousin Ernest, la réalité lui aurait probablement paru fort différente. Mais il n'en avait qu'une, et elle ne semblait pas la plus douée qui soit pour l'arithmétique.

Douglas rappelait régulièrement à Camille qu'elle ne ressemblait en rien aux autres créatures. C'était la seule femme qu'il connaissait ayant le talent et l'intelligence nécessaires pour réussir en affaires. Les autres étaient nées pour laver des couches, mais pas elle ! Il répétait que cette enfant avait hérité des qualités les plus nobles de ses ancêtres : la finesse, l'audace, la volonté, le courage et la persévérance. De plus, elle tenait son esprit de sa mère, lui avait-il déjà dit, quelques rares fois, presque gêné. Aux yeux de Douglas Tiernan, un pareil legs était trop précieux pour qu'une jeune femme ainsi douée se terre dans la noirceur, la monotonie et la petitesse d'une maison de Saint-Jérôme jusqu'à la fin de ses jours. Camille était une femme d'exception, il en était certain. Elle avait la tête d'un Irlandais né pour le succès, et elle était de la même étoffe que lui-même. Elle était donc le successeur idéal des Tiernan et des McCready.

Douglas avait été peiné quand Camille lui avait annoncé qu'elle quittait Tiernan and Son pour suivre son père à Saint-Jérôme. Il se demandait bien à quelle vie elle aspirait en s'expatriant au diable vauvert et en s'entêtant à vouloir rester collée à ce vieux bougre de Mac, comme il l'appelait ! Ernest avait du cœur, certes, mais pas d'envergure ni d'ambition. Pas assez en tout cas pour retenir éternellement Camille à ses côtés. Si Camille avait agi ainsi parce qu'elle espérait trouver un mari à Saint-Jérôme, Douglas était convaincu qu'elle faisait fausse route. Sa prophétie n'avait rien à voir avec l'allure physique de Camille. Que non ! L'aînée d'Ernest était une jeune personne superbe qui ressemblait comme deux gouttes d'eau à sa mère. Camille avait une tête à croquer : d'immenses yeux bleu barbeau toujours bien allumés, un teint rosé qui s'amusait à rougir d'espièglerie et un sourire limpide, franc et intelligent. Tout pour plaire ! Mais Camille, à vingt-trois ans, n'avait jamais manifesté le moindre intérêt pour les hommes et, maintenant, elle devait s'apercevoir qu'elle était trop vieille pour intéresser un quelconque soupirant. À son âge, et qui plus est avec le caractère rétif qu'il lui connaissait, Camille n'avait plus aucune chance de convoler en justes noces. Et selon les prévisions de Douglas, le ménage à trois que formaient actuellement Rose, Mac et Camille n'allait pas durer longtemps. Douglas espérait donc que sa peine soit de courte durée et il se croisait les doigts pour que la situation joue en sa faveur et lui ramène sa Camille au plus vite.

La jeune femme avait entendu cette prédiction de Douglas. Mais son oncle n'était ni le bon Dieu, ni diseur de bonne aventure... Camille souhaitait vraiment qu'il ait tort. Elle aimait les affaires, elle ne le niait pas. Elle adorait prendre des risques et l'odeur de l'argent lui était agréable. Elle aurait bien aimé se retrouver propriétaire d'un commerce, diriger sa propre entreprise. Mais Camille était aussi un être humain, un être de chair, de sang, d'émotions et de passion ; surtout, elle était une femme honnête qui avait fait un choix : aimer et soutenir son père jusqu'à ce qu'il meure. Elle serait le bâton de vieillesse d'Ernest, envers et contre tous. Cette décision, elle l'avait prise le jour de la mort de sa mère. Jamais elle n'avait douté de sa justesse, jamais elle n'avait hésité à en assumer les conséquences. Jusqu'à tout récemment. Jusqu'à ce que son père se remarie avec sa tante Rose. Jusqu'à ce que sa tante entrave quotidiennement ses desseins les plus simples. Les derniers mois avaient sérieusement effrité ce lien sacré qui l'unissait à Mac. Elle avait longtemps été convaincue que le temps avait fait d'eux des êtres inséparables, que leur amour était inaltérable. Maintenant, elle en doutait.

Camille remonta dans le buggy. Wizz regagna sa place sans attendre que sa maîtresse l'appelle. Camille s'assit sur la banquette, serra le colis de l'oncle Tiernan et s'adressa à Wizz :

– Toi, tu sais où est ta place. Moi, je ne sais plus où est la mienne.

Chapitre 5

Miel pour cocottes

Le numéro 4 de la rue Sainte-Julie était fort occupé en cette veille du premier jour de l'année 1924. La librairie Parent fourmillait d'activité. Les comptoirs qu'Ernest avait installés, en début de semaine, dégageaient une odeur résineuse de pin qui remplissait la boutique d'un arôme exquis. Les décorations de Noël bricolées en sapinage encore frais habillaient les étalages de marchandises enrubannées de velours rouge, dispersés aux quatre coins du magasin exigu. L'ambiance était chaleureuse et réconfortante. La clochette de la porte d'entrée bégayait sans répit son tintement clair, en deux temps bien réguliers, au rythme du va-et-vient incessant de la clientèle animée. Une bonne dizaine de minois, rougis par le froid et illuminés par la joie du temps des fêtes, se pressaient les uns sur les autres tout en s'échangeant, à travers des cascades de rires, des vœux de paix, de santé et d'amour pour la nouvelle année. Charles-Édouard et son épouse, les propriétaires, ne savaient plus où donner de la tête. Transportés par l'effervescence, subjugués par la quantité de billets verts qui s'empilaient à une cadence vertigineuse dans le tiroir-caisse, ils couraient dans toutes les directions derrière le comptoir en U afin de servir avec courtoisie et efficacité leurs clients bien-aimés. Chevaux mécaniques, poupées en pierre, bijoux importés, pipes en écume de mer et papier à lettres disparaissaient des présentoirs à la vitesse de l'éclair pour se retrouver, bien enveloppés de papier brun, dans les bras des Jérômiens, momentanément satisfaits de s'approprier ces bonheurs éphémères à offrir.

Camille, silencieuse au milieu du brouhaha, savourait la magie du moment en attendant d'être servie, quand monsieur le maire fit irruption dans le magasin. Almanzor Legault avait à peine refermé la porte derrière lui qu'il cherchait Camille.

– Camille ! Je savais que vous étiez ici. J'ai reconnu votre... Comment s'appelle-t-il, déjà, votre chien ?

– Wizz ! Comme dans *wizard* ! C'est un mot anglais. *Wizard*, ça veut dire... quelqu'un d'exceptionnel ! Quelqu'un qui a des pouvoirs magiques ! Tous les animaux devraient s'appeler Wizard !

– *Wizard* ! C'est vous qui devriez vous appeler Wizz. Pas votre chien !

Camille rit de bon cœur. Ses joues s'étaient empourprées. Monsieur Legault lui était cher et ce compliment à mots couverts la touchait. Quand l'émotion l'envahissait, comme maintenant, les mots fuyaient souvent sa raison. Ils se bousculaient en elle, pêle-mêle, et ressortaient de sa bouche dans un charabia incohérent et souvent loin de ce qu'elle cherchait à exprimer.

– Si ça ne vous fait rien, j'aime mieux... J'aime mieux Camille !

– Camille, alors! Je ne peux rien refuser à une belle créature comme vous. Rien du tout. Changement de propos, il y a beaucoup de monde ici, ce matin. Au point où j'ai envie de vous demander une petite faveur, mademoiselle McCready.

– Ne vous gênez pas !

– J'avais l'intention de passer chez votre père, pour lui donner mes plans de maison. Mais j'ai encore quelques petites commissions à faire et... Il y a du monde partout au village. Bien plus de monde que je ne le pensais. Parti comme ça, je n'aurai pas assez de la journée pour faire tout ce qu'il faut que je fasse. Est-ce que cela vous ennuierait de remettre mes plans à votre père ? Ça m'éviterait d'aller virer en haut de la côte Saint-Georges ! Vous lui remettez les plans et vous lui dites que je passe après les fêtes pour discuter de tout ça. Est-ce que vous feriez ça pour moi ?

– Bien sûr, monsieur le maire ! Ça me ferait plaisir.

– Les voilà !

Almanzor Legault lui remit les plans abrités dans un long cylindre de carton vert.

– Je suis content que votre père ait accepté le travail.

– Avec papa, c'est garanti que vous allez avoir de l'ouvrage bien fait ! Quand est-ce que vous comptez monter la charpente ?

– Au dégel. Comme ça, votre père va avoir l'hiver pour me fignoler les plus belles boiseries en ville.

– Elles seront les plus belles en ville, c'est certain ! Il n'y a pas un menuisier dans notre région qui ait les mains aussi habiles que celles de papa. Le canton au grand complet doit le savoir, parce que son carnet de commandes est toujours plein.

— Votre père a beaucoup de talent, mademoiselle, c'est vrai. Mais il a aussi une belle grande fille, tout aussi talentueuse que lui, qui lui donne un bon coup de main dans son ouvrage !

— On fait une bonne équipe, papa et moi. Une équipe rare !

— Je dirais même hors pair. J'espère que le bon Dieu le sait et qu'il prendra bien soin d'une telle équipe. Je vous confie mes plans et je continue ma trotte au village. Je repasserai ici tantôt. Il y aura peut-être moins de monde. Je vous souhaite une bonne année, Camille. Vous direz à votre père, à votre belle-mère et à vos petites sœurs que je leur souhaite une bonne année aussi. À bientôt !

Monsieur Legault disparut dans la foule entassée, serrant cordialement les mains qui se tendaient sur son passage et souhaitant la bonne année à ses concitoyens, pour lesquels il avait le plus grand respect. Camille essaya de voir les plans sous le cartonnage épais qui les protégeait. Elle se voyait étaler ses papiers, ses règles et ses crayons sur la table de travail, dans l'atelier d'Ernest. Elle avait hâte d'étudier les dimensions des plinthes, des rampes, des escaliers, des armoires et des comptoirs commandés. Elle songeait au moment où elle évaluerait la quantité de bois, de clous et de colle nécessaire et où elle passerait la commande chez Tiernan and Son, comme un vrai contremaître. Elle rêvait déjà d'entendre le silence de son père lui répéter qu'il était heureux de travailler le bois en regardant sa fille calculer. Oui, elle avait hâte, même si elle craignait qu'un jour, lors d'un pareil moment, la foudre ne tombe et ne fracasse leur relation en éclats irréparables. Pourquoi Ernest avait-il épousé Rose ?

La voix souriante de monsieur Parent la chassa de son rêve.

– Bon ! C'est à votre tour, mademoiselle McCready. Qu'est-ce que je peux faire pour vous, ce matin ?

– Bonjour, monsieur Parent ! Je voudrais une once de... de... *Belle pour toi*, s'il vous plaît !

Camille n'avait jamais acheté de parfum, ni chez Parent, ni ailleurs. Elle détestait ces fragrances à la mode si populaires auprès des bourgeoises de la ville. Les noms attribués à ces effluves de cocottes de bas étage lui paraissaient, de plus, fort ridicules. C'était bien pour rendre service à son père qu'elle avait accepté de faire cette course. Elle priait pour que monsieur Parent ne s'imagine pas qu'elle achetait cet infect liquide, aussi jaune que l'urine de son cheval, pour son propre usage. Ciel, s'il fallait !

– Certainement, mademoiselle !

Monsieur Parent ne posa aucune question et se garda de tout commentaire. Il partit rapidement en direction des étagères vitrées, à l'extrémité droite du comptoir, pour aller chercher la bouteille de *Belle pour toi*. Camille l'observa. Elle souhaitait qu'il revienne vite, qu'il emballe rapidement l'insignifiant flacon et que personne n'ait le temps de remarquer ce qu'elle achetait. Elle réglerait ensuite monsieur Parent sans tarder et filerait en douce. Sa mission serait accomplie.

Le propriétaire refermait la porte de verre du présentoir et s'apprêtait à revenir vers Camille, le visage radieux, lorsqu'il s'immobilisa net. Son sourire pâlit. Son teint devint cireux. Sa bouche s'ouvrit comme si un aimant avait attiré sa mâchoire inférieure dans une interminable motion languissante. Ses yeux s'écarquillèrent. Ses petites lunettes rondes ne pouvaient plus suivre les contorsions extravagantes de ses arcades sourcilières. Le brouhaha du magasin s'étouffa dans un impressionnant *decrescendo* qui figea tout le monde. Le cœur de Camille battait à lui rompre les côtes. Elle n'osait pas regarder derrière elle. Mais que se passait-il donc ? Pourquoi le silence enveloppait-il soudainement le chahut enjoué des clients de la librairie ? Pourquoi la stupéfaction avait-elle, tout à coup, engourdi l'activité frémissante des lieux ? Camille aurait voulu fondre, comme de la cire chaude, pour se faufiler entre les joints des planches du parquet de bois vernis. Était-ce la bouteille de *Belle pour toi* qui était à l'origine de cette commotion ? Non, elle ne voulait pas le croire...

– Bien le bonjour, madame ! articula enfin monsieur Parent.

Madame de Tonnancourt avança dans la boutique, la tête bien haute, de sa démarche calme et sereine, arborant comme toujours un sourire irrésistible et chaleureux à fendre les pierres.

– Mais qu'est-ce que vous avez, monsieur Parent ?

Aucun mot ne sortait de la bouche du libraire. Aucune expression n'animait sa figure.

– C'est mon chapeau ? Ne me dites pas que c'est mon chapeau qui produit cet effet, ma foi, sidérant, disons-le, sur votre humeur ? Ah... Mon chapeau devrait, bien au contraire, vous réjouir, mon bon monsieur. Je les invente pour ça ! Je les crée pour la joie. Pour la mienne... Et pour celle des autres, aussi.

Madame de Tonnancourt n'eut pas le temps de terminer sa phrase que monsieur Parent, soulagé par sa remarque, retrouva ses couleurs normales et s'affranchit du fou rire qui le tenaillait, bien inutilement d'ailleurs, depuis le moment où elle était apparue dans son champ de vision.

– Bon ! Voilà qui est mieux.

Alors que les rires fusaient de part et d'autre de la boutique, la nouvelle venue s'approcha du comptoir. Elle s'étira le cou pour partager avec le propriétaire un de ses secrets qui, en réalité, n'en était plus un.

– Monsieur Parent ! Nous sommes tous nés pour le bonheur. Et moi, je suis ici, dans votre magasin, d'abord pour rendre les miens heureux. Dieu m'a donné le talent d'inventer toutes sortes de petites choses, comme des chapeaux. De petites choses capables de dérider le cœur des gens et de leur donner un moment de bonheur. Alors, ne vous retenez pas. Il faut rire ! C'est quand on rit que la vie est belle !

Madame de Tonnancourt éclata de rire en pivotant sur elle-même, soulevée par un élan de joie. Cette femme dans la jeune quarantaine rayonnait comme une jouvencelle. Elle mordait dans la vie comme si l'instant présent était le dernier qu'elle vivait. Chaque parcelle de sa personne exhalait la tendresse, l'amour et la joie. Chaque geste et chaque mot qui émanaient d'elle la rendait plus attachante à ceux qui la côtoyaient.

– Ah ! chère madame de Tonnancourt ! Saint-Jérôme ne serait pas Saint-Jérôme si vous n'y viviez pas. Et puis, comme vous le dites vous-même... quel chapeau ! lâcha monsieur Parent, soulagé par l'humour et la bonne nature de son interlocutrice.

– Celui-là, c'est... le plus... le mieux... celui qui..., renchérit Camille avec l'intention sincère de complimenter sa voisine mais qui, à chercher les mots justes pour exprimer sa surprise et son admiration, avait plutôt l'air de quelqu'un qui veut cacher le fond de sa pensée.

Madame de Tonnancourt replaça sa coiffure excentrique, mi-surréaliste, mi-cubiste. Sa main gauche, gantée de rouge, palpa délicatement les éléments hétéroclites de l'audacieuse composition, vérifiant l'état du galurin qui trônait sur ses mèches déjà grisonnantes. À en juger par son sourire, l'enchevêtrement inextricable de pommes de pin, de rubans, de violons en papier mâché, de coqs aux plumes ébouriffées, de personnages habillés de satinette et d'angelots brodés de perles et saupoudrés de brillants, semblait intact et conforme à ce qu'il devait avoir l'air.

– Il te plaît ? C'est vraiment le plus... le mieux... celui que tu préfères ! Il est inspiré de Chagall. Marc Chagall ! Je vis actuellement ma période Chagall. Oui, oui !

Camille et monsieur Parent éclatèrent de rire. Personne ne savait jamais si madame de Tonnancourt, dans son excentricité, racontait des histoires sorties tout droit de son imagination délirante ou si elle était sérieuse et parlait de gens et d'événements bien réels. Son existence était si différente du quotidien tranquille des Jérômiens que, par moments, on aurait pu croire qu'elle s'inspirait des romans à dix cents pour construire ses récits étonnamment palpitants. Qui était donc ce Chagall ? Un personnage né d'huile de lin et de pigments kaléidoscopiques, brossé sur une toile blanchie avec le talent de sa merveilleuse folie ? Un de ses nombreux soupirants à qui, selon les ragots de la ville, elle avait brisé le cœur ? Un parent retrouvé ? Un ami ? Un quelconque couturier des vieux pays en mal de reconnaissance chez les artistes canadiens ? Non. Cette dernière hypothèse était à exclure. Aucun couturier n'aurait pu avoir un quelconque lien avec une création pareille. C'était tout à fait impossible !

– Allez ! Il y a des gens qui attendent, ici. Quand vous aurez un petit moment, monsieur Parent, et si vous vous arrêtez de rire un jour, seriez-vous assez gentil pour me préparer deux livres de sucre d'orge ? Mélangez bien les coqs, les poissons, les lapins et les éléphants ! Je ne voudrais pas faire de jaloux. Je repasserai les chercher en fin d'après-midi. D'accord ?

– Madame de Tonnancourt, attendez ! Je vous ramène, si vous le voulez. Je retourne à la maison, s'empressa Camille.

– Avec grand plaisir, Camille. J'aurai l'occasion de tout te raconter au sujet de Chagall. Marc ! Ah... Marc Chagall !

– Combien vous dois-je, monsieur Parent ?

– Deux piastres et demie, mademoiselle Camille !

– Quoi ! Deux piastres et demie pour une petite bouteille comme ça ?

– Hé ! Ce n'est pas du miel de cocottes, ça, mademoiselle Camille !

– Du quoi ?

Madame de Tonnancourt réagit à la réplique de monsieur Parent comme si elle venait d'accuser le contre-coup d'une droite au cœur. Elle encaissa mal le coup. L'envie de rétorquer la démangeait, mais elle aurait scandalisé les Parent et leurs clients. Tous auraient trouvé déplacé qu'une femme émette son opinion en public et, de surcroît, sur un tel sujet. Et tous, sans exception, auraient condamné sa façon de penser, beaucoup trop avant-gardiste pour cette petite ville des Laurentides. Elle se mordit la langue et esquissa un sourire un peu faux qui en disait long sur ses états d'âme.

Madame de Tonnancourt pensait tout de même que le vocabulaire choisi par l'érudit monsieur Parent était de mauvais goût. L'éditeur de *L'Étoile du Nord* était un homme de lettres charmant et bien élevé. Sans l'ombre d'un doute, il connaissait la définition des mots qu'il venait de prononcer. Après tout, chacun de ces mots était bel et bien dans le dictionnaire. Pourtant, madame de Tonnancourt aurait parié gros que monsieur Parent n'avait jamais connu ni cocottes, ni miel de cocottes de sa vie. Le sens de ses paroles devait lui avoir échappé. L'idée d'associer du parfum, même du parfum à bas prix, à un appât auquel aurait recours une jeune fille un peu simplette et aux mœurs légères la choquait. Les hommes étaient parfois d'étranges créatures dont elle n'arrivait pas à saisir toute la complexité. Elle n'aimait pas ceux qui feignaient une expérience libertine et excluaient de leur discours toute empathie pour ces femmes dont on achetait les faveurs sans pudeur. Son point de vue n'avait rien à voir avec les scrupules. Au contraire ! Ce n'était pas contre les plaisirs de la chair, même s'ils étaient consommés en dehors du saint sacrement du mariage, que Magdaline en avait. Dieu seul savait qu'elle en connaissait long sur le sujet et Lucifer s'en doutait ! La question n'était pas là. Ce qui la choquait, c'était qu'il soit acceptable pour les hommes de bomber le torse en parlant de sexe, alors que pour une femme, le seul fait d'y faire allusion la condamnait au statut de cocotte.

C'était plus fort qu'elle. Chaque fois que Magdaline entendait ce genre de réplique, ses oreilles frissonnaient, son cœur se recroquevillait et une montée d'adrénaline lui échauffait l'esprit. Le plaisir sexuel était, selon elle, aussi vital aux hommes et aux femmes que l'étaient l'eau et l'air. Elle n'acceptait pas qu'on ridiculise les désirs et les plaisirs de la chair et encore moins que l'on fasse porter aux femmes l'odieux de sarcasmes semblables. Mais, à quoi bon insister... Magdaline connaissait l'écart entre sa pensée et celle de la majorité des gens. De plus, l'endroit et le moment pour intervenir étaient inappropriés. La bienveillance valait mieux, ici, que l'intolérance. Magdaline agrippa fermement le coude de Camille et la tira vers la sortie.

– Viens ! Je t'expliquerai, Camille. Je te raconterai tout au sujet des cocottes et de leurs appâts pour hommes faciles ! Ces gens attendent ! Monsieur Parent, je repasse en fin d'après-midi. Au revoir !

Chapitre 6

Le grand livre de déraison

Les pétillements joyeux du poêle narguaient la plainte du vent. Juste assez de chaleur s'échappait de la chambre de fonte pour garder au chaud les mains de l'artisan. Une épaisse buée voilait les fenêtres de l'atelier et confinait Ernest dans l'univers des jouets de bois qu'il achevait de créer. D'une nature généralement joviale, il régnait comme un souverain frappé de catatonie au milieu de ses chevaux à bascule, de ses tables et de ses chaises de poupée, de ses traîneaux, berceaux, soldats et polichinelles. Ses grosses mains robustes découpaient, assemblaient, collaient et clouaient avec la même adresse, mais son cœur n'y était pas ; aucune musique n'habitait ses pensées, aucune chanson n'égayait son esprit. Ernest, les yeux fixés sur son travail, le regard figé, plongé dans la lourdeur de ses inquiétudes, cherchait au plus profond de son âme le réconfort de la sagesse. Il souhaitait trouver ce qu'il lui fallait faire, maintenant, là, aujourd'hui. Et demain aussi. La situation entre Rose et Camille avait atteint un niveau de tension critique : Rose insistait pour qu'il intervienne ; Camille s'aigrissait. L'affrontement était imminent et cette perspective lui était insupportable.

Le claquement métallique de la clenche le fit sursauter. La porte s'ouvrit. Une brise glaciale se faufila à l'intérieur et refroidit la pression bouillante qui le tenaillait. Camille entra, radieuse.

– Est-ce le froid qui te rend belle comme ça, ma fille ?

Mille éclats de joie scintillaient sur le visage de Camille, qui prit à peine le temps de refermer derrière elle tant elle était excitée. Elle s'empressa d'enlever ses mitaines, déposa distraitement son paquet sur l'établi et tendit vivement à Ernest le cartonnage cylindrique qui contenait les plans de monsieur Legault. Sa voix tremblait et ses gestes nerveux criaient son enthousiasme devant la perspective d'être, encore une fois, l'alliée d'Ernest dans la réalisation de ce nouveau projet.

– Papa, regardez ! Monsieur le maire vous envoie les plans de sa maison !

– Ah ! Bonne affaire ! Merci beaucoup.

Ernest prit le cartonnage et le déposa derrière lui, au-dessus d'une pile de papiers rangés méticuleusement sur une étagère de caisses d'oranges. Le geste émoussa l'emballement de Camille.

– Papa... Vous ne les regardez pas ?

– C'est pour le printemps, Camille ! À moins qu'il n'y ait quelque chose de changé ?

– Non, non ! Monsieur le maire a dit que ce n'était pas pour avant le dégel.

– On a le temps, tu ne penses pas ? C'est pas mal plus pressant de finir les étrennes du jour de l'An pour les enfants de la paroisse, non ? Tu pourrais mettre ta salopette et m'aider, si tu voulais.

– Ouais... Je pourrais.

À demi convaincue par le gros bon sens de l'argument, Camille ravala sa déception. Elle reprit ses gants et son colis avec tiédeur avant de se diriger vers la cuisine.

– Hé, Camille ! Es-tu allée chez Parent... pour le parfum... pour Rose ?

– Ah oui ! J'allais oublier.

Camille sortit le paquet de sa poche. Ernest la regarda. Sa gorge se serra de tout l'amour qu'il éprouvait pour son aînée. Il regrettait de ne pas avoir pris quelques minutes pour regarder les plans qu'elle apportait. Il aurait pu. En temps normal, il l'aurait fait. Il avait toujours su arrêter le temps pour s'occuper du bonheur de Camille. Et Camille aussi avait toujours su arrêter le temps pour s'occuper de son bonheur à lui. Il voulait parler. Il voulait lui dire qu'il se sentait de plus en plus coincé entre son devoir à l'endroit de sa nouvelle épouse et tout cet amour qu'il éprouvait pour elle. Mais un père ne devait pas parler de ce genre de choses avec sa fille. Un père ne s'embourbait jamais dans de pareilles considérations affectives. Un père devait agir. Il devait savoir comment agir. Mais Ernest ne savait ni dire, ni agir.

– Camille... Il n'y en a pas deux comme toi. Je peux toujours compter sur toi. Merci, ma fille, bredouilla-t-il.

Derrière ces mots, Camille entendit la lutte intérieure qui fragilisait la paix habituelle de son père. Elle n'éprouvait aucun ressentiment envers lui. Elle le lui dit en lui offrant un sourire qui faillit bien lui faire éclater le cœur. Seule Camille pouvait sourire comme ça. Comme Hermione souriait. La puissance des émotions irradiées par cet amour pouvait faire chavirer un cœur aussi solide qu'un navire. La terre aurait pu s'effondrer, les mers s'assécher, le ciel exploser tant le sourire de Camille était percutant, émouvant, généreux et plein de tendresse. Ce sourire rassura Ernest. Au moins, leur complicité survivait à sa propre dérive, pensa-t-il. Camille avait compris.

Ernest prit le petit paquet qu'elle lui tendait.

– Merci. Et celui-là, il est à toi ?

– Oui. C'est l'oncle Douglas qui me l'a envoyé de Montréal. J'ai hâte de voir ce qu'il y a dedans.

– Ah, le vieux bougre ! Il t'aime comme sa propre fille. Tu me montreras ça.

– Certain !

Un arôme soutenu de clou de girofle emplissait la cuisine. Les jeunes sœurs de Camille s'en donnaient à cœur joie en préparant des tourtières. Annette, du haut de ses douze ans, roulait la pâte avec l'ardeur d'une néophyte surexcitée qui découvre les plaisirs d'un nouveau savoir-faire. Emma, elle, devrait patienter encore un an avant d'être promue à la pâtisserie. En attendant, elle se faisait la main en remplissant les abaisses alignées de porc haché fumant et parfumé d'oignons brunis. Les deux fillettes travaillaient dur tout en beuglant le *Sainte Nuit* de toutes leurs forces. Ce joyeux tapage ravigota Camille.

– Eh ! C'est de la vraie cookerie que vous êtes en train de faire là !

Emma s'arrêta de chanter pour répliquer :

– Oui, mademoiselle ! Et ça va être bon, tu peux nous faire confiance !

– En es-tu certaine ?

Camille pinça le nez de sa petite sœur qui dégagea aussitôt sa jolie frimousse enfarinée.

– Hé, hé ! ricana Emma avant de retourner à ses prouesses musicales. Tu m'as presque eue, cette fois !

Camille aimait bien taquiner ses petites sœurs. Elles étaient, en quelque sorte, comme ses propres filles. Quand sa mère était morte, à la naissance d'Emma, Camille avait douze ans. Elle n'avait pas eu le choix : elle avait dû prendre soin de ses six sœurs cadettes, et de son père aussi. Pendant plus de huit ans, elle avait organisé la maisonnée pour que chacun mène une vie confortable et heureuse. De plus, malgré ses lourdes responsabilités, elle avait trouvé le temps et les moyens de seconder son père dans le développement de son entreprise d'ébénisterie. Elle avait appris à manier la scie et le marteau mais, surtout, elle avait développé une méthode maintes et maintes fois éprouvée servant à évaluer les matériaux nécessaires, les coûts de fabrication ainsi que le temps requis pour exécuter les travaux. Elle avait aussi élaboré un système ingénieux et efficace pour suivre la progression des contrats en cours et pour tenir à jour les rentrées et les dépenses ; de plus, sur les chantiers, elle était le meilleur contremaître que l'on pouvait trouver. Sans son aide, les affaires d'Ernest n'auraient jamais été aussi prospères.

Depuis que la famille McCready avait quitté Montréal pour s'installer chez Rose, dans la maison familiale où Hermione avait grandi, la vie de Camille avait bien changé. Ses responsabilités s'étaient de beaucoup allégées. Trois de ses sœurs s'étaient mariées et une autre était entrée dans la congrégation des sœurs de la Miséricorde. Non seulement la famille se faisait plus petite mais, aussi, Camille avait été libérée des obligations de mère de famille. Rose, la sœur cadette de sa mère, avait pris la relève. Tante Rose veillait maintenant, avec toute la vigilance du monde, sur ses deux jeunes sœurs, sur elle et sur Ernest. Pour le bien de tous mais, avant tout, pour le sien. Rose gardait le fort McCready comme une sentinelle de mirador aux aguets, toujours à l'affût de la moindre dérogation à sa loi qu'elle disait subtile mais qui, au fond, était toute-puissante et, surtout, sans nuance.

Camille s'assit à la table. Elle tournait délicatement son colis dans tous les sens, faisant durer le plaisir de recevoir et s'amusant à deviner ce que son oncle Douglas avait bien pu lui envoyer. Rose, la tête dans le four, feignait de vérifier la cuisson de son paleron bourré. En vérité, elle avait choisi cette cachette de fortune pour mieux observer, de loin, sans toutefois se douter que Camille tarderait ainsi avant d'assouvir sa curiosité. La chaleur du four commençait à lui cuire dangereusement les joues ; aussi regrettait-elle d'avoir choisi cet endroit pour dissimuler son regard avide.

— Est-ce qu'il y avait de la malle pour nous, ce matin ? osa finalement demander Rose, sentant sa frange grésiller sur son front.

— Non. Rien, ma tante.

— Rien ? Et ce paquet-là, c'est quoi ?

Rose avait largué sa bombe sans provoquer d'explosion. La petite femme de type napoléonien se félicitait de son esprit de fin stratège. Son plan fonctionnait. Annette et Emma, occupées qu'elles étaient par leurs tourtières et leurs cantiques, n'avaient pas remarqué le colis que Camille tripotait. Mais la question de Rose avait piqué leur curiosité et déclenché la ruée des fillettes vers la table. Ce n'était pas tous les jours qu'un McCready recevait un colis ! Les petites réagissaient exactement comme Rose l'avait espéré : elles voulaient voir et leur agitation allait forcer Camille à ouvrir sa fameuse boîte. Leur enthousiasme lui servirait ensuite de prétexte pour aller voir, à son tour, le fameux trésor de plus près. Si elle avait pu, Rose se serait tapée dans le dos pour se congratuler.

– Oh, chanceuse ! Le beau paquet ! Qui t'a envoyé ça ? demanda Annette.

Emma bondit de l'autre côté de la table.

– Ouvre-le, vite !

– Oui, oui, ça vient. C'est de notre oncle Douglas, répondit Camille, qui entreprit de déballer le colis avec aménité.

Quand elle ouvrit la boîte, les filles se turent, ébahies par la beauté de l'objet. Rose s'avança, le moment lui paraissant propice. Ses yeux s'écarquillèrent devant le grand livre à la somptueuse reliure de cuir d'un brun rougeâtre plus chaud que celui de la brique. Chaque page était lisérée d'une fine bordure dorée. Sur la couverture, les initiales « *C. McC.* » avaient été embossées, sans doute par un maître artisan calligraphe. Camille prit l'objet avec tout l'égard qu'il méritait. Elle le déposa avec précaution sur la table, puis l'ouvrit. Les pages étaient de papier japon et aménagées en colonnes de largeurs diverses, séparées les unes des autres par de délicates doubles lignes, tantôt bleues, tantôt roses. Camille n'en revenait pas. Douglas avait probablement rapporté ce livre comptable d'un de ses voyages dans les vieux pays. Quel beau cadeau !

Rose essuya plusieurs fois ses mains sur son tablier avec un entrain redoutable. Ses yeux scintillaient d'une victoire qu'elle savourait mais dont elle seule connaissait les enjeux. Elle s'installa à côté de Camille et empoigna le grand livre avec détermination.

D'abord déconcertée par l'audace de Rose, Camille ne réagit pas. Ensuite, la colère monta, doucement, lentement, pernicieusement. Encore une fois, Camille se heurtait à l'insatiable voracité affective de Rose. Encore une fois, Rose s'appropriait son bonheur. Son bonheur à elle. Celui-là, comme celui qu'elle avait construit, en toute légitimité, au fil de tant d'années.

– Eh ! Ça va être pratique pour tenir la comptabilité, un livre comme ça. Regarde, Camille ! Ici, on va inscrire la date où Ernest reçoit ses commandes, hein ? Et dans cette colonne-là, la date de livraison. Et là, l'argent que ça a coûté. Ici, le montant que le client nous doit. Dans celle-là, l'argent qu'il nous donne. Ici, quand il paye comptant, et là quand il reste un solde à payer. Eh ! Que ça va être pratique ! Qu'est-ce que tu en penses, Camille ?

Celle-ci bondit de sa chaise et reprit le grand livre des mains de Rose. Cette fois, elle allait réagir. Le combat était engagé, pour le meilleur ou pour le pire.

– Écoutez-moi bien, ma tante. À ce que je sache, c'est moi qui m'occupe de la comptabilité de mon père. Et ce livre-là, c'est *mon* cadeau à moi, pas le vôtre. Alors, je vais l'organiser comme je veux. Je vais écrire ce que je veux, où je veux, comme je veux.

Jamais Camille ne lui avait parlé sur ce ton. Rose était indignée et blessée par l'impertinence de sa nièce. Il était hors de question qu'elle permette à cette jeune personne de lui répondre d'une manière aussi audacieuse, voire méprisante, et cela, dans sa propre maison. Rose frappa la table du plat de la main. Sa fureur était si grande qu'elle ne sentit pas la douleur. Elle se leva et repoussa nerveusement sa chaise. La rogne gagnait les moindres recoins de sa personne. Elle tremblait comme si ses muscles se dérobaient un à un à son contrôle. Elle ouvrit la bouche mais pas un son n'en sortit. Elle pencha la tête comme si elle cherchait à retrouver sa voix perdue au cœur de la tourmente. Puis, les mots jaillirent enfin, stridents, acerbes et coupants, propulsés comme la substance purulente d'une pustule de ressentiment qui éclate sous la pression du temps.

– Ah, là ! Camille ! Trop, c'est trop. Laisse-moi te rappeler, que je ne suis pas seulement ta tante. Je suis la femme de ton père. Comprends-tu ça, ma fille ? La femme de ton père ! Tu me dois respect et obéissance. J'ai au moins quinze ans de plus que toi ! Et ici, c'est d'abord chez nous, au cas où tu l'aurais oublié. Tu sauras, Camille, que les affaires de mon mari, ça me regarde. Et ça me regarde pas mal plus que ça peut te regarder. J'ai voulu me montrer conciliante jusqu'ici et je t'ai laissée tenir les comptes d'Ernest. Mais là, c'est fini. Ernest, c'est mon mari, *mon* mari à moi. Il est grand temps que tu apprennes à garder ta place et à te comporter comme la fille d'Ernest McCready. Pas comme sa femme. Il est grand temps que tu mettes ça dans ta tête, Camille. Dans ta tête dure. Dans ta Jésus de tête dure. Plus dure que de la roche.

Camille n'avait pas bronché. Son regard n'avait pas quitté celui de son opposante. Un calme olympien lui servait de bouclier.

– Dites-moi donc, ma tante... Qu'est-ce que vous connaissez dans les chiffres et dans la tenue de livres ? Êtes-vous capable de calculer combien de longueurs de chêne ça va prendre pour faire les boiseries et les armoires d'une cuisine ? Hein ? Combien de clous il faudra utiliser pour monter la charpente d'une maison ? Combien il faut charger pour un escalier ? Dites-moi donc ce que vous connaissez là-dedans ?

Rose bouillait. Camille poussait l'affront trop loin.

– Ah, là... Tu me déçois. Tu me déçois profondément. Ce n'est sûrement pas ma sœur qui t'a appris à être insolente de même. Hermione avait ses défauts, mais c'était une femme bien élevée. C'est épouvantable de parler comme ça. C'est odieux. C'est du poison à rat qui sort de ta bouche. Tu es méchante, Camille. Si je ne me retenais pas, je te tape...

Ernest apparut dans la cuisine, le rabot à la main. Il s'interposa aussitôt entre Rose et Camille.

– Ça va faire, la chicane ! Tout le monde va se calmer ici. Camille... Je te rappelle qu'il y a des chambres à préparer pour la parenté qui s'en vient. Tu as de l'ouvrage à faire, ma fille. Et je te conseille d'y aller tout de suite. Ça va te refroidir les sens. Quand tu auras retrouvé tes esprits et que tu auras réfléchi à tout ça, on en reparlera.

Camille ramassa la boîte de carton et le papier d'emballage et disparut dans l'escalier, serrant son cadeau sur son cœur. Annette et Emma échangèrent un regard empreint de tristesse et retournèrent à leurs tourtières, manifestant cependant un peu moins d'entrain. Rose sortit son mouchoir de sa manche, l'agita pour le déplier, s'essuya les yeux et moucha bruyamment son émotion. Ernest posa les mains sur le dossier de la chaise. Il fixait la porte du salon comme s'il avait envie de s'enfuir, comme s'il avait envie de courir à des lieues de là, loin, très loin de la discorde. Son sens du devoir l'en empêchait. Il savait que ce problème lui appartenait et qu'il devait le régler. Il chercha les yeux de sa femme. Il les trouva sans peine. Il y lut la satisfaction. La victoire aussi. Un frisson le secoua. Il y cherchait autre chose, mais quoi ? Ernest l'ignorait. Son regard resta muet à la gratitude de Rose. Envahi par le doute, il fit demi-tour et regagna son atelier dans le silence de l'incertitude, titubant entre la raison et la déraison.

Chapitre 7

Chiffon from Paris

L'arrière-boutique du renommé magasin montréalais Marshall regorgeait de tissus. On aurait dit la caverne d'Ali Baba remplie à craquer des plus précieux trésors de la terre. Il fallait pencher la tête pour passer la petite porte, habillée d'un rideau de longues franges de soie écarlate et miroitante, qui menait jusqu'à cet impressionnant repaire réservé à de rares privilégiées. De l'autre côté, la pénombre sacralisait les lieux. Pas une seule fenêtre n'éclairait l'endroit. Tout au fond de la pièce, cinq étagères de bois vernis, suffisamment hautes pour chatouiller le plafond, s'étiraient sur une vingtaine de pieds pour accueillir une multitude de caisses, de balles et de rouleaux d'étoffes de toutes sortes, protégées tantôt de papier de soie, tantôt de papier brun. Devant ces étagères, une gigantesque table en chêne massif, découpée par la lumière crue de huit lampes suspendues, semblait monter la garde sur ce royaume inaccessible aux bourses des prolétaires.

Le vieux monsieur Marshall avait promis à Carmen Tiernan de toujours lui offrir ses plus belles trouvailles avant de les mettre en vente pour le grand public. Il tenait religieusement sa promesse. Il rentrait tout juste d'un voyage en Europe, où il avait déniché des pièces remarquables

À son retour, il s'était empressé d'inviter la mère et la fille Tiernan à venir voir ses précieuses marchandises. Il allait et venait dans les longues rangées de cette pièce mystérieuse avec le flegme d'un vendeur rusé et expérimenté, apportant un à un, sur la table, ses tissus les plus exotiques, les plus inusités et, bien sûr, les plus coûteux. Il connaissait bien Carmen Tiernan. Il utilisait les bons mots et les bonnes tactiques pour flatter sa suffisance et ainsi lui faire dépenser beaucoup d'argent. Tout l'argent qu'il voulait. De plus, il n'ignorait pas que Douglas Tiernan avait largement les moyens de régler les quelques frivolités de ces dames et que, en homme respectable qu'il était, il s'acquittait toujours de ses dettes avec beaucoup d'assiduité. Alors, la visite mensuelle de Carmen et de Sarah Tiernan représentait pour ce vieux commerçant chevronné un moment de réjouissance. Tout ce qu'il souhaitait, c'était que Carmen n'insiste pas pour lui chanter un extrait d'un de ses derniers succès. Ses oreilles supportaient mal ses acrobaties vocales. Par contre, les courbes de cette grande et belle rouquine excentrique flattaient avec délice son regard encore suffisamment alerte pour en reconnaître la grâce et la beauté.

– Tiens, *sweety* ! Regarde celui-là !

Monsieur Marshall déroula avec précaution quelques verges d'un tissu noir finement pailleté d'or sous les yeux de Carmen qui tirait déjà vanité de ses futures acquisitions.

– Chiffon ! Chiffon *from* Paris... *Isn't it gorgeous ?*

– Ah, mon Dieu ! Maman... Regardez ça !

– *Look at that one !*

À la manière d'un illusionniste astucieux, il fit ensuite apparaître de sous un épais papier brun un tissu fabriqué de milliers de délicats fils retors dorés, délicatement lovés sur une âme de soie du même éclat que l'ambre jaune.

– *A* lamé, *sweety ! A real one... from* Milan ! Et crois-moi... *As soon as I put this piece on the floor...* Partie ! Vendue ! Eh ! C'est quelque chose, ça. Les plus belles créatures de *Montreal* vont s'arracher ça... *Touch it ! Feel the quality ! Well, come on ! Touch it ! It won't bite you, sweety !*

Carmen se mit à rire. Elle déroula promptement quelques verges du lamé et s'y enveloppa langoureusement.

– Oh ! Maman... Avec une robe comme ça, c'est certain que je peux chanter mieux qu'Emma Lajeunesse en personne.

Sarah, à l'écart, souriait discrètement. Elle s'intéressait beaucoup plus à la réaction de sa fille qu'à la beauté de tous les tissus que monsieur Marshall pouvait leur montrer. Si Carmen était heureuse, elle l'était aussi. Rien n'avait d'importance sinon le bonheur de sa si précieuse enfant, maintenant enfant unique.

– Écoute, *sweety* ! Je vais te faire un bon *deal*. Parce que tu es ma chanteuse d'opéra préférée. Écoute ça... Je peux vendre ça, *very, very easy*, douze piastres la verge. Mais parce que c'est toi, je vais te faire un bon *deal*... Un bon, bon *deal*. Je vais te faire ça à onze piastres et quart la verge.

Sarah répéta machinalement, en empruntant le même français cassé que monsieur Marshall :

– Onze piastres et quart la verge...

– Six verges... Sept... Non ! Sept et demie ! Ah... Plutôt huit ! calcula Carmen.

– Huit verges..., prononça Sarah, d'un ton presque inaudible mais d'une manière tout aussi machinale.

– Écoute, *sweety*, pourquoi tu ne prends pas tout ? Il y a douze verges, là-dedans. Comme ça, personne en ville n'aura une robe comme la tienne. Jamais. Pour quatre verges de plus... C'est des *peanuts* !

– C'est une bonne idée, monsieur Marshall !

– Je vais te plier ça tout de suite, *sweety* ! En attendant, n'hésite pas à regarder les autres morceaux.

Le petit propriétaire rondouillard, satisfait de sa vente, déposa son gros cigare dans le cendrier et s'affaira à emballer le lamé or. Il prit son temps. Il savait que cette étoffe constituait le tout premier article d'une liste d'achats qui allait rapidement s'allonger. Il ne se trompait pas. Tel qu'il l'avait anticipé, Carmen se rua avec frénésie sur les tissus qui couvraient la table. Elle ressemblait à une tornade déchaînée qui soufflait, dans une pagaille brutale, chaque pièce d'étoffe qui lui tombait sous la main. Brocart, moire, guingan, satinette et dentelle volaient d'une extrémité à l'autre de l'immense surface vernie et retombaient dans un désordre démentiel. Monsieur Marshall riait dans sa barbe, même s'il n'en portait pas ! Il venait, une fois de plus, de vérifier l'infaillibilité de sa tactique. Sans laisser voir sa satisfaction, il tira doucement son calepin noir de sous l'amas échevelé de tissus, reprit son cigare et recula de quelques pas, s'éloignant de l'épicentre de la tempête. Il sortit ensuite un crayon de sa poche de chemise et le porta à sa bouche afin d'en enduire la mine de salive. Il était fin prêt à consigner le prix de chacune des fantaisies retenues par la chanteuse mégalomane, complètement saoulée d'un orgueil inique et totalement sourde à toute autre voix que la sienne. La liste fut longue, mais monsieur Marshall réussit à suivre la cadence. Puis, lorsque la bourrasque se calma, il s'arrêta un moment pour expulser de ses poumons un peu de l'excitation du moment. Une fois soulagé, il inspira la concentration qu'il lui fallait pour faire l'addition sans commettre d'erreur à son désavantage. Lorsqu'il se sentit prêt, il attaqua la colonne de chiffres qui s'étendait sur une pleine page de son carnet et, en quelques secondes à peine, il en fit le total. Il regarda Carmen droit dans les yeux pour mieux la convaincre du ridicule que représentait la somme à payer.

– Bon... C'est tout, *sweety* ? *Sure* ? OK... Trois... Huit... Treize, vingt-trois, trente-six. *That's it* ! Ça fait trois cent soixante-trois piastres !

Marshall se retourna vers Sarah, histoire de rassurer également la mère, et ajouta :

– *Don't worry*, madame Tiernan ! Je mets ça sur le compte de monsieur Douglas, comme d'habitude. Pis, pour être bien sûr que tu passes un beau Noël, je vais attendre la fin du mois de janvier pour lui envoyer le compte. Tu ne pourras pas dire que je ne suis pas à la mode !

Sarah, amusée de l'exubérance de sa Carmen, était déjà occupée à découper mentalement, dans cette avalanche de tissus, les nouveaux vêtements qu'elle allait confectionner pour faire de sa fille une jeune femme encore plus admirée et encore plus convoitée qu'elle ne l'était déjà. Les détails de la transaction ne la préoccupaient guère. Dans un sourire béat, elle se surprit à reprendre les mots de monsieur Marshall, avec le même accent :

– Trois cent soixante-trois piastres... Et le compte... à la fin du mois de janvier...

Son sourire tomba subitement et son visage se chiffonna. Elle répéta encore :

– Trois cent soixante-trois piastres... Et le compte... à la fin du mois de janvier...

Sarah eut un pincement au cœur. Tout à coup, l'indécence de cette dépense somptuaire la mit mal à l'aise. Elle et sa fille venaient de dilapider, en quelques minutes et sans le moindre scrupule, trois cent soixante-trois piastres, alors que de braves gens ne parvenaient pas à gagner une pareille somme en travaillant d'arrache-pied pendant une année entière ! Une vague de nausée la saisit à la gorge, la menant près de la défaillance.

Heureusement, Carmen, sans en avoir conscience, vint à sa rescousse. Par réflexe égoïste plutôt que par altruisme, cette enfant gâtée n'aurait jamais pu laisser sa mère se ronger l'intérieur avec la violence de ses réflexions. Jamais elle ne lui aurait permis de regarder la réalité sans l'épais maquillage qu'elle lui appliquait quotidiennement avec grand soin et en toute inconscience. L'égocentrisme de Carmen était permanent et quiconque côtoyait cette jeune femme aux comportements affectifs excessifs ne pouvait se réfugier longtemps dans un état léthargique. Carmen avait besoin, en tout temps, de l'attention de son entourage. Elle eut donc vite fait de ramener sa mère à des considérations pratiques et matérielles, beaucoup plus urgentes d'ailleurs que ne pouvaient l'être les soubresauts existentiels, de toute façon insolubles, de sa mère. Monsieur Marshall finissait d'emballer les tissus achetés par les Tiernan.

– Faites vite, monsieur Marshall ! Il faut qu'on aille chez Goodwin's et chez Murphy avant six heures. N'est-ce pas, maman ? Il faut qu'on me trouve un chapeau, des gants, des souliers en peau de soie, des boucles d'oreilles et un collier pour mon concert de vendredi prochain.

– Oui, Carmen ! Il faut qu'on te trouve un chapeau, des gants, des souliers en peau de soie, des boucles d'oreilles et un collier pour ton concert de vendredi prochain, répéta Sarah sans réfléchir, revenant subitement à sa réalité de mère aimante, dévouée et indispensable à sa chanteuse d'opéra de fille en mal d'adulation. Oui. Faites vite, monsieur Marshall, faites vite.

Chapitre 8

Vivement Vivaldi !

La joue charnue de Miville retenait amoureusement le corps de son violon sur son épaule. Les doigts de sa main gauche, longs et souples, parcouraient avec agilité le manche de l'instrument, fouillant la plus petite parcelle de son intimité, depuis la crosse jusqu'à la table. Sa main droite guidait l'archet sur les cordes avec assurance et passion. Tantôt, il le glissait avec tendresse et tantôt, il le faisait rebondir avec fougue. Toute la plénitude de la musique de Vivaldi jaillissait de l'âme du petit instrument de sapin et d'érable. Devant le visage ému du jeune homme, juste à la hauteur de ses yeux, cinq épingles à linge en bois retenaient à une ficelle bien tendue les quatre feuillets de la partition de *La Notte*, suspendus à la manière de chemises qui sèchent au grand air. Une brise glaciale s'insinuait avec insistance à travers les planches noircies des murs de cette salle de répétition de fortune et faisait frissonner les pages d'un mouvement qui ne semblait guère intimider le musicien.

La musique rebondissait allègrement sur les boîtes de conserve, cartons, bouteilles, poches de jute et sacs de toile de toutes sortes qui occupaient chaque pouce carré de l'arrière-boutique exiguë de l'épicerie. Les notes joyeuses fuyaient le terrier de Miville et gambadaient, en toute innocence, jusqu'aux oreilles des clients encore nombreux de l'autre côté de la cloison. Les têtes se tournaient et les regards intrigués des habitués de Vertefeuille et Fils cherchaient la provenance de ce délice musical. La journée s'achevait, mais l'activité du magasin ne dérougissait pas. En dépit de l'achalandage important, Roméo et Roch avaient accepté de mettre les bouchées doubles pendant une heure, pour permettre à leur jeune frère de répéter.

Sévérin Vertefeuille, descendant du seigneur de Bordeaux et puissant propriétaire terrien du quartier, était passé à l'épicerie aux environs de midi. Il avait vérifié la propreté des planchers, des comptoirs et des tablettes de son établissement. Il avait revu l'inventaire, soulagé la caisse des recettes de la matinée et s'était assuré que ses trois fils et ses deux commis portaient leur tablier immaculé et empesé à la fécule de maïs, ainsi que leur canotier aux couleurs du commerce. Comme tout roulait selon ses exigences, il n'avait pas prolongé sa visite. Avant de repartir, il avait informé son fils aîné qu'il ne comptait pas revenir en fin de journée, comme à son habitude, car il avait des choses importantes à régler en ville. Roméo en fut content. La présence du père Vertefeuille dans le magasin indisposait non seulement ses fils mais aussi les employés. Sévérin Vertefeuille n'avait pas fait de l'humanisme sa doctrine de vie. Il parlait la langue des affaires, pas celle du cœur. Il faisait tout en son pouvoir pour être craint plus qu'aimé. Son austérité et sa dureté terrorisaient son entourage. Aussi son absence allégeait-elle l'ambiance dans le commerce prospère, et tout le monde s'en portait mieux.

Lorsque l'imposant Sévérin Vertefeuille, baraqué comme une armoire à glace, entra dans son magasin, vers quatre heures de l'après-midi, Roméo sut que Miville et lui auraient des problèmes. L'homme le plus riche du nord de la ville détestait la musique. Et il détestait encore plus voir son propre fils perdre son temps à manier une baguette tendue de crin de cheval pour tirer d'une boîte de bois aux formes ridiculement arrondies des sons pleurnichards censés émouvoir les cœurs sensibles. Comme madame Vertefeuille ne semblait pas s'intéresser à l'éducation de ses fils, Séverin en avait pris la responsabilité. Il entendait faire de ses trois fils des hommes d'affaires nantis, respectés et respectables. Pas des artistes ! Et ce n'était pas en jouant du violon que Miville allait se bâtir un avenir et faire fructifier la fortune familiale. Le tout-puissant Séverin Vertefeuille souhaitait depuis des années que cette toquade qu'avait son fils cadet de vouloir devenir musicien finisse par lui passer. Il avait toléré que Miville répète à la maison, de temps à autre, sans que ses exercices dérangent le reste de la famille, mais il lui avait formellement interdit d'apporter son violon à l'épicerie. Là, Miville avait désobéi. Séverin Vertefeuille était furieux de constater que son artiste de fils s'offrait le luxe d'interpréter du Vivaldi alors qu'il aurait dû s'affairer à servir une clientèle plus nombreuse à cause du temps des fêtes.

Séverin Vertefeuille secoua ses pieds sur l'épais tapis de caoutchouc de l'entrée. Il s'immobilisa quelques secondes, à peine le temps d'exprimer du regard sa colère à Roméo. Il rabaissa son large col de castor, retira ses gants noirs aux coutures contrastées et, de sa main droite, les fit claquer violemment dans la paume de son autre main. Il enleva son chapeau, le déneigea et fonça droit devant lui. En gentilhomme qu'il était, il masqua sa mauvaise humeur et salua poliment les clients qu'il croisa sur son passage, puis il s'engouffra dans l'arrière-boutique.

Miville, assis sur une marche, dos à la porte, ne le vit pas arriver. Séverin s'arrêta derrière son fils. Miville sentit sa présence. La senteur de l'eau de Floride agressa violemment ses narines et paralysa ses élans artistiques. Il s'arrêta net de jouer et se retourna. Il reconnut sans peine l'étoffe de lainage noir du long manteau de son père. Il leva les yeux et dut faire face à une hargne silencieuse, trop passive pour être inoffensive. Sévérin ne dit rien. Du revers de ses gants, il rafla la partition et arracha la ficelle à laquelle elle était suspendue.

– Il y a du travail qui t'attend en avant, garçon. Je ne paie pas mes employés pour les voir répéter Vivaldi. Pour ça, je retiendrai tes gages de la fin de semaine.

Miville se leva promptement.

– Père ! L'audition est dans trois jours et j'ai...

Sans broncher, Sévérin coupa court aux jérémiades de son fils.

– Je te prie de te dépêcher à ranger tes... tes babioles d'enfant gâté. Les affaires passent avant la musique. Je te l'ai déjà dit. À plusieurs reprises, il me semble. Et entends-moi bien, parce que je n'ai plus jamais, jamais l'intention de te le répéter. Compris ?

Sévérin avait dit ce qu'il avait à dire. Il tourna les talons et disparut comme il était venu. Avant de franchir la porte extérieure, il s'arrêta devant Roméo et lui lança au visage :

– À ce soir ! Nous avons des choses à mettre au clair, mon fils !

Sévérin sortit en vainqueur, sans même avoir précisé le motif de sa visite surprise. Miville rabaissa son canotier pour camoufler la rougeur de ses yeux bruns mouillés de colère. Paralysé par sa frustration, il rajusta son *spencer*, lissa son tablier et se résolut à aller servir les clients. Il venait d'aborder madame Bédard quand Carmen, talonnée par sa mère chargée comme un mulet, surgit à ses côtés comme un grain de maïs tout chaud qui vient d'éclater.

— Ah ! Mon cher Miville ! Comme je suis heureuse de te voir !

Carmen embrassa son amoureux sur la joue dans une mise en scène théâtrale qu'il était difficile de ne pas remarquer. Tous les regards convergèrent vers eux. Madame Bédard fit de son mieux pour cacher son amusement devant la singularité de cette jeune personne, mais n'y parvint guère. Carmen continuait à se dandiner et ses bras faisaient de larges cercles désordonnés.

— Je ne pouvais absolument pas attendre. Il fallait que je vienne te montrer ça tout de suite. Regarde ! Regarde mes trouvailles !

Carmen arracha un paquet des mains de sa mère qui, d'une docilité qui frôlait la bêtise, restait plantée à l'écart avec un sourire godiche. D'un ton amène et en des termes courtois, Miville tenta de refroidir les ardeurs de sa dulcinée. Sa visite ne pouvait pas plus mal tomber.

— Carmen... Carmen... Je... Il y a...

Comme toujours, Carmen n'entendait rien. Elle éventra avidement un des paquets et en extirpa tout ce qui se trouvait sous ses doigts. Les pièces d'étoffe tombaient les unes après les autres sur le parquet de bois détrempé par la neige fondue. Miville comprit qu'il avait beau faire une tête de plus, en taille, et deux fois sa carrure d'épaules, qu'il aurait beau murmurer, grogner ou l'adjurer de se calmer, rien n'allait stopper les élans de Carmen. En désespoir de cause, il se tourna vers Sarah et l'implora d'intervenir pour contenir le délire de sa fille.

– Madame Tiernan... Je suis désolé... Le moment... l'endroit... ne sont pas... disons... des plus indiqués.

Dieu merci, Sarah comprit sa détresse. Sarah entendait toujours Miville. Elle ramassa les tissus étalés sur le plancher et prit Carmen par le bras.

– Carmen ! On va montrer tout ça à monsieur Miville ce soir. Viens !

– Mais, maman, attendez ! Je veux lui montrer le lamé or d'Italie. *De la Italia !*

Miville empoigna la main de sa compagne et la tira à l'écart. Il la saisit par les épaules et lui dit, à voix basse, au creux de l'oreille :

– Écoute, Carmen. Tu es belle et tu seras toujours la plus belle, et cela peu importe les robes que tu portes. Mais là, tu dois m'excuser. Je dois vraiment aller servir les clients. Nous regarderons tout ça ce soir. D'accord ?

Carmen resta hébétée pendant une longue demi-seconde. Son *ego* fut touché. Mais son esprit, vif et rusé, lui permit fort heureusement de retrouver en un tour de langue jusqu'à la plus petite parcelle de sa fierté, du moins se plut-elle à le croire.

– Mon Dieu ! J'avais complètement oublié. Merci de me le rappeler, Miville. Maman, nous avons encore quelques courses à faire. Dépêchez-vous ! Nous n'avons plus beaucoup de temps devant nous. Allons-y !

Carmen claqua la porte en serrant les dents :

– Les clients ! Les clients ! Et moi, ne suis-je pas plus importante que ses satanés clients ?

Sarah trottinait derrière, transportant péniblement les achats de la journée et les tissus, entortillés pêle-mêle, qui lui glissaient entre les bras. En dépit du ridicule de la situation, elle eut la gentillesse de s'arrêter, avant de franchir le seuil, pour envoyer la main à Miville, *son* Miville :

– À ce soir, monsieur Vertefeuille. Bonne fin de journée !

Miville lui rendit un sourire forcé. Avant de retrouver madame Bédard, il se pencha et feignit de rattacher sa bottine afin d'entendre dans sa tête un peu de la douce folie de Vivaldi. La musique lui manquait déjà, et il en aurait grand besoin pour finir cette rude journée.

Chapitre 9

Dessert oxygénant

La salle à manger de l'hôtel de Buckingham n'avait pas le faste de celle de l'hôtel Windsor de Montréal, là où Douglas aimait tant aller pour discuter d'affaires et de bien d'autres choses encore. L'endroit était plus petit, la décoration plus modeste et la clientèle beaucoup moins sélecte. Mais l'ambiance y était chaleureuse, la cuisine absolument succulente et les propriétaires tout à fait adorables. La secrétaire de Patrick McLaren y réservait régulièrement une table pour son patron et, chaque fois, le propriétaire de l'hôtel l'accueillait avec beaucoup d'égards. Madame Dalberty prenait tout le temps nécessaire pour concocter à son plus précieux client ses plats favoris : ragoût de chevreuil, pâté de perdrix et grands-pères dans le sirop d'érable. Monsieur Dalberty descendait à la cave et dépoussiérait une bouteille de vin de cerise de sa meilleure cuvée, ainsi qu'une bonne bouteille de son plus vieux whisky. De plus, Dalberty savait que McLaren appréciait les airs populaires de la chanson canadienne française. Aussi, pour lui faire plaisir et dans la mesure de la disponibilité du musicien, il invitait chez lui Alphonse Perrault, le pianiste vedette du théâtre de Drouin de Saint-Jérôme. Le petit homme de Hull n'avait jamais refusé une invitation ; c'était toujours avec grand plaisir qu'il venait redonner vie au vieux piano Lesage en interprétant les plus grands succès de l'heure, pour le bonheur du plus fortuné des hommes d'affaires du canton.

Patrick McLaren avait mangé comme un ogre, faisant honneur à la cuisine de madame Dalberty. Douglas Tiernan, moins gourmand, avait à peine enfilé quelques bouchées de chacun des mets et son dessert était resté intact. Son tour de taille était certainement plus modeste que celui de McLaren, mais c'est surtout que son appétit avait été perturbé par le regard insistant d'une jolie grande brune aux jambes interminables, qui le dévorait littéralement des yeux depuis le moment où il s'était attablé. La rencontre des deux hommes s'achevait. Patrick sirotait les dernières gouttes de son whisky et, en homme consciencieux, il rappelait à Douglas les grandes lignes de sa proposition :

– N'oublie pas, Doug ! L'avenir est dans le papier, pas dans le bois ! Ça fait des années que le prix du bois n'a pas été aussi bas. En six mois, il a baissé de moitié. Les vieux pays n'en veulent plus, de notre bois. Pour les opérateurs de chantier, comme celui de la CIP, ça veut dire la misère. La misère noire. Mais pour nous, dans la pâte à papier, ça veut dire la mine d'or ! On paye notre bois presque rien, donc on peut vendre à des prix imbattables. À cause de ça, on peut passer notre pâte aux vieux pays, et même aux *USA*. Ils ne peuvent pas trouver moins cher ailleurs ! Nous autres, on est morts de rire, parce que nos profits grimpent en flèche ! D'ici trois ans, l'usine que tu as visitée aujourd'hui va être en mesure de sortir cent tonnes de pâte par jour. Pis si tu embarques avec moi, on va pouvoir en sortir autant, et même plus, à l'usine qu'on va implanter ensemble à Masson. Penses-y, Doug. Depuis le temps que tu attends le train, là, il passe. Ou tu le regardes passer, ou tu embarques ! *Make up your mind ! Fast !* C'est peut-être le *move* de ta vie !

Douglas avait besoin de toute sa concentration pour écouter Patrick. Il en était à son quatrième whisky, soit. Mais il attribuait plutôt son manque d'intérêt au fait qu'ils avaient déjà largement fait le tour de la question au cours de l'après-midi. La proposition du roi incontesté de l'industrie du papier l'intéressait. Sans l'ombre d'un doute. Elle l'intéressait même beaucoup. Mais, à ses yeux, tout avait été dit. Il lui fallait du recul pour évaluer les enjeux de l'offre avec William Flynn et rendre ensuite une réponse définitive. Ce recul, il ne pouvait le trouver qu'en s'amusant. Il avait maintenant besoin de se dégourdir, de rire, de s'éclater. Il lui fallait un bon vent de folie pour s'oxygéner le ciboulot et oublier les affaires. Douglas connaissait un fameux moyen de libérer sa conscience et de l'aider à prendre ensuite des décisions éclairées. Un sacré bon moyen : le sexe ! Le sexe était dans la vie de Douglas le remède incontestable à tous ses maux et la seule véritable nourriture dont il ne pouvait absolument pas se passer. Il lui fallait une dose de ce plaisir presque quotidiennement. Sinon, tout son être se transformait en désert de Gobi. Sa vie se desséchait et son corps se transmuait en un bloc de granit. À présent, il était mûr. Plus que mûr ! L'urgence de son désir le tiraillait et ses préoccupations cavalaient à bride abattue, à la recherche d'une source de plaisirs à laquelle étancher sa soif. Il croyait l'avoir repérée. Cette belle grande pouliche brune à la poitrine pulpeuse qui roulait des hanches juste assez pleines, là, droit dans sa ligne de mire, ferait certainement l'affaire. Ce beau spécimen correspondait tout à fait au type d'oxygénation dont il avait envie.

Douglas connaissait suffisamment Patrick pour présumer qu'il s'en irait sous peu. La consommation d'alcool de McLaren n'excédait jamais un verre de vin et un verre de whisky. Douglas avait compris depuis longtemps que jamais il ne partagerait avec son ami irlandais ni la douceur de l'alcool, ni la volupté machiavélique de ces femmes nées pour saouler les hommes d'amour. Ce soir, Patrick traînait trop à son goût ; Douglas devait trouver une manière polie de l'encourager à partir au plus vite. Poussé par son besoin viscéral, Douglas s'extirpa de son fauteuil, le plus naturellement du monde, et entreprit de conclure la discussion.

— Ne t'en fais pas, Patrick ! Je ne tarderai pas à te donner une réponse. Mais tu me connais, hein ! On ne parle pas d'une mise de *poker*, là, *boswell* ! Il y a pas mal de piastres en jeu, dans cette affaire-là ! Je te reviens là-dessus dans quelques semaines. *It's a deal ! You have my word.*

Douglas tendit la main à Patrick.

— *Well ! If you say so.*

Le grand McLaren se leva et serra vigoureusement la main de Douglas.

— Je te fais confiance, mon Doug. Je m'occupe du *bill* avec monsieur Dalberty ! *You're my guest !* Mange ton dessert ! Madame Dalberty fait les meilleurs grands-pères dans le sirop d'érable au pays ! *I'm telling you !*

— Ne crains rien ! Encore une gorgée de whisky et je passe à l'attaque ! Passe de belles fêtes, Pat ! *Next time, you're my guest !*

— Je te prends au mot !

Dès que Patrick McLaren eut passé la porte, Douglas se rua au bar pour rejoindre la créature enchantée qui n'en finissait plus de lui inspirer d'audacieux fantasmes. Enfin, il avait toute la liberté de s'occuper de lui, ou plutôt que l'on s'occupe de lui. Il s'assit avec l'intention de se présenter, sous un nom d'emprunt, évidemment. Son plaisir pressait, mais tout de même pas au point d'en oublier les bonnes manières. Cependant, la belle brune voyait les choses d'une manière différente. Les préambules furent jugés inutiles. Peut-être avait-elle, elle aussi, une folle envie d'oxygénation ! Sans perdre une seconde, elle sauta dans le vif du sujet et plongea sa main directement entre les cuisses de son voisin. De sa poitrine, elle frôla le bras de Douglas et lui dit, en lui mordillant l'oreille :

– Hum... Mon beau ! Tu es du genre croquable, toi ! Je t'en ferais bien voir de toutes les couleurs !

La jeune nymphe venait de presser le détonateur du désir fougueux de Douglas. Elle avait mis feu à une bombe de pulsions charnelles que personne ne pouvait plus désamorcer. Tant pis pour elle ! La température du quinquagénaire aux rouflaquettes grisonnantes, subitement rajeuni de vingt ans, monta en flèche et atteignit rapidement la démesure. Douglas n'arrivait plus à contenir son excitation. Dans un geste animal, il enfouit ses doigts avec passion dans l'épaisse tignasse de l'inconnue. À quoi bon lui demander son nom ? Demain, il ne s'en souviendrait pas, de toute façon. Il l'attira vers lui pour goûter ses lèvres charnues qui ne cessaient d'appeler les siennes. Il voulut enfoncer sa langue dans sa bouche, qu'elle gardait entrouverte comme pour l'inviter. Mais, tout à coup, son alliance s'accrocha à un des peignes qui retenaient en chignon la chevelure de la demoiselle en déficit critique d'oxygène. Douglas tentait de dégager son anneau, mais les dents du peigne s'entêtaient à le garder prisonnier. Éméchée, la dame crut qu'il s'agissait d'une espèce de jeu érotique et fit d'abord un effort pour dissimuler sa douleur.

– Mais qu'est-ce que tu fais, mon beau ? Arrête un peu, dit-elle en riant.

Craignant que son partenaire ne lui arrache les cheveux, elle prit de ses doigts effilés mais maladroits la main de celui qu'elle avait imaginé beaucoup plus tendre. Elle comprit que ses étranges soubresauts étaient plutôt de vaines tentatives pour dégager sa bague de l'enchevêtrement de boucles qui pendouillaient maintenant de façon ridicule. La brune embrumée n'avait pas trouvé l'accessoire coupable que la main de Douglas glissa, comme par magie, et tomba lourdement sur sa cuisse, le peigne désormais prisonnier de l'alliance... Son orgueil de mâle en prenait pour son rhume. La demoiselle, pour sa part, cherchait son cap à travers l'ébriété et les vestiges de sa coiffure ravagée qui avait été, enfin tout le laissait croire, tantôt plus acceptable.

– *Goddam' ring !*

Douglas retira son anneau et en dégagea le peigne, qu'il rendit à sa propriétaire. Il maudissait ce bidule à grandes dents. À cause de ce colifichet stupide, ses plans risquaient maintenant d'échouer. Cette idiote peccadille d'ivoire le faisait passer pour le plus gauche des amoureux aux yeux de celle qu'il espérait consacrer conquête d'un soir. La brune langoureuse allait sans doute l'abandonner à son incompétence. Cela n'aurait rien d'étonnant. Sa maladresse allait lui coûter un échec cuisant, alors qu'il n'avait pas même eu la chance de démontrer le quart de ses talents d'amant romantique et passionné. Il remettait sa bague, dépité, quand un court, mais ô combien affreux et cruel moment de lucidité le terrassa.

– *Oh ! My God ! I forgot !*

La vue de son alliance lui avait non seulement rappelé qu'il était marié, mais surtout qu'il devait s'acquitter d'une obligation urgente maintenant, avant même d'espérer une suite à l'événement. À condition, évidemment, que l'événement ne s'enfuie pas, jambes à son cou, une fois libéré. Contrarié, il se résigna à remplir ses engagements, après toutefois avoir attisé la passion tiédie de sa compagne, juste au cas... Il aurait été trop stupide d'abdiquer de façon prématurée cette délicieuse gourmandise qui lui faisait friser les orteils. Douglas prit une grande respiration et, avec son tact de vieux routier, il joua la carte du charme. Il saisit tendrement le visage de sa belle d'un soir et déposa sur ses lèvres un long baiser suintant pleinement son désir ardent. Il se garda quand même d'en mettre trop, afin de ne pas l'effrayer ! Il glissa ensuite ses lèvres humides sur son oreille gauche, prit bien soin de ne pas effleurer l'énorme boucle d'oreilles et susurra ces mots :

– Oh ! *My beautiful, beautiful, beautiful, little thing ! You hang in there*, quelques minutes. Quelques minutes, *only*. Hein ! Tu ne le regretteras pas. Je m'occupe de toi. Rien que de toi. Et je te promets toute une surprise. Une surprise comme tu n'en as jamais eue, et comme tu n'en auras jamais dans ta vie. C'est moi qui te le dis !

Derrière la porte vitrée de la cabine téléphonique, à quelques pas du bar, Douglas poursuivait son opération de charme. La mine ravie de la grande brune lui indiquait qu'il reprenait l'affaire en main. La téléphoniste avait acheminé l'appel. Ça sonnait. En attendant que Sarah réponde, Douglas contractait et décontractait sa bouche dans tous les sens, serrant et desserrant les lèvres, faisant mine d'embrasser sa promise, sinon de la dévorer tout rond. La jeune bête de sexe, de plus en plus saoule, répondait à la parade étincelante de l'homme qui aurait pu être son père, en humectant ses lèvres débordantes dans un mouvement circulaire de la langue tout à fait excitant.

– Allô !

La voix de Sarah ne ralentit pas les ardeurs de Douglas. Il continua à sourire à son attirante conquête en lui adressant de temps à autre quelques clins d'œil suggestifs.

– Sarah ! Comment vas-tu, *sweetheart* ?

Sweetheart ! Le sobriquet suffisait à Sarah pour comprendre que son mari avait pris un verre de trop. De cela, elle était certaine, mais sa certitude s'arrêtait là. Quant au reste, elle préférait l'ignorer. Elle ne trouva rien à lui répondre. Elle attendait. Comme d'habitude, il allait lui servir un de ces monologues maintes fois rodés. Comme d'habitude, elle retournerait ensuite à sa vie, essayant de chasser de son esprit les pires pensées. Les pincements au cœur passeraient. Ils finissaient toujours par passer. Après tout, n'était-ce pas sa faute ? Ne l'avait-elle pas mérité ? Quelques jours plus tard, elle se surprendrait encore à espérer retrouver le Doug qu'elle avait tant voulu aimer, vingt ans plus tôt.

– Sarah... J'arrive tout juste à l'hôtel. Mon rendez-vous s'est étiré jusqu'à...

Douglas sortit sa montre de sa poche pour estimer l'heure à laquelle il aurait été plausible que sa réunion se termine.

– Euh... Jusqu'à neuf heures, *boswell* ! Le temps passe si vite quand la tête nous travaille. Ça n'a pas de bon sens. Écoute ! Demain, je vais être à la gare de Saint-Jérome avec Mac, et je vais vous attendre toi, Carmen et monsieur Vertefeuille. Compte sur moi. Maintenant, j'entends mon lit qui m'appelle. Si je veux être en forme demain, il vaut mieux que j'y aille. Je te souhaite une bonne nuit, Sarah. À demain !

– Bonne nuit, Doug. À demain.

Après le devoir, le plaisir ! Douglas bondit hors de la cabine et s'abîma le nez tout droit dans le décolleté de la brunette. Il lui empoigna fermement les deux fesses et écrasa son sexe contre le sien :

— *You'll be my queen, tonight !* Viens ! Suis-moi, princesse ! On s'en va au septième ciel, juste toi et moi !

Dans la chambre 415 de l'hôtel de Buckingham, Douglas jubilait. Leurs vêtements jonchaient le sol. La fragile lumière corail de la lampe à huile éclairait en vacillant les ébats des partenaires déchaînés. À intervalles réguliers, Douglas arrosait ses élans débridés de quelques gorgées de whisky. Entre chacune de ses lampées, l'irrésistible vamp empruntait la flasque d'argent frappée aux initiales de Douglas et versait quelques gouttes d'alcool sur l'abdomen arrondi de son amant. À la manière d'une chouette s'abattant sur sa proie, elle plongeait, tête la première, sur le corps nu. Elle enfouissait son visage dans cette chair réchauffée et s'empressait de récupérer, grâce aux habiles contorsions de sa langue, chacune des gouttes du précieux élixir, avant qu'elles ne disparaissent sous ce sexe gorgé de désir que Douglas lui offrait sans la moindre retenue.

Pour mieux consumer la chose, l'amante incendiaire se releva. Une guêpière de dentelle rouge enserrait sa poitrine opulente. Elle portait encore ses bas de soie et ses escarpins noirs en cuir verni. Elle se tenait debout, dos à Douglas, jambes écartées, et ondulait les fesses de gauche à droite, puis d'en avant en arrière. Elle versa une larme de whisky dans une main qu'elle garda derrière son dos. Elle pencha la tête vers le sol et dévoila alors à Douglas la splendeur de sa plus précieuse intimité. Elle libéra le liquide chaud de sa main qui glissa lentement jusqu'à un minuscule cœur tatoué sur la partie inférieure de sa fesse droite. Douglas suffoquait.

Il s'élança hors du lit et enfonça son sexe dur au plus profond de ce corps magnifique. Il voulait se perdre dans cette chaleur moite toute la nuit. Il ne souhaitait plus qu'une chose : mourir en elle... à condition, bien sûr, de ressusciter le lendemain !

Chapitre 10

Cassure

Camille apparut dans l'entrebâillement de la porte, tenant contre elle son livre neuf. Ernest devina sa présence. Il leva les yeux et lui sourit. Son regard cachait mal la tension qui chamboulait son âme depuis les dernières semaines. La jeune femme déposa son livre sur le coin de l'établi et prit l'un des nombreux petits chevaux de bois sur berceaux qui couvraient la surface de travail. Elle en caressa les courbes et en explora les creux. Elle respira l'arôme du pin qui émanait de cet objet créé par son père. Elle éprouvait beaucoup d'admiration pour ce don unique qu'il avait de donner forme à la beauté.

– On dirait que vous leur donnez une âme, à vos petits jouets de bois.

Ernest sourit. Fidèle à lui-même, il laissa d'abord le silence lui souffler les mots nécessaires pour traduire l'émotion qui montait en lui.

– Tu sais, c'est ton grand-père Brazeau qui m'a appris à travailler. Et pas juste avec mes mains. Avec mon cœur, aussi. J'ai appris du père de ta mère qu'on ne fait jamais rien juste avec nos mains, on le fait avec tout ce qu'on a en dedans. Mes petits jouets de bois, comme tu dis, profitent de cet héritage.

Camille fixa le cheval de pin un moment avant de le déposer à côté de son grand livre. Elle le fit bercer. Le mouvement la réjouit. Elle eut soudain l'irrésistible envie d'être heureuse. Elle voulait danser, crier, rire et sauter. Elle voulait croire que la vie était facile et sans problème. Elle fit basculer le jouet voisin. Puis un autre. Et encore un autre. Bientôt, une dizaine de petits chevaux de bois s'agitaient dans un même mouvement de va-et-vient. Camille rigolait comme une enfant fascinée par la magie du moment. Le spectacle la réconfortait. Naguère, Ernest aurait été heureux de la voir ainsi, mais aujourd'hui, la gêne étouffait son bonheur.

– Camille, au lieu de jouer comme si tu avais cinq ans, pourquoi tu ne me ferais pas de beaux paquets pour ces jouets-là ? Il me semble que si les enfants pauvres de la paroisse recevaient leurs étrennes bien emballées, ça les rendrait encore plus heureux.

– Oui, probablement. Mais avant, je voudrais vous montrer le livre de comptabilité qu'oncle Douglas m'a envoyé.

Camille souleva son cadeau et le tendit à Ernest.

– Regardez, papa ! Mon oncle a même pensé à faire graver mes initiales dessus. C'est beau, hein ? « *C. McC.* », ça fait sérieux, vous ne croyez pas ? Vous allez maintenant travailler avec une vraie de vraie femme de métier. Regardez-le !

Le cœur d'Ernest se serra. Il ne pouvait plus reporter la question. Il fallait qu'il aborde le sujet, là, maintenant. Il déposa son rabot sur la table. Ses mains vides auraient pu prendre le livre que Camille lui tendait, mais ses bras restèrent collés à l'établi.

– Prenez-le, papa ! Ouvrez-le, feuilletez-le ! Vous allez voir comme le papier est beau. Si vous voulez, on pourrait commencer à inscrire vos commandes dedans.

Ernest prit le livre et le déposa devant lui, sans l'ouvrir. Son regard s'attarda sur les initiales embossées sur la couverture.

– McCready... C'est ton nom... et le mien... Et maintenant, c'est celui de Rose, aussi. Depuis un an, ta tante est ma femme. C'est juste et normal qu'une femme veuille s'occuper des affaires de son mari. C'est juste, normal et raisonnable.

Les petits chevaux s'immobilisèrent. Camille en saisit un. Ses yeux scrutaient l'animal de bois pour cacher la colère et la déception qui les embuaient. Décidément, non, la vie n'était pas facile. Elle remarqua que les mains de son père tremblaient. Ernest dut faire appel à tout son courage pour poursuivre.

– À ton âge, Camille, il est temps que tu penses à ta vie. Tu es belle, intelligente et débrouillarde comme quinze. Il est encore temps. Je suis certain qu'il y a une armée de soupirants qui rôdent autour de toi et qui attendent juste que tu leur donnes une chance. Mais tu ne les vois pas. Tu n'as jamais voulu les voir. Tu sais, Camille, il faut que tu penses à toi. Tu comprends ? Il faut que tu penses au mariage. À avoir des enfants. Une maison. *Ta* maison ! Il faut que tu te bâtisses un avenir. Tu mérites ça, et tellement plus encore ! Je ne pourrai jamais assez te dire merci pour tout ce que tu as fait pour moi et pour tes sœurs. Mais j'ai choisi Rose. Dorénavant, Rose est madame Ernest McCready, devant Dieu et devant les hommes. Tu n'es plus une enfant, Camille. Tu es une femme, maintenant. Il faut que tu vives ta vie. Ta vie à toi. Loin de moi. Comprends-tu ça, ma fille ? Comprends-tu ?

Camille voulait hurler. Comprendre ? Non, elle ne comprenait pas. Peut-on comprendre quand on a mal ? Mal au point de ne pas pouvoir parler, bouger, penser. Mal au point de ne rien pouvoir entendre d'autre que le fracas violent du verre qui éclate en miettes sous un vent de rage. Non, elle ne comprenait pas ce rejet. Non, elle n'acceptait pas ce virage. Camille aurait voulu vomir la douleur insoutenable de cette cassure qui lui faisait mal jusqu'aux os. La vie n'était qu'injustice.

Des années auparavant, Camille avait décidé de prendre soin de son père jusqu'à sa mort. Elle avait choisi de l'accompagner jusqu'à ses derniers instants. Elle avait fait du bonheur de cet homme sa préoccupation première, sa raison de vivre. Elle avait accepté ce sacrifice. Pourquoi diable Rose ne comprenait-elle pas qu'elle avait besoin de son père ? Pourquoi Rose s'obstinait-elle à garder pour elle seule l'amour de cet être qui lui était si cher ? Pourquoi Ernest avait-il épousé Rose ? Et pourquoi tranchait-il la question de cette façon ? Se marier ! C'était ce qu'il attendait d'elle maintenant : qu'elle se marie et qu'elle s'éloigne...

Camille ravalait sa douleur. Les yeux rivés au petit cheval de bois, elle prononça difficilement les mots nécessaires pour clore le plus rapidement possible cet entretien qu'elle regrettait.

– Bien sûr que je comprends, papa. Bien sûr, conclut-elle.

Il lui fallait maintenant quitter l'atelier au plus vite. Il lui fallait aller crier sa peine ailleurs, loin, à l'abri, là où personne ne pourrait savoir, là où personne ne verrait sa blessure.

– Bon... Eh bien, il me reste encore la chambre du fiancé de Carmen à préparer. Si je veux arriver au jour de l'An en même temps que tout le monde, il vaut mieux que je m'y mette tout de suite. Je vous promets de m'occuper des paquets un peu plus tard.

Camille reprit doucement son grand livre comptable, le serra entre ses bras et sortit de l'atelier sans ajouter un mot, sans se retourner. Ernest reprit son rabot. Dès que Camille eut refermé la porte derrière elle, il laissa tomber son outil et se mit à sangloter, le visage entre les mains. Il éprouvait de la honte pour ce qu'il venait de faire, pour ce qu'il n'avait pas fait. Il venait de briser quelque chose de précieux. Quelque chose que ni lui, ni le temps ne pourrait jamais réparer.

Chapitre 11

Point de fuite

La cuisine de Magdaline de Tonnancourt ressemblait à tout sauf à une cuisine. Chevalets, toiles, petits et grands pots de gouache, palettes, pigments, huile, pinceaux, brosses, boîtes, écrins, caissons, rubans de soie, de satin, de coton, biais, galons, fleurs séchées, colifichets en papier mâché, en plâtre, en porcelaine, papier brun, papier de soie et papier crêpé éclaboussaient de mille et une couleurs cet espace consacré à la création. Camille avait apporté les jouets de bois chez Magdaline, qui avait accepté de lui donner un coup de main pour les emballer. Les deux amies achevaient le travail. Une montagne de petits paquets échevelés couvrait l'image hétéroclite aux allures du *Poète* de Chagall que Magdaline avait peinte sur sa table, grande comme si chaque jour elle recevait une dizaine de convives à dîner. Camille enveloppait les jouets dans du papier brun et ficelait chaque emballage. Magdaline s'occupait de décorer les paquets en y peignant une vache, une lune, une étoile, un violon, un ange, ou en y collant des écailles de pommes de pin, des fruits séchés, des brindilles de bois, des découpures de toiles sacrifiées, des plumes d'oiseaux, des cailloux précieux, de minuscules sculptures de meringue durcie ou de simples rubans colorés.

— Comme c'est beau ! On a fait de véritables petits chefs-d'œuvre, Camille ! Tu ne trouves pas ?

— Je n'ai rien à voir là-dedans, madame de Tonnancourt. C'est vous l'artiste. C'est vous qui avez fait ça, pas moi !

— Voyons, Camille. C'est *nous* qui avons fait ça. Ensemble ! On a contribué de façon différente, mais c'est quand même notre travail à toutes les deux.

— Je n'ai rien d'une artiste.

— Nous sommes tous des artistes, Camille ! Tous autant que nous sommes, ici-bas, sur cette terre !

— Je n'en suis pas si sûre... Ce n'est pas tout le monde qui a votre créativité et votre talent ! Tout ce que vous touchez, vous le transformez en quelque chose de beau.

Magdaline entendait un tressaillement inhabituel dans la voix de Camille. Un frémissement de nostalgie ou d'amertume, peut-être. Chose certaine, un inconfort voilait sa bonne humeur coutumière. Ce soir, Camille n'avait pas chanté. Dès son arrivée, Magdaline avait remarqué ses yeux rougis et son regard fuyant où personne ne pouvait la rejoindre. Magdaline savait qu'il était inutile de poser des questions. Si Camille avait envie de parler, elle parlerait. Il valait mieux ne pas chercher à savoir.

— Tous les humains peuvent embellir le monde, Camille. Je suis convaincue que nous avons tous quelque chose d'unique à l'intérieur de nous. Quelque chose qui ne demande qu'à fleurir et qui, une fois en fleurs, s'offre à l'autre. Malheureusement, on passe souvent le plus clair de notre vie à étouffer tout ça, sans trop s'en rendre compte. On a appris à avoir peur de ce qui est beau. De ce qui est bon. Comme si c'était péché ! Je pense que c'est l'Église qui nous a inculqué ça. Quelle étrange idée. Voir si ça a du bon sens ! Voir si le bon Dieu est assez méchant pour avoir créé tant de beauté et tant de plaisirs, pour ensuite nous demander de ne rien en voir, de ne pas y goûter, de ne pas aimer tout ça. Allons donc ! Ça n'a aucun bon sens. Aucun !

Magdaline se mit à rire. Camille esquissa enfin un sourire, amusée par cette nouvelle diatribe de madame de Tonnancourt contre les oppresseurs de la beauté et du plaisir. Cette femme la fascinait. Elle croyait en Dieu, mais pas aux organisations qui, selon elle, s'employaient à amputer l'existence humaine de ce qu'elle avait de plus précieux. La passion ne refroidissait jamais dans ses veines. Parfois, elle semblait sortie tout droit de la *commedia dell'arte*. Atterrie au mauvais endroit, à la mauvaise époque. Elle émettait des opinions, avait des intérêts, nourrissait des rêves. Mais, en règle générale, elle se satisfaisait de ce que le destin lui réservait. Elle jouait avec la vie comme un comédien joue avec un scénario, en donnant aux mots sa couleur personnelle. Ses amis et ses voisins s'étonnaient toujours de l'entendre remercier la vie pour ce que le commun des mortels n'aurait pas même remarqué ou, encore, aurait considéré tout à fait banal ; par exemple, être réveillée par le chant d'un cardinal aux premiers jours d'avril.

Camille s'étonna, tout à coup, qu'une femme pareille n'ait pas de compagnon de vie et n'en ait jamais eu. Du moins, c'est ce qu'elle croyait. Magdaline portait le nom de Tonnancourt, mais elle n'avait jamais parlé d'un défunt mari, d'un fiancé, d'un soupirant ni d'un amant, passé ou présent. Camille ne se souvenait pas non plus que Magdaline ait manifesté le désir de rencontrer un jour un amoureux pour combler sa solitude. Magdaline avait à peu près le même âge que Rose et elle était belle comme si elle avait trente ans. À cet âge, bien peu de femmes souhaitaient finir leurs jours seules. Aussitôt après avoir inhumé son père, la chère Rose ne s'était-elle pas précipitée à la quête du cœur de son veuf de beau-frère ? Comment madame de Tonnancourt pouvait-elle être comblée et heureuse de son existence de femme sans enfant, sans mère ni père, sans frère ni sœur et, surtout, sans mari ?

– Madame de Tonnancourt... pourquoi ne vous êtes-vous jamais mariée ?

Magdaline, surprise mais loin d'être fâchée par la question, comprit que les états d'âme de Camille avaient quelque chose à voir avec le célibat, le mariage, la solitude ou l'amour. Sans dire un mot, elle se leva. Elle alla chercher deux tasses dépareillées dans l'imposant vaisselier adossé au mur du fond de la cuisine et revint les déposer sur la table.

– Pourquoi je ne me suis jamais mariée...

Magdaline réfléchissait. Elle se demandait de quelle façon aborder la question. Il y avait à la fois tant et si peu à dire. Valait-il mieux commencer par défendre un de ses principes fondamentaux et démontrer à Camille que, dans la vie, chacun fait des choix, et cela, en dépit des conventions religieuses et sociales ? Fallait-il plutôt lui confier quelques-unes de ses nombreuses peines de cœur, ses désillusions, ses échecs amoureux ? Devait-elle lui parler de son défunt mari, mort tragiquement moins d'un mois après les noces ? Devait-elle lui avouer sa passion pour la passion et sa virulente intolérance face à la monotonie du quotidien ? Ou, mieux encore, fallait-il simplement l'écouter ?

Magdaline s'approcha lentement du poêle. Elle mit quelques feuilles de thé vert dans la théière et les ébouillanta. Elle fouillait dans ses souvenirs et interrogeait son instinct. Elle devait évaluer judicieusement la question. Elle revint vers Camille et dégagea la table pour y déposer la théière et s'asseoir.

– Dis-moi, Camille... Tu y penses, toi, au mariage ?

– Moi ? Bah... Pas vraiment. Pas plus que ça. En tout cas, je n'y avais jamais vraiment pensé jusqu'à aujourd'hui.

Magdaline remplit les tasses de thé.

– Jusqu'à aujourd'hui... Et pourquoi aujourd'hui seulement ?

– D'abord, parce que demain, je vais avoir vingt-quatre ans. C'est presque l'âge d'être vieille fille ! Si je ne me marie pas cette année, c'est comme ça que je vais finir !

– Ouais... Et tu n'avais jamais pensé à ça, avant ?

– Non, j'étais trop occupée. Et j'ai toujours pensé que mon destin, c'était d'être le bâton de vieillesse de mon père. Pour vous dire franchement, ce destin-là faisait bien mon bonheur. Mais aujourd'hui... Aujourd'hui, je me rends compte que... que ce n'est pas ma place. C'est la place de Rose, maintenant. C'est elle la femme de mon père ! Moi, je n'ai plus de place, ni là, ni ailleurs. Plus de chemin. Plus de route.

Les larmes ruisselaient sur les joues de la jeune femme.

– Et tu penses que c'est à ce moment-là... quand on croit que l'on n'a plus de place, plus de chemin, plus de route, qu'il faut penser au mariage ?

Camille haussa les épaules. À quoi d'autre pouvait-t-on penser dans de telles circonstances ? À la mort, peut-être. Quand un violent tremblement de terre emporte la route sur laquelle on marche, que reste-t-il à faire sinon lâcher prise et s'abandonner à la dégringolade ? Pourquoi s'acharner quand on sait qu'on ne peut rien changer au cours des choses ? Pourquoi faire des pieds et des mains pour trouver un autre sentier puisque, tôt ou tard, la tempête finit par ravager ce que l'on voulait éternel ?

Magdaline contourna la table et alla s'asseoir près de Camille. Elle la serra dans ses bras. De toute sa tendresse, elle berça ses sanglots jusqu'à ce qu'ils s'endorment. Elle embrassa ses yeux et caressa de la paume ses joues humides.

– Tu sais, Camille, le mariage, c'est une décision d'amour, *une* façon de vivre l'amour, *une* façon parmi bien d'autres. Certes, il n'y a pas un être humain sur terre qui puisse vivre sans amour. Mais attention ! Il existe plusieurs formes d'amour. C'est difficile à expliquer. Difficile à comprendre. L'amour, ça ne se limite pas au mariage, ni au bon Dieu. Je te le jure. L'amour, c'est quelque chose d'inconditionnel, d'excitant, de nourrissant, d'apaisant. Quelque chose qui naît d'abord en nous, au fond de nos tripes. Quelque chose qu'on ne peut absolument pas contrôler, qu'on ne peut pas enfermer dans une petite boîte de peur de le perdre, parce que, en faisant ça, on l'étouffe, on le tue, c'est certain. Quand on aime, Camille, on aime toute sa vie.

Camille n'était pas certaine de comprendre le sens exact du discours de Magdaline. Peu importait, d'ailleurs. Elle parlait avec tant de conviction et tant d'émotion que sa douleur en était calmée.

– Dans la vie, il arrive souvent à certaines personnes – et moins souvent à d'autres, heureusement – de perdre la mission, la passion ou l'être qui leur tenait lieu de route. Quand de tels accidents de vie se produisent, on croit que c'est la fin. On croit que la vie n'est plus utile. Pourtant, on ne perd jamais rien de ce qu'on a aimé. Jamais. Tout reste gravé, inscrit, là, à l'intérieur de nous. C'est ce bagage qui nous permet d'emprunter une autre route. Et on continue, comme ça, à aimer de route en route. Plus on a aimé, plus on est riche, mieux on aime et meilleur c'est !

– Y a-t-il eu beaucoup de routes dans votre vie ?

– Quelques-unes, oui... Certaines furent douloureuses, mais toutes furent passionnantes. Tu sais ce que je te souhaite pour tes vingt-quatre ans, Camille ?

Camille fit non de la tête.

– De l'amour. Beaucoup d'amour ! Je te souhaite d'apprendre à le reconnaître et à l'accepter. Je te souhaite d'en donner, d'en recevoir et d'en partager. Laisse-toi aimer par le jour qui se lève, les oiseaux qui chantent, les fleurs qui poussent, le vent qui te frôle, le soleil qui te chauffe ! Aime ton cheval, ton chien, tes parents, tes amis ! Aime compter si tu aimes compter ! Aime fabriquer des meubles, si c'est ce que tu aimes faire ! Aime les affaires, les fleurs, les oiseaux, la danse peut-être ! Aime n'importe quoi... mais aime ! Aime tout le temps ! Eh, j'ai une idée tout à coup !

– Quoi ?

– D'abord, ça t'ennuierait de me tutoyer ? Nous sommes de vieilles amies, maintenant, non ?

– C'est vrai. Mais vous demeurez mon aînée et nous devons le respect à nos aînés.

– C'est en effet ce qu'enseignent les bonnes manières. Est-ce que tes petites sœurs te vouvoient ?

– Non.

– Alors, entre nous, on laisse tomber le « vous », d'accord ?

– D'accord.

– Voilà qui est réglé. Passons aux choses sérieuses, maintenant. Tu aurais envie de danser ?

– De danser ?

– Moi, j'ai une envie folle de danser ! Ne bouge pas, je reviens !

– Magdaline... Ça va ?

Madame de Tonnancourt bondit de sa chaise et alla donner une dizaine de tours de manivelle au gramophone. En moins de deux, l'air de *Mam'zelle Muguette* résonna dans toute la maison. Magdaline tournoya jusqu'à sa jeune amie. Elle lui tendit la main et l'entraîna dans une valse à trois temps qui leur donna des ailes. Camille riait enfin.

Partie 2

Faites vos jeux
Décembre 1923 et janvier 1924

Chapitre 12

Hérésie débonnaire

Camille et Magdaline avaient déposé dans le portique de l'église les quatre grands sacs de jute remplis de jouets emballés. À cette heure, les choristes attendaient probablement Magdaline, qui flânait encore dans les marches grinçantes de l'étroit escalier de bois menant au jubé. La chétive structure en colimaçon ne pouvait plus cacher son âge vénérable. De nombreuses années d'utilisation l'avaient transformée en un échafaudage à la charpente vétuste, dangereusement inclinée, qui en rendait l'ascension plutôt périlleuse. D'ailleurs, les paroissiens pressaient le curé de remplacer cet escalier casse-gueule au plus vite. Mais Magdaline, quant à elle, l'affectionnait précisément à cause des défauts de son âge. Sans eux, elle n'aurait eu aucune envie de ralentir le pas et d'écouter toutes les histoires qu'il avait à raconter. Cet escalier avait vraiment une âme. Contrairement aux autres Jérômiens, Magdaline ne voulait pas qu'on le remplace. Elle avait trop besoin des repères du passé ; sans eux, le présent n'avait tout simplement plus de sens.

Magdaline portait un large sac en tapisserie par-dessus son cahier de musique. De sa main gauche, elle tenait sa jupe pour donner à ses pas l'aisance nécessaire mais, surtout, pour ne pas trébucher. Dans la pénombre, ses yeux brillaient. Elle se délectait déjà de la puissance des notes qui jaillissaient de l'orgue, que seul monsieur Grignon savait faire chanter de cette façon-là. Magdaline s'immobilisa à quelques marches du haut de l'escalier, d'où elle pouvait entrevoir la joyeuse cohue de ses amis. La scène la fit sourire. Ils étaient tous là. Les quinze sopranos étaient attroupés à côté de monsieur Grignon et tentaient, de manière brouillonne, de suivre la mélodie. Dispersés aux quatre coins du jubé, deux basses, trois barytons, cinq ténors et quatre mezzos, index dans les oreilles, babillaient tant bien que mal leur partition respective. Tous semblaient s'amuser, à l'exception de monsieur Grignon qui, lui, restait imperturbable. Sourd aux fous rires des choristes et aux désopilants rappels à l'ordre des chefs de pupitre, l'organiste, le nez collé à sa partition, scandait la mesure avec une rigueur martiale.

Magdaline les observa un moment, puis s'adossa contre le mur de lattes pour sentir les vibrations du chaos lui chatouiller l'esprit. Sa tête bascula vers l'arrière. Ses paupières se fermèrent. Elle se laissa chavirer dans cet univers sonore empreint de plénitude. La puissance du moment la transformait en artisan du plaisir.

– Madame de Tonnancourt ! Vous allez bien ?

Le curé Bergevin, ayant aperçu sa paroissienne affalée contre le mur et la croyant en détresse, courut jusqu'à elle, mais quand il fut assez près pour voir son visage, son inquiétude s'envola. Coupée du monde, Magdaline tanguait dans une espèce de transe béate et envoûtante. Si le curé avait eu un peu moins de dévotion à l'endroit du Seigneur, il aurait volontiers profité plus longuement – que le Ciel lui pardonne ! – de ce spectacle troublant. Du pied de l'escalier, il pouvait voir, sous sa robe retroussée, les formes appétissantes des chevilles de madame de Tonnancourt, de ses mollets, de ses genoux et même de ses cuisses. Une douceur presque sensuelle illuminait le visage de cette femme au teint d'églantine, relevant ses traits de délicieux reflets irisés, semblables à ceux de l'opale. Quelques mèches rebelles couraient sur ses joues et ses lèvres amarante, entrouvertes, moelleuses et humides, semblaient mendier caresses et baisers. Comme elle était belle... Pendant ce bref instant, le curé devait l'admettre : il avait bel et bien désiré Magdaline. Et le plus honteux, c'est que ce n'était pas la première fois !

Plongée dans les abîmes suaves de la jouissance, Magdaline n'avait pas entendu le curé Bergevin s'approcher. Elle sentit une main chaude et rugueuse se poser sur la sienne, mais elle crut que de vieux souvenirs d'amants romantiques ressuscitaient du passé. Ce n'est que lorsque le curé prononça son nom qu'elle s'interrogea sur l'éventuelle présence de quelqu'un de réel à ses côtés. Elle ouvrit les yeux. À quelques pouces de sa bouche, une grosse oreille truffée de poils hirsutes cherchait sa respiration. Sa surprise fut telle qu'elle en lâcha l'ourlet de sa robe, perdit pied, dégringola quelques marches et se retrouva, les jambes pendantes, étreinte par les bras tremblants du curé qui demeurait coi.

– Oh ! Toutes mes excuses, monsieur le curé !

Ce dernier, fort embarrassé, tentait gauchement de se dégager de Magdaline.

– Il n'y a pas d'offense, chère madame, pas d'offense... Mais, quand je vous ai vue, là, immobile, la tête contre le mur... Eh bien, j'ai eu peur. J'ai cru que vous aviez un malaise.

– Oh ! Pardonnez-moi, monsieur le curé !

Magdaline s'appuya sur l'épaule du curé Bergevin et se remit d'aplomb. C'est alors qu'elle comprit qu'elle venait d'être enlacée par le très rigide et tout aussi pieux curé, dans la maison même de Dieu. Le ridicule de la situation la fit s'esclaffer. Elle se doutait qu'en la quittant, ce digne représentant du culte s'empresserait de confesser l'horrible péché d'étroite promiscuité qu'il venait de commettre et qu'il s'infligerait la pire des pénitences.

Décontenancé, le curé Bergevin regardait Magdaline rire aux éclats. Cette hilarité lui paraissait bien éclatante pour la circonstance, pour ne pas dire inconvenante. À ses yeux, cet incident n'avait rien de comique. D'abord, c'était plausible de croire que madame de Tonnancourt se trouvait en situation périlleuse. Ensuite, sa surprise aurait pu les entraîner tous les deux dans une fâcheuse culbute. Qu'y avait-il de si drôle ? Magdaline n'était pourtant pas idiote. Son esprit souffrait-il d'un quelconque dérangement passager ?

– Madame de Tonnancourt, êtes-vous certaine que ça va ?

– Oh oui ! Très, très bien, monsieur le curé, je vous assure ! Quelle belle journée nous avons aujourd'hui, monsieur le curé ! Ne trouvez-vous pas ?

Magdaline s'arrêta enfin de rire. Le curé l'observa.

– Et vous, cher monsieur le curé, comment allez-vous ? J'espère que je ne vous ai pas fait mal en m'écrasant de tout mon poids sur vous.

– Non, non ! Je me porte bien. Mais, vous, madame... Vous me semblez... sembliez... Je ne sais trop... Lasse ? Troublée ? Comment dire...

– Pas le moins du monde, monsieur le curé. C'est l'escalier !

– Vous aussi !

– Rassurez-vous, je l'adore, cet escalier. Pour moi, c'est un havre de paix. Appuyez-vous ici ! Écoutez comment les sons rebondissent dans l'espace. Vous entendez ?

– Euh...

– La musique nous pénètre jusqu'aux os. Elle voyage en nous, partout. De la pointe des cheveux jusqu'au bout des orteils. Peut-être à la manière du Saint-Esprit quand il éclaire nos ténèbres ! Ici, les vibrations de l'orgue ont le pouvoir de nous toucher. Elles nous racontent le passé.

– Euh... Je... J'ai beaucoup à faire. Je dois veiller aux derniers préparatifs de la messe de minuit.

– Ah ! Monsieur le curé, vous n'allez tout de même pas me dire que c'est péché de s'arrêter dans un escalier pour écouter de la musique. Peut-il y avoir quoi que ce soit de mal à laisser le beau, le bon et le vrai nous pénétrer ?

– Vous avez raison. Écouter la musique de l'orgue n'est pas péché.

– Bien !

– Cependant, la forme matérielle que vous donnez à cette expérience spirituelle m'apparaît, comment dire..., originale. Oui, c'est ça : originale. Vous en conviendrez avec moi, chère enfant. Vous avez déjà vu quelqu'un d'autre que vous se livrer à ce... à cette... expérience ?

– Non. Mais c'est simplement parce qu'ils ignorent le bien-être que cela procure. Il faut le leur enseigner, c'est tout !

– J'y réfléchirai. Pour l'instant, je dois rejoindre monsieur Grignon et m'assurer que tout se passe bien avec la chorale.

– Venez, c'est justement là que j'allais.

– Certainement. Mais avant, je voudrais profiter du hasard de cette rencontre pour vous entretenir de quelque chose d'important.

Magdaline aperçut alors le bedeau qui venait remplir les bénitiers.

– Oh ! Monsieur Larivière ! Désolée de vous interrompre, monsieur le curé, mais vous avez certainement remarqué les sacs de jouets, en bas de l'escalier ? J'aimerais, avec votre permission, que monsieur Larivière les range dans la sacristie jusqu'à demain.

– Je n'y vois aucun inconvénient, ma chère.

– Monsieur Larivière, cela vous ennuierait-il d'aller porter ces sacs dans la sacristie ? Demain matin, les femmes de l'ouvroir vont les récupérer afin de les distribuer.

– Avec plaisir, madame ! Pour vous, je ferais...

La présence du curé intimidait le bedeau. Il n'osa pas terminer sa phrase, de peur que l'homme d'Église n'interprète mal sa gentillesse. Magdaline comprit son malaise.

– Vous êtes un ange, monsieur Larivière ! Venez nous retrouver au jubé, tantôt. J'ai une petite surprise pour vous dans mon sac !

– Une surprise ? Pour moi ?

– Pour vous ! Et pour les choristes ! Et pour monsieur le curé, aussi ! Si monsieur le curé accepte, évidemment ! J'ai fait du sucre à la crème pour tout le monde !

Le curé Bergevin et son bedeau sourirent béatement.

– Venez, monsieur le curé ! Je ne voudrais pas que la chorale commence sans moi.

– Madame de Tonnancourt, attendez ! Mais attendez, voyons !

Le curé Bergevin eut tout juste le temps d'agripper la cheville de Magdaline avant qu'elle ne disparaisse complètement de son champ de vision.

– Monsieur le curé ?

– Pardonnez mon geste, madame. Mais je dois absolument vous entretenir d'un fait de la plus haute importance. Il y va de votre bien, mon enfant.

– Qu'y a-t-il donc de si grave et qui ne puisse attendre ?

– C'est délicat... Depuis le jour où le diocèse m'a confié les ouailles de cette paroisse, il y a deux ans, jamais je ne vous ai vue à la confesse. Pas une seule fois en deux ans ! Je connais votre bonté et votre générosité. Je connais votre âme charitable, et je sais combien vous vous appliquez à prodiguer le bien à votre prochain. Mais deux ans ! Vous rendez-vous compte ?

– Vous me voyez bien triste de vous causer tant de soucis. Si je ne vais pas me confesser, c'est tout simplement parce que je n'ai pas de péché à me faire pardonner.

– Tut, tut, tut ! Dieu l'a dit : nous sommes tous des pécheurs. Comme tous les êtres humains, vous devez éprouver à l'occasion des sentiments... euh... parfois, pas toujours catholiques ! Par exemple, des sentiments liés à... l'avarice ! Peut-être pas à l'avarice, vous êtes si généreuse. À la colère, alors ? Non. À l'envie, à la gourmandise, à l'orgueil, à la paresse ou... à la luxure ?

– Désolée, mais non !

– Pour l'amour du ciel, mon enfant ! Même les prêtres commettent des péchés. Eh oui, je l'avoue humblement ! Je ne voudrais surtout pas que votre âme aille brûler en enfer. Je peux et je veux vous sauver ! Je suis ici pour ramener dans le droit chemin les brebis égarées. Faites-moi plaisir, venez me voir ! Ne serait-ce que de temps à autre. Nous lirons la Bible et nous discuterons du péché ensemble.

– Si cela peut vous faire plaisir, pourquoi pas ? Oh ! J'ai une idée. À chacune de mes visites, je vous apporterai un petit quelque chose d'original à goûter ! Que diriez-vous de scones aux carottes ? Vous y avez déjà goûté ? Avec une tasse de thé, c'est divin !

Le curé Bergevin n'eut pas le temps de répondre. Les choristes avaient cessé leurs vocalises et le bruit de leurs pas indiquait qu'ils s'attroupaient autour de monsieur Grignon, qui entama alors l'*Ave Maria* dans un silence solennel.

– Oh ! chuchota madame de Tonnancourt. Ils commencent sans moi. Vite ! Vous montez ?

– Je vous suis.

Chapitre 13

Lendemain douloureux

Assis sur le bout d'une chaise étroite, dans le coin le plus sombre du salon, Ernest astiquait son violon. La dernière fois qu'il l'avait sorti, c'était le jour de son mariage avec Rose. Deux années avaient passé avant que sa nouvelle épouse n'accepte de recevoir Douglas et sa famille pour célébrer le nouvel an avec le clan McCready. Rose n'aimait pas plus les fêtes de famille qu'elle n'aimait le clan Tiernan. Mais comme Ernest avait finalement parlé à Camille de son insolence et de la place qu'elle devait occuper dans la maison, Rose s'était sentie obligée de céder pour le réveillon. Afin de fêter la volte-face de son épouse, Ernest s'était promis de dérider la compagnie et de racler son vieil instrument jusqu'à ce qu'il en chauffe.

Ses doigts manquaient d'agilité et son cœur n'était guère à la fête. La culpabilité le dévorait. Il regrettait les propos qu'il avait tenus à Camille, même s'il savait qu'il n'y avait pas d'autre issue. La peine le minait. Pourtant, l'attitude de Camille à son égard n'avait pas vraiment changé depuis la veille. En fait, sa fille ne démontrait ni rancœur, ni colère, ni tristesse inhabituelles. Rien ne laissait croire qu'elle avait été blessée outre mesure par cette prise de position. Rien. Rien sinon que, ce matin, en sortant de la maison, elle n'avait pas fredonné ses airs favoris ; que les étincelles de vie qui pailletaient d'ordinaire ses grands yeux cobalt avaient disparu ; que le flot d'amour qui jaillissait si naturellement de son sourire s'était tari. Pour quelqu'un d'autre, ces détails anodins auraient paru insignifiants. Pour Ernest, ils en disaient long.

Dans l'étui poussiéreux et resté grand ouvert à ses pieds, Ernest remit le carré de finette avec lequel il avait redonné un peu de lustre à son violon rougi. Il dégagea nonchalamment l'archet du compartiment et en vérifia l'état en tirant mollement, avec son pouce, les crins tendus. Il prit une grande respiration, ferma les yeux et grimaça avant d'avoir entendu un seul son. D'une main hésitante, il glissa l'archet sur les cordes. Il avait eu raison d'appréhender le pire : les sons produits par l'instrument trop longtemps négligé ressemblaient à des gémissements discordants qui auraient certainement rendu sourds Beethoven et Goya. Pas une seule corde sonnait juste ! Bien que découragé par l'énormité de la tâche que cela représentait, Ernest exorcisa toutes les fausses notes en serrant ou desserrant patiemment les chevilles de bois.

Camille nourrissait ses serins dans la cuisine. Les plaintes lancinantes qui parvenaient du salon l'incitèrent à rejoindre son père. Elle s'arrêta à l'entrée de la pièce et essuya machinalement ses mains sur son tablier, cherchant la réconciliation.

– Papa ! l'appela-t-elle doucement.

Ernest sursauta. De toute évidence, Camille souhaitait la paix. Sa gorge se serra, l'empêchant de répondre. Camille n'avait pas à implorer quoi que ce soit. C'était lui, le traître. C'était lui qui la laissait tomber. C'était à lui de demander pardon, pas à elle. Il l'avait trop aimée. Mal aimée. En avait-il profité ? Camille l'avait toujours aimé d'un amour inconditionnel et lui, maintenant, la repoussait. Par peur. Par lâcheté. Il avait glissé dans la facilité, séduit à la perspective de retrouver Hermione à travers Rose. Il avait voulu ressusciter la famille Brazeau, toucher les outils de son beau-père Zoël, faire de la maison de cet homme qu'il avait tant respecté, où Hermione était née, *sa* maison, sa maison à lui. Il avait cru qu'en se rapprochant de ce qui avait été l'univers d'Hermione, il retrouverait, pour lui et pour Camille, un peu de ce bonheur perdu. En silence, il lui demandait pardon.

– Papa ! répéta Camille.

Elle avait compris. À quoi bon revenir là-dessus ? Le destin choisissait de mettre un terme à leur fusion. Elle devait trouver une autre voie, une autre raison de vivre et, peut-être, un autre homme à aimer. Il lui fallait accepter cela, même si cette seule idée la terrorisait.

– Attendez, je vais vous donner le *la* ! Ce sera plus facile à deux !

Camille s'assit devant l'impressionnant piano Lesage. Elle souleva le couvercle qui protégeait le clavier d'ivoire de la poussière de la rue. Elle se cambra, fixa le lutrin comme s'il s'y trouvait une partition à déchiffrer, et marmonna :

– À la grâce de Dieu !

De son majeur, elle enfonça la touche du *la* tout en répétant :

– *La, la, la...* Ça va, papa ?

Le visage d'Ernest s'éclairait. La paix commençait à se faire entendre.

– *Sol*, maintenant !

Camille joua la note jusqu'à ce qu'Ernest ait accordé sa première corde. Elle enchaîna avec le *ré*, encore le *la*, puis le *mi*. En quelques minutes, le violon sonna juste.

– Maintenant, ma fille, joue-moi donc une couple de notes du *Reel des p'tits gars d'Irlande*. Je vais essayer de te suivre, histoire de me délier un peu les doigts.

– Comment ça commençait, déjà ? Ça fait trop longtemps !

Camille chantait et pianotait pour retrouver l'air.

– Oh ! Je l'ai, c'est ça ! Êtes-vous prêt, papa ? Un, deux, trois, quatre...

Le signe de tête de Camille déclencha une joyeuse pétarade de rythmes endiablés auxquels Emma et Annette ne purent résister. Les doigts enfarinés, les lèvres maquillées de chocolat et la chevelure garnie de guenilles à frisotter, les fillettes accoururent de la cuisine et se mirent à chanter et à giguer au milieu du salon. Tout ce tapage piqua la curiosité de Rose. Elle laissa ses marmites pour aller voir ce qui se passait mais, surtout, pour aviser les filles de contenir leur effervescence et de faire attention aux lampes et aux bibelots. Les physionomies rayonnantes de Camille et d'Ernest lui indiquèrent que leur complicité inaltérable venait de ressusciter. Elle en eut le bec cloué. Elle avait peine à croire qu'ils s'amusaient comme si rien ne s'était passé. Rien n'allait donc jamais finir par les séparer, ces deux-là ! Elle aurait voulu les mordre, les tabasser, les étriper. La colère la paralysait ; à l'écart, elle ruminait son ressentiment. Si seulement cette enfant-là pouvait quitter son toit, sa vie serait si simple...

Douglas s'extirpa difficilement de la diligence qui venait de s'immobiliser devant la maison d'Ernest. Chaque mouvement le faisait affreusement souffrir. La douleur lui martelait la tête. Ses jambes endolories boudaient l'effort et refusaient toute collaboration pour l'aider à gravir les quatre marches qui menaient à la porte d'entrée. Sa valise, pourtant uniquement remplie de chaussettes, de sous-vêtements et de quelques chemises, malmenait son épaule, sa nuque et son dos, qui avaient dû encaisser dix années de plus pendant la nuit précédente. Traînant son corps souffrant dans l'escalier qui valsait sous ses pieds, il atteignit enfin le balcon. Connaissant les talents d'Ernest en menuiserie, il fut étonné de sentir une si importante dénivellation dans la construction. Un pareil vice risquait de provoquer un sérieux accident où un pauvre innocent comme lui pourrait se blesser grièvement. Bof ! Il aurait bien l'occasion de lui en toucher un mot. Il replaça sa valise, qui s'obstinait à se coucher chaque fois qu'il la relevait. Après trois tentatives pour la faire tenir debout, il lui concéda la victoire, car il avait besoin de ses deux mains pour l'étape suivante. Il vérifia son nœud papillon, redressa son col de chemise, ajusta son gilet, cala son chapeau et se pinça vigoureusement les joues pour les rougir et se donner meilleure mine.

Momentanément ragaillardi, il visa les oreilles de cuivre de la clochette d'entrée et parvint à les agripper au premier essai. Il les fit tourner avec vigueur de deux bons coups de poignet, puis il attendit. Personne ne venait.

À travers la porte, Douglas reconnut l'air du *Reel des p'tits gars d'Irlande*. Il en déduisit qu'il ne s'était pas trompé de maison, qu'il y avait bel et bien quelqu'un à l'intérieur et que, probablement à cause de la musique, on ne l'avait pas entendu sonner. Ouf ! Dans son état, ce raisonnement était un véritable exploit de logique. Il prit alors la liberté de tourner la poignée : c'était ouvert. Il entra. Du portique, il aperçut Rose, l'air songeur, adossée au mur du corridor, face au salon. Comme il ne l'avait pas revue depuis le jour de ses noces, il voulut faire bonne impression. Il oublia ses courbatures et lui saisit le bras pour l'entraîner au cœur de la fête, dans un pas de danse un peu empesé, mais rigolo et fort chaleureux. Emma bondit de joie en le voyant sautiller.

– Oncle Douglas !

Emma et Annette coururent lui faire la bise. Ernest acheva sa mesure avant de venir accueillir à son tour ce cousin qu'il aimait plus qu'un frère. Il espérait que leurs retrouvailles les rapprochent. Ils ne s'étaient guère vus ces deux dernières années. Les visites de son cousin lui manquaient, de même qu'à ses filles, qui l'avaient naturellement adopté comme leur oncle depuis toujours.

– Doug, ça fait trop longtemps !

– Mon vieux Mac ! T'as pas trop changé !

Douglas se mordait les lèvres pour vaincre sa douleur. Il déployait toute son énergie pour cacher son état lamentable mais, de temps à autre, il se trahissait en grimaçant d'une étrange manière.

– Prendrais-tu un bon petit whisky, histoire de te remettre du voyage ?

126

En entendant le mot whisky, Douglas fut pris d'une violente nausée qu'il faillit bien ne pas contenir.

– Tu sais bien que je suis incapable de dire non à une rasade de whisky ! admit-il, même s'il savait que, dans son état, il aurait bien fait de s'abstenir.

– Ne bougez pas, les hommes, je vais aller vous chercher ça. Ça ne sera pas long !

L'arrivée du cousin avait sorti Rose de sa léthargie. Elle n'aimait guère Sarah Tiernan et encore moins cette peste de Carmen, mais Douglas, elle le trouvait chic. Elle s'était toujours demandé pourquoi un homme comme lui en était venu à épouser une femme comme Sarah. Des univers les séparaient. Lui, si jovial, et elle, si tourmentée... Elle ne comprenait guère mieux comment sa sœur, Hermione, avait pu développer une amitié aussi solide avec cette Sarah Goodman, et cela, depuis leur enfance. Hermione aimait la vie. Elle savait rendre le quotidien heureux. Elle avait le don d'embellir son existence et celle des autres, trait de caractère qui, d'ailleurs, avait toujours agacé Rose au plus au point. Sarah, quant à elle, semblait toujours perturbée, ébranlée par le moindre coup de vent. Parfois, elle lui rappelait ces curieux lys que l'on risque de déraciner par un simple frôlement. À l'instar de ces plantes malmenées, Sarah semblait toujours hésiter entre la vie et la mort, sans jamais disposer de l'énergie nécessaire pour s'ancrer dans la réalité. Rose croyait d'ailleurs que ses troubles émotifs s'étaient aggravés avec les années. D'aussi loin qu'elle se souvenait, Sarah avait toujours été différente, mais depuis qu'elle avait quitté Saint-Jérôme pour épouser Douglas Tiernan, quelque chose en elle s'était brisé. Un accident de vie semblait s'être produit et sa relation avec sa fille Carmen ne réparait en rien les dégâts. Au contraire ! Vivre au quotidien avec des femmes comme Sarah et Carmen devait certainement saper la raison, éroder l'espoir et miner l'existence d'un homme, même sain d'esprit. Pour ces raisons, Douglas méritait sa sympathie.

Rose fit deux pas en direction de la cuisine et s'arrêta net quand elle prit conscience qu'elle avait oublié d'offrir à Douglas d'enlever son manteau.

– Mon Dieu ! Qu'est-ce que je fais de mes bonnes manières ? Commencez donc par vous débougriner, monsieur Tiernan. Donnez-moi votre chapeau et votre paletot !

Douglas cherchait à dégager son bras de la manche de son manteau, mais une violente douleur musculaire le paralysait.

– *Boswell !* Je vais y aller plus doucement ! Ce n'est pas drôle de vieillir !

– Bah ! Ne vous en faites pas avec ça, monsieur Tiernan. À notre âge, ça nous arrive à tous de nous lever, un matin, avec une petite douleur ici ou là. On ne peut pas avoir toujours vingt ans ! Laissez-moi vous aider.

Camille n'avait jamais vu son oncle avoir autant de mal à bouger.

– On dirait que vous avez passé la nuit sur la corde à linge. Vous avez l'air tellement magané !

– Camille ! s'écria Rose, choquée par cette franchise brutale.

– Non, Rose, il n'y a pas d'offense. Camille a raison. Je suis un petit peu plus éreinté que d'habitude. C'est à cause de la réunion d'hier. J'ai brassé de grosses affaires, comme ça faisait longtemps que je n'en avais pas brassé. Et ça ne finissait plus ! Il faut croire que je ne suis plus assez alerte pour de la *business* sérieuse de même.

– Ce n'est vraiment pas de tout repos, les affaires, répliqua Camille, surprise de constater à quel point ce genre d'activités pouvait s'avérer dévastateur.

– Ça dépend ! C'est qu'il faut garder la forme ! Il faut répéter et répéter pour gagner en souplesse, en agilité, en savoir-faire... C'est quand on en brasse moins qu'on s'ankylose. Hein, Mac ? Au fond, la tête ou les doigts, c'est pareil ! Plus tu les fais bouger, plus ça bouge, et plus ça veut bouger !

Ernest remarqua le demi-rictus coquin de Doug. Ce détail éloquent lui fournit un indice non négligeable quant à la véritable cause de son indisposition. Ernest lui assena dans le dos une grande tape cordiale. Doug lui répondit par un clin d'œil complice qui se métamorphosa en un sombre regard convulsé de surprise en apercevant Rose balancer sur son avant-bras son long pardessus fripé.

Douglas avait complètement oublié de ranger dans un endroit plus sûr la boucle d'oreilles qu'il avait subtilisée à sa belle brune de la veille. Impuissant, il ne put que regarder le voyant pendant vert forêt s'échapper de la poche intérieure de son paletot et s'écraser, sans la moindre discrétion, sur une des fleurs rouges du tapis. Cinq paires d'yeux s'écarquillèrent. Camille ramassa l'incroyable objet au goût douteux. La laideur de cette girandole en toc était, de toute évidence, proportionnelle à la distance de laquelle on l'appréhendait.

Stupéfaite, Camille tripotait l'horrible boucle d'oreilles du bout des doigts, comme s'il s'agissait d'un artefact à la fois exceptionnel et porteur de malédiction.

– Merci, , murmura Douglas en refermant prestement sa main sur le bijou que lui tendait sa nièce. J'ai oublié de la rendre à Sarah avant de partir. J'espère qu'elle ne l'a pas cherchée.

– Ma tante Sarah porte des affaires comme ça ! Je n'arrive pas du tout à l'imaginer avec des... béb... des boucles d'oreilles comme celles-là, articula Camille.

– Camille ! la tança Rose, encore une fois scandalisée de son audace.

– Attention, jeune femme ! répliqua Douglas. Tu ne peux pas l'imaginer, tout simplement parce qu'elle ne porte pas ce genre de pendants d'oreilles pour visiter la parenté, pour magasiner sur la Catherine ou pour aller à la messe. Non, elle les garde pour des occasions spéciales, *boswell*. Des occasions vraiment spéciales.

– Ah bon ? répliqua Camille, intriguée et suspendue aux lèvres de son oncle, en attendant la suite.

La situation prenait une tournure trop hasardeuse au goût de Rose. Jadis, elle avait entendu parler une fois ou deux, par Hermione, d'un désagréable penchant qu'aurait eu Douglas pour les escapades érotiques. À en juger par l'inconfort du cousin, cette boucle d'oreilles pouvait bien avoir quelque chose à voir avec ce malheureux travers. Hermione aurait pu, aussi, inventer l'histoire. Il y avait toujours eu, entre elle et Douglas, une distance inexplicable, une sorte de malaise étrange. Mais Rose préféra ne pas courir le risque inutile d'entendre déclamer, devant des oreilles encore chastes et dans sa propre maison, les détails de quelconques aventures licencieuses. Il valait mieux ramener sans plus tarder toute la petite famille à la sécurité et au confort de l'ignorance.

– Vous devez avoir la gorge sèche, après ce long voyage, monsieur Tiernan ! Si vous alliez vous asseoir au salon et jaser un peu avec Ernest pendant que Camille, les filles et moi, on s'occupe de votre petit remontant, hein ?

– C'est une bonne idée, Rose !

– Camille ! Les filles ! Venez, vite !

Encore une fois, Camille se sentit forcée par Rose de renoncer à son plaisir. Cette fâcheuse manie qu'avait sa tante de s'immiscer dans sa vie et de réguler ses intentions, au rythme agaçant de son instinct dominateur de bête aux aguets, devenait vraiment intolérable. Depuis qu'Ernest avait eu le courage d'intervenir en sa faveur, Rose avait maintenant toutes les raisons du monde de se croire invincible. Cette assurance n'allait que légitimer sa position et valider ses actions, même les plus abusives.

Son père avait raison. De prime abord, l'idée lui égratignait le cœur mais, après réflexion, il urgeait en effet qu'elle s'emploie à construire son propre bonheur, loin de celui de Rose Brazeau.

Chapitre 14

À pleine vapeur !

Le Petit Train du Nord quittait la gare de Montréal. Les roues de l'engin engourdi par le froid cinglant roulaient péniblement. Elles raclaient les rails de fer durci en braillant, dans la nuit hâtive, des gémissements déchirants. Après quelques premières poussées difficiles, la locomotive haletante prit son élan et vrombit, puissante et fière, tirant à pleine vapeur ses six wagons bondés.

Les wagons réservés à la classe économique grouillaient comme des ruches. Dans le wagon de première classe, les passagers fortunés, endimanchés, coiffés, parfumés et à l'enthousiasme réservé, voyageaient dans une ambiance beaucoup plus calme. Beaucoup avaient rangé leurs effets dans le porte-bagages et, par groupe de quatre, s'étaient déjà calés dans le confort de leur fauteuil. Quelques voyageurs louvoyaient encore dans l'allée centrale pendant que le jeune et joufflu vendeur de sandwichs distribuait sa marchandise. Pour sa part, le vieux contrôleur aux moustaches cirées en forme de sourire ramassait les billets avec courtoisie.

Carmen avait insisté pour qu'ils choisissent les deux premières banquettes tournées, face à face, du côté gauche et tout à l'avant du wagon. De là, il serait plus aisé de guetter les allées et venues des galants et, surtout, d'être remarquée des admirateurs qui, elle l'espérait, accourraient vers elle. Sarah avait préféré le côté de la fenêtre, même si la noirceur l'empêchait d'admirer le paysage. Pendant tout le voyage, elle jouirait de l'infini, sans lumière et sans forme, pour s'inventer des ailleurs imaginaires, bienveillants et apaisants. Ainsi installée, la perspective d'avoir à partager sa banquette avec un éventuel étranger ne dérangeait en rien sa quiétude.

Sarah pensait à Douglas, à ses affaires, à leur mariage, à Timothy et à Carmen. Quel gâchis ! Que restait-il de leur amour ? Leur dernier moment d'intimité remontait à dix ans, peut-être même quinze ans. Elle avait renoncé à comptabiliser le temps. Après cette nuit de novembre 1902, leurs relations d'époux n'avaient plus eu d'importance. Elle n'avait jamais pu oublier cette nuit-là. Cette fameuse nuit qui avait suivi la mort de Timothy. Ce soir-là, Douglas avait frisé la démence. Il semblait possédé du démon. La colère le défigurait. Il aurait dû la tuer. Il aurait dû, plutôt que de la contraindre à ces bassesses, à ces indignités sans nom auxquelles même les filles de joie les plus misérables ne se livraient probablement jamais. Cette nuit-là, elle avait pleuré son désespoir, vomi son dégoût, hurlé sa détresse, mais le Ciel ne l'avait pas entendue. Elle avait failli à son devoir de mère et d'épouse. Elle méritait la mort, mais pas ça. Après l'avoir complètement brisée, Douglas l'avait abandonnée à sa souffrance, seule, au milieu de la nuit. Il aurait dû la tuer. La douleur aurait été moins vive. Pour ajouter à sa honte, Douglas était revenu, trois jours plus tard. Sa chemise puait le scotch et son pantalon, le sexe d'une autre. Sans la moindre émotion dans la voix, il avait dit :

– Si tu veux, je pars et je ne reviendrai plus. Si tu préfères, je reste et je ne te toucherai plus. Jamais.

Elle avait répondu :

– Reste.

Pourquoi ? Elle ne savait pas à ce moment que Carmen grandissait déjà en elle. Elle espérait que le temps réparerait leurs blessures. Elle prierait pour qu'il regrette. Pour qu'il lui pardonne. Pour qu'elle oublie. Pour qu'un jour, un nouvel enfant les réunisse. Mais rien n'avait changé. La naissance de Carmen l'avait laissé de glace. Et comme promis, il ne l'avait plus touchée. Pas même un baiser sur la joue. Pas même un câlin réconfortant. Elle n'avait pas insisté. Elle avait feint l'indifférence. Elle s'était répété que leur situation n'avait rien d'anormal. Que cela devait bien arriver à d'autres. Elle n'avait pas cherché à savoir s'il avait des aventures. Elle s'en doutait, mais elle refusait de faire face à la vérité. L'ignorance lui servait à entretenir l'espoir.

Sans quitter la fenêtre des yeux, comme si elle interrogeait sa propre réflexion plutôt que sa fille, Sarah brisa le silence dans lequel chacun s'était retiré depuis leur départ.

– Je me demande si ton père s'est bien rendu à Saint-Jérôme.

– Je ne vois pas pourquoi il ne se serait pas bien rendu. Ce n'est pas la première fois que papa voyage. Il est toujours ailleurs. Il me semble que le trajet entre Buckingham et Saint-Jérôme est moins risqué que celui entre Paris et New York, ou New York et Montréal, non ?

Ce ton sec avec lequel Carmen répondait souvent à sa mère faisait frémir Miville. Madame Tiernan lui paraissait une personne beaucoup trop généreuse, beaucoup trop aimable pour mériter un tel traitement. La question de Sarah traduisait son inquiétude pour son mari et il lui semblait évident qu'elle ne cherchait qu'un peu de réconfort. Pourquoi Carmen lui servait-elle cette hostilité ?

– Vous en faites donc pas, madame Tiernan. Il n'y a pas eu de tempête au cours des derniers jours, et les trains du Canadien Pacifique sont fiables. À l'heure qu'il est, monsieur Tiernan est probablement déjà chez son cousin. Peut-être même déjà en train de fêter la nouvelle année. Rassurr...

Carmen interrompit Miville d'un ton méchant.

– Ah, pour ça... C'est sûr que papa a déjà commencé à faire la fête !

Ni Miville, ni Sarah ne répliquèrent à ce sarcasme. Sarah fixa son regard sur le vert émeraude du guingan dans lequel elle avait coupé la robe de Carmen. Elle se consola en constatant combien ce vert éclatait et intensifiait le fauve des accroche-cœurs de sa coiffure.

– En tout cas, ton père va te trouver belle dans cette robe-là. Tu es éblouissante, ma chérie ! N'est-ce pas, Miville ?

Madame Tiernan avait raison. La beauté de cette grande rouquine aux yeux de jade, aux jambes interminables et aux formes parfaites n'était pas que fausse impression. Carmen enflammait le cœur des hommes dès le premier regard, même les plus pudibonds ; bien peu résistaient à la puissance de son charme. Mais fallait-il encore qu'elle soit d'humeur à l'exercer ! Parfois, sans crier gare, Carmen se transformait en un véritable monstre de méchanceté, cruel et impitoyable, capable de cracher un venin mortel, éclipsant alors toute trace de sa splendeur physique. Miville le savait et il s'apercevait bien que, ce soir, la belle cherchait à se faire bête. L'objet de sa véhémence, cependant, lui échappait. Les humeurs changeantes de Carmen dépassaient largement les limites de son entendement.

– Vous avez tout à fait raison, madame Tiernan. Cette robe est magnifique et monsieur Tiernan ne manquera certainement pas de remarquer combien Carmen la porte avec grâccccc.....

– Épargnez-moi ces niaiseries, maman ! Vous savez comme moi que mon père ne remarquera pas cette robe, pas plus qu'il n'a jamais remarqué aucune de mes robes. Ah ! Il va remarquer celle de Camille, par exemple. Ma chère cousine ! En fait, il n'aura d'yeux que pour elle. Elle n'aura pas besoin de paillettes, de lamé ou de franges de soie pour attirer son attention. Sa petite taille, son épaisse crinière en bataille, ses jupes-culottes et ses chemisiers blancs amidonnés et boutonnés jusque sous le menton suffiront à accaparer toute l'attention de mon paternel. Et pas seulement pendant quelques heures ! Oh ! non ! Pendant toute la soirée et, pourquoi pas, pendant toute la vie ! C'est moi qui vous le dis ! Allez donc comprendre ! Cette demi-portion au physique ingrat et aux allures de garçon manqué, plus plate qu'une planche à laver et qui, à son âge, n'a jamais attiré le moindre prétendant...

– Carmen ! Ces paroles ne sont-elles pas un peu dures à l'endroit de mademoiselle McCready ? Et à l'endroit de ton père, aussi !

Carmen s'esclaffa comme un acteur sans talent qui, jouant la comédie, donne plutôt envie de pleurer.

– Pauvre Miville ! Quelle naïveté ! Tu ne connais pas notre belle famille pour t'imaginer que je déblatère injustement. Tu jugeras par toi-même. Mon père *aime* Camille, un point c'est tout.

– Carmen, ton père t'aime aussi, voyons !

– Bien sûr qu'il m'ai...

Carmen se tut brusquement à la vue d'un jeune homme à l'allure distinguée qui remontait l'allée dans leur direction.

Le dandy aux yeux d'encre les salua avec l'assurance d'un homme du monde. Il savait que son arrivée avait été remarquée. Il prit délibérément un temps fou pour sortir son livre de son sac, question de mieux se laisser regarder. Conscient de l'effet qu'il produisait, il éprouvait une fierté proche de la vanité qui se devinait à son sourire impudent. Il aimait être détaillé, envié et, peut-être même, désiré. Lorsqu'il eut mis fin à sa parade, il s'installa avec suffisance sur son siège, à la droite de Sarah. Il hésita avant de plonger dans sa lecture et osa une dernière provocation en jetant à sa voisine d'en face un regard séducteur. Il n'eut pas à insister très longtemps pour éveiller chez elle un soupçon de ravissement. Lorsque Carmen leva les yeux, le nouveau venu reconnut la cantatrice.

– Mademoiselle, vous ne seriez pas chanteuse, à tout hasard ? Attendez ! Tiernan, non ? Carmen Tiernan ?

– C'est bien moi.

Le jeune homme saisit la main de Carmen et l'embrassa avec fougue.

– Mademoiselle Tiernan ! Je suis si heureux de vous rencontrer. Vous avez un tel talent. Vous savez, j'accours au Saint-Denis chaque fois que vous y tenez l'affiche. J'ai souvent eu envie d'aller vous saluer dans votre loge, après les spectacles, et vous dire combien votre voix me trouble. Malheureusement, je n'en ai jamais eu l'audace. Sincèrement, mademoiselle, chaque fois que je vous entends chanter, j'en ai la chair de poule. Bravo !

Carmen jubilait. Le beau jeune homme gonflé de fatuité l'encensait : elle n'allait pas refuser ce moment de gloire inespéré !

– Pas plus tard que vendredi dernier, je suis allé chez Berliner Gramophone, pour acheter votre disque. Le malheureux commis ne l'a pas trouvé et comme j'avais une affaire urgente à régler, je n'ai pas eu le temps d'insister.

– Pas étonnant que le commis n'ait pas trouvé, monsieur ! Je n'ai pas... Enfin... Je suis en ce moment avec RCA pour enregistrer un disque. Vous le trouverez bientôt. Très bientôt. Plus exactement au printemps prochain.

Le culot de Carmen secoua Miville et Sarah. Ni l'un ni l'autre n'avait jamais entendu parler de l'intérêt de RCA à produire un disque avec Carmen.

– Monsieur... Au fait, vous êtes monsieur ?

– Oh ! Mille excuses ! Du Mesnil. Docteur Carmand du Mesnil.

– Enchantée, docteur ! Or, je disais que, si cela peut vous faire plaisir, je pourrais évidemment demander personnellement à la compagnie RCA de vous faire parvenir mon disque par la poste.

– J'en serais ravi, mademoiselle. Me permettez-vous dans ce cas de vous donner mon adresse ?

– Certainement.

– Mon cabinet est situé sur la rue Sherbrooke, juste à côté de l'hôpital Notre-Dame. Je serais enchanté de vous le faire visiter, mademoiselle.

– Trop aimable, docteur.

Le docteur du Mesnil chercha sa plume et son calepin dans sa poche de veston. Sarah retourna se perdre dans la noirceur de sa fenêtre. Miville, crispé d'indignation, n'osait plus regarder Carmen. Il espérait qu'elle fasse savoir à ce monsieur, et au plus vite, qu'elle voyageait en compagnie de sa mère et de son fiancé. Mais Carmen continuait à deviser avec l'étranger comme si elle le connaissait de longue date, tandis que Sarah et Miville faisaient de la figuration. Elle avait, pour ce docteur du Mesnil, plus d'égards qu'elle n'en avait manifesté à Miville et à Sarah depuis qu'ils étaient montés dans le train.

– Vous allez jusqu'à Saint-Jérôme, docteur ?

– Non. Je me rends à Piedmont.

– Vous rejoignez des parents, des amis, une fiancée peut-être ?

Du Mesnil sourit. La question de Carmen révélait l'intérêt de la délicieuse chanteuse à son égard.

– Je vais fêter la nouvelle année chez de bons amis à moi. Des peintres, des sculpteurs et des poètes un peu fous, mais charmants. Des gens qui vous plairaient certainement.

Je vais d'ailleurs retrouver mon ami Sutherland qui doit être quelque part dans ce train. Le pauvre n'a pas pu dénicher de billet en première classe et, en principe, il est là, derrière, dans un de ces wagons, étouffé dans la mêlée. À l'embarquement, j'ai bien essayé de le repérer, mais les gens se sont littéralement empilés les uns sur les autres. Ce n'est vraiment pas beau à voir, dans ces wagons populaires ; les femmes crient, les enfants pleurent, les hommes se bousculent et se pilent sur les pieds. Un boucan effrayant où seulement les gens sans éducation peuvent se sentir à l'aise !

– Je devais moi-même retrouver mes quatre cousines qui sont quelque part dans cette foule agitée. Mais quand j'ai vu cette marée de gens sans manières qui se mouvait d'un bout à l'autre du train dans le chaos le plus complet, j'ai renoncé à l'idée.

Miville avait peine à croire qu'en si peu de temps, autant de mensonges pouvaient sortir de la bouche de sa fiancée. Sur le quai de la gare, Sarah avait en effet suggéré à sa fille de retrouver ses cousines qui, elles aussi, se rendaient réveillonner chez Ernest. Carmen s'était violemment opposée à l'idée. Elle prétendait n'avoir rien à dire à ces filles de paysan et la perspective de devoir supporter leur présence pendant les deux prochains jours lui pesait déjà suffisamment sans avoir à les endurer pendant le voyage. Elle avait clos la discussion en disant que même si le train était vide, elle refuserait d'aller parader chez les prolétaires.

– De toute façon, nous nous retrouverons tous sur le quai de la gare. Ne vous inquiétez donc pas pour votre ami ! Vous le rejoindrez sans peine à destination.

– C'est justement là où le bât blesse ! Edward et moi ne nous rendons pas au même endroit. Avant-hier, le musée de Boston lui a offert le poste de conservateur. Il doit partir très vite pour les États-Unis. Il nous a dit qu'il avait tout juste le temps de s'arrêter à Saint-Jérôme pour y saluer quelques personnes chères. Comme il ne peut se joindre à nous, je lui ai offert de remettre à nos amis des cadeaux qu'il leur destinait et qu'il a bien sûr avec lui.

— Comme c'est gentil à vous ! Et vous connaissez ces gens, à qui votre ami Edward doit rendre visite à Saint-Jérôme ?

— Non, Edward ne nous a pas donné plus de précisions à leur sujet. Pourquoi ? Vous avez des connaissances à Saint-Jérôme ?

— Bien sûr ! J'ai des connaissances un peu partout au pays. Jusqu'en Europe, vous savez.

— Évidemment, avec un métier comme le vôtre, le cercle de vos relations doit s'étendre jusqu'aux confins de l'Occident.

— C'est tout à fait juste !

— Vous m'excuserez, mademoiselle. Notre conversation est fort intéressante, mais je vais tout de même essayer de retrouver Edward. Je voudrais avoir quelques minutes pour bavarder avec lui avant son départ. Il est probable que je ne le reverrai que dans quelques mois. Si vous le permettez, je retourne dans la fosse aux lions. Avec un peu de chance, ils seront tous repus et à moitié endormis.

— Je vous en prie, monsieur.

Carmand du Mesnil salua Carmen et tourna les talons en direction du wagon voisin.

– Carmen !

– Quoi, « Carmen ! » ?

– Tant d'histoires, tant de balivernes... Et aucun égard ni pour ta mère, ni pour moi. Ma foi, tu perds la raison !

– Perdre la raison ? Au contraire, Miville, au contraire ! Ce monsieur du Mesnil est médecin, il est riche, cultivé et, de toute évidence, il fraye avec des artistes. En plus, il a des connaissances aux États-Unis. Enfin, il en aura très prochainement. Pour faire carrière dans notre métier, Miville, il faut savoir placer ses cartes. C'est précisément ce que je fais !

– Placer ses cartes ! Comme si la vie n'était qu'un jeu. *Ton* jeu où, selon *tes* règles, tu utilises tes semblables pour mieux gagner la partie. Tu ne peux pas jouer, comme ça, avec les humains. Tu ne peux pas te servir des gens. Les sortir de ton coffre à jouets, quand cela te convient, et les y ranger quand tu t'es lassée. Tu ne peux jouer qu'avec ta propre vie, Carmen. D'ailleurs, cela m'apparaît, en soi, une entreprise déjà bien considérable...

– Bon sang, Miville ! Que tu le veuilles ou non, nous nous servons tous des autres, ici-bas. Oui, la vie est un jeu. Un grand jeu de chance et de stratège, mais surtout de stratège. Pour gagner, nous n'avons pas le choix : nous devons utiliser ceux qui peuvent servir notre cause. Ne sois pas si prude. Tu fais ça aussi. Tous les gens font ça. Ceux qui ne le font pas s'avouent perdus d'avance. Alors, choisis ton camp, Miville ! Ce que j'ai fait, je l'ai fait pour moi, mais aussi pour toi. Ou tu joues, ou tu croupis dans l'arrière-boutique de Vertefeuille et fils jusqu'à la fin de tes jours.

Miville aurait espéré l'appui de sa future belle-mère dans cette controverse, mais Sarah demeura murée dans son silence. Elle adorait Miville et n'endossait pas le point de vue de Carmen. Mais elle avait déjà mené tant de batailles qu'elle préférait maintenant les éviter. Elle n'avait plus l'étoffe ; de toute façon, elle n'avait jamais su jouer contre Carmen. Elle n'avait jamais pu s'opposer à elle. Hors de la mêlée, le néant la berçait. Là, elle survivait...

Chapitre 15

Au revoir la Rouge

L'étoupe entre les billes mal équarries des murs n'empêchait pas le vent de se frayer un chemin dans le refuge des bûcherons. L'hiver s'annonçait rude. À l'intérieur, la soupe aux pois frémissait dans le chaudron pendu à la crémaillère. Des arômes de lard salé mettaient à rude épreuve la gourmandise du gros cuisinier affairé à entretenir le feu de la cambuse pour nourrir ses quarante hommes. Assis au bord de l'âtre gigantesque trônant au centre de la pièce, le dos au chaud et le froid au cœur, Esdras Chaperon regardait Félix plier bagage. Son vieil ami tournait autour de sa couchette. Au hasard de ses haltes, il fourrait gauchement dans sa musette savonnette, jeu de cartes et photos. Beaucoup de photos. Le grand jeune homme, d'ordinaire si confiant, toupinait comme une bête malheureuse qui cherche un os égaré. Il allait, touchait, repartait, puis revenait. Ses mains fouillaient le bois, la laine, le coton et la plume, comme si elles voulaient imprimer dans leur paume la sensation réconfortante des témoins de cette vie qui, dans quelques heures, ne serait qu'un vieux souvenir.

Avant les premières lueurs du jour, les jeunes « claireurs » étaient partis battre les routes pour faciliter la glisse prochaine des billes de bois jusqu'au lit gelé de la Rouge. Ce matin,

Félix ne les avait pas accompagnés. Désormais, il n'allait plus passer ses hivers à bûcher, le jour, et à rêver, la nuit, aux embâcles, aux tumultes et aux remous du printemps suivant. Il n'allait plus vomir la mort. Il n'allait plus prier pour un sursis. Bientôt, il vivrait. Il deviendrait un monsieur. Un vrai monsieur, bien vêtu, bien chaussé, bien coiffé, parfumé et respecté, des billets verts plein les poches. Finie la vie de chantier !

– Ne bouge pas, Esdras ! Avant de ranger mon trépied et ma caméra pour un bon bout de temps, je vais faire un dernier portrait de toi.

– Tu as fait assez de portraits de moi pour tapisser un mur complet. Laisse tomber !

– Non, j'en ai à peine pour quelques minutes. De toute façon, à l'heure qu'il est, il est trop tard pour que tu rejoignes les hommes. Tu repartiras avec eux après le dîner. Jase-moi un peu, pendant que je m'installe. Je ne t'ai jamais vu aussi silencieux.

– Bon ! concéda finalement Esdras. Tu l'auras voulu. Buckingham... Pourquoi Buckingham et pas Saint-André-Avelin ?

– Qu'est-ce que tu voudrais que j'aille faire à Saint-André-Avelin ? Ce n'est certainement pas là que je pourrais devenir riche !

– C'est beau l'argent, mais ce n'est pas tout ! Tu viens de là, non ? Ta famille n'a pas d'importance pour toi ?

– Ma famille ! Tu veux rire ? Mon père est mort il y a quinze ans. Pour gagner sa vie, lui, il ne l'a passée ni au champ, ni dans le bois. Mon père organisait des combats de

146

lutte dans les granges des environs, pour nous faire vivre. Ça fait une belle réputation, un père comme ça. Mon frère le plus vieux ramassait les gageures, Alphonse vendait des places assises, Eusèbe chipait ce qu'il pouvait pendant le combat et moi, je restais dehors à m'emplir les poches en jouant au poker. Mon père voulait se croire invincible et le pire, c'est qu'avec quelques verres de rye derrière la cravate, il y arrivait. Avec ses mensurations de véritable géant, c'est vrai qu'il était un homme fort imposant. Mais le courage ne vient pas toujours avec la carrure. À jeun, mon père n'avait pas même l'audace d'essayer de tuer une mouche. Le soir de son dernier combat, il était tellement saoul qu'il se tenait à peine debout. Il a reçu une droite en plein sur la tempe. C'est la dernière fois qu'il s'est battu.

– Ta mère ? Tes frères ?

– Je ne les ai jamais revus. Ma mère était la reine des jérémiades et elle avait trop de bouches à nourrir pour pleurer un départ. Je suis monté ici après les funérailles de mon père et je ne suis plus jamais retourné à Saint-André-Avelin. D'ailleurs, fie-toi sur moi, ni le progrès ni moi ne passerons par là avant longtemps !

– Tu ne te rends pas compte, Félix. Tu as passé ta vie dans le bois et tu t'en vas dans une manufacture de pâte à papier. À Buckingham ! Tu as perdu la tête. Tu ne feras pas quinze jours là-bas ! Elle est ici, ta famille, mon grand. Pourquoi tu fais ça ?

– Esdras, tais-toi. Je suis prêt pour la photographie. Montre-moi ton plus beau sourire et cesse de raconter des idioties. On va finir ça en beauté.

Esdras se leva d'un bond, manifestement très contrarié par la défection de Félix.

– Arrête ça ! Ce n'est pas le temps de faire des photographies. Mon vieux, tu connais la légende de la chasse-galerie ? Y crois-tu au point de rêver que *tu es* dans le canot volant ? Débarque avant que Satan ne parvienne à posséder ton âme ! Tu files dans l'imaginaire à cent à l'heure. Tu as beau avoir jeté ton chapelet, ton scapulaire et tes médailles par-dessus bord, tu as beau ne plus vouloir rien savoir de Dieu, de tes frères, de ta mère, de la gomme d'épinette ou du crachin de la rivière, tu vas pourtant finir par t'accrocher les pieds dans une croix de clocher d'église, si tu persistes à rêver que tu voles, haut dans les airs, dans ton canot de légende. Tu vas finir par retomber sur le plancher des vaches, mon grand. Tu es fou. C'est de la frime, ton affaire. Du délire. Descends en ville. Va au bordel. Passe la semaine là. Va te changer les idées, mais reviens. Ta place est ici, Félix.

– Ça va, pas de photos, Esdras. Pour le reste, libre à toi de penser ce que tu veux. Tu ne me feras pas agir autrement. Je n'ai pas besoin d'aller aux femmes. J'ai besoin d'un avenir. J'ai besoin de vie autour de moi. Besoin de voir autre chose que la misère et la mort au bout d'un harpon de draveur. Je décampe, Esdras. Je vais devenir un monsieur. Un vrai monsieur de la ville ! Que cela te plaise ou non.

– Bah ! J'ai besoin d'aller prendre l'air. Tiens ! Prends ça avant de partir. C'est le chapeau d'Oscar. Pour la chance. Et ça, c'est l'adresse de mon frère, à Saint-Jérôme. Au cas où l'air de la manufacture finirait par te rendre malade, lui aussi. Je vais aller équarrir une « couple » de bûches pour m'ouvrir l'appétit avant de dîner. Salut Félix. Bonne chance.

– Merci, Esdras. Fais attention à toi et méfie-toi de la dynamite. Tu sais où ça mène quand on joue avec comme si c'était des pétards à mèche. Prends bien soin de ma Flamme. Essaie de faire ton galant avec elle, une fois de temps en temps. Ça te changera.

Esdras avait boutonné sa veste et mis son chapeau. En guise d'au revoir, il leva la main, sans se retourner. Il empoigna la clenche de la porte, puis se ravisa.

– J'oubliais ! Garde ça, aussi.

Esdras lui tendit sa flasque. Félix hésita. Il s'arrêta aux initiales gravées sur le flacon argenté que lui offrait son ami.

– Si le nom te gêne, tu feras sabler une patte du « E » et tout le monde pensera qu'elle t'a toujours appartenu.

– Jamais, Esdras. Jamais.

– Elle est pleine de ce matin. Tu ne devrais pas arriver à Buckingham la gorge trop sèche.

Félix saisit la main d'Esdras pour l'attirer dans ses bras.

– Que je n'apprenne jamais qu'il t'est arrivé malheur. Salut, Esdras.

Chapitre 16

Offre subsidiaire

Déjà, la lumière du jour s'était consumée. Camille montait à l'étage pour y laisser un pot d'eau fraîche dans la plus spacieuse des deux chambres d'amis. Elle déposa le pichet dans un bol de faïence d'un blanc immaculé, enchâssé dans une table de toilette en chêne, création originale d'Ernest. Elle lissa, sur les porte-serviettes fixés de chaque côté du meuble, des serviettes tout aussi immaculées.

Douglas monta difficilement les marches jusqu'à sa chambre. Du corridor, il reconnut la silhouette de Camille découpée par le contre-jour fragile : c'était bien celle qu'il cherchait depuis un moment.

– Te voilà enfin !

– Faites comme chez vous, mon oncle, c'est votre chambre. Je sortais justement. J'étais venue porter de l'eau et des serviettes propres.

– Ah ! *Boswell !* Ça tombe bien. J'avais justement besoin de me passer de l'eau fraîche sur le visage pour reprendre un peu mes sens.

– Ne vous gênez pas. Allez-y !

Camille jeta un coup d'œil rapide tout autour de la pièce. Elle n'avait rien oublié : eau, débarbouillettes, serviettes, savonnette, lampe, couverture, courroie de cuir pour affûter un rasoir, *L'Étoile du Nord*, le journal des nouvelles locales, ainsi qu'une bouteille de liniment pour soulager les courbatures lombaires. Tout était là. Sauf la valise ! Camille avait oublié la valise.

— Votre valise ! Elle est restée à côté de l'entrée. Je vais la chercher.

Douglas l'intercepta. Dieu merci, en dépit de ses muscles endoloris, ses réflexes étaient assez vifs pour freiner l'élan de sa nièce. Il se fichait éperdument de sa valise. Ce qui lui importait, c'était de parler à Camille, seul à seule.

— Attends, Camille !

— Il vous manque autre chose ?

— Non, non.

Le ton fripon de Douglas avait disparu. Il se mit à rouler la pointe de sa moustache entre ses doigts et ses sourcils se plissèrent.

— Camille, tu me connais. Je n'ai pas l'habitude de passer par quatre chemins pour dire ce qu'il y a à dire.

Camille s'inquiéta de l'air soudainement grave de son oncle.

— Viens t'asseoir une minute. Pour tout te dire, je suis monté ici exprès pour te trouver. J'ai à te parler. Sérieusement.

Camille sentit son corps envahi par une brusque montée de chaleur : elle en avait déjà les mains moites. Pendant d'interminables secondes, elle s'imagina que Rose avait eu raison. Ses remarques directes et ses questions trop pointues avaient certainement irrité son oncle.

— À me parler ? À propos de quoi, mon oncle ?

— À propos de toi.

— De moi ?

— Oui, de toi. De toi et d'affaires.

En entendant le mot « affaires », les yeux de Camille s'agrandirent et une brise de soulagement stoppa sa fièvre montante et calma sa tension.

— De moi... Et d'affaires !

— Écoute-moi bien. Je suis très sérieux, Camille. Tout ce qu'il y a de plus sérieux. Veux-tu, oui ou non, venir travailler avec moi à Montréal ?

L'enthousiasme de Camille s'affaissa. La proposition n'avait rien d'extraordinaire. Douglas la lui avait faite des dizaines de fois au moins depuis qu'elle avait quitté Tiernan and Son. Par lettre, au téléphone et à chacune des quatre visites qu'elle lui avait rendues à ses bureaux après s'être installée avec son père à Saint-Jérôme, son oncle avait repris cette même proposition.

— On a déjà parlé de ça plusieurs fois depuis deux ans. Je vous l'ai dit et redit. Ce n'est pas parce que je n'ai pas aimé travailler pour vous. Au contraire. Mais Saint-Jérôme, c'est chez nous, maintenant. Mes amis sont ici. Ma famille, ma vie...

– Ta vie ! Pffff ! Tu veux dire ton père, oui. Je sais combien tu aimes ton père, mais tu ne t'imagines tout de même pas que tu as un avenir ici ? Crois-tu sincèrement qu'Ernest ne serait pas plus heureux de te voir réussir en ville que de te sentir accrochée ici, à ses basques, pour le restant de ses jours ? Penses-tu que ça fait l'affaire de ta tante Rose de te voir coller, toute la journée, sept jours sur sept aux talons de son nouveau mari ? Voyons, Camille, tu es plus intelligente que ça !

Deux jours plus tôt, Camille aurait riposté sans attendre. Aucune ombre n'aurait gêné son jugement. Aucune hésitation n'aurait inhibé ses désirs. Elle aurait vaillamment combattu le raisonnement de son oncle en le bombardant des arguments nécessaires pour justifier sa décision, comme on sait si bien le faire quand il s'agit de sauver sa vie. Mais aujourd'hui, les mots de son oncle avaient un sens différent.

– Mettons d'abord les choses au clair, veux-tu ? Ouvre grand tes oreilles, Camille. La proposition que je te fais aujourd'hui n'a rien à voir avec le poste de commis que tu occupais et que je t'ai déjà offert, je n'ose plus compter combien de fois. Ce que je t'offre, Camille, c'est de devenir mon associée. Rien de moins.

Camille, estomaquée, s'assit sur le lit.

– Rien de moins...

– En vingt ans, Camille, j'en ai vu, du monde, passer dans ma compagnie. J'en ai vu pas mal ! Assez pour savoir que toi, tu as les affaires dans le sang. Tu es née pour brasser des affaires. Crois-moi, j'ai du flair. Ton père et moi, on a bâti la compagnie avec l'idée que, dans nos vieux jours, un de nos fils continuerait à faire rouler la *business*. Mais la vie ne va pas toujours comme on veut. Ton père a eu sept filles. Pas un seul gars. Généralement, les filles pensent plus à laver des couches qu'à brasser des affaires. Je dis, généralement. Moi, j'ai eu Ti... Euh... J'ai eu une fille aussi. *Anyway, boswell* ! Dans le cas de Carmen, c'est assez clair qu'elle ne veut rien savoir des affaires. C'est mieux comme ça. Et je ne pense pas vivre assez vieux pour savoir si, un jour, j'aurai un petit-fils qui aura autant de talent pour les affaires que toi. J'ai beaucoup trop investi dans cette affaire-là, et ton père aussi, pour me faire à l'idée que des étrangers profiteront peut-être un jour de tout ça. C'est à toi que je veux laisser Tiernan and Son. À toi, Camille, à personne d'autre. C'est toi qui vas mener cette compagnie-là. C'est toi qui vas la faire prospérer. Je sais que tu en es capable. Je sais que tu peux réussir. Je sais que tu *vas* réussir. Qu'est-ce que tu dis de tout ça, hein ?

Camille n'aurait jamais imaginé que son oncle lui ferait, un jour, pareille proposition. Elle savait l'affection qu'il lui portait, mais jamais elle n'aurait cru qu'il la voyait à la barre de Tiernan and Son. Douglas alla s'asseoir à côté d'elle. Il attendait une réponse. Après quelques minutes d'attente, le silence lui devint insupportable.

— Alors, ça t'intéresse ou pas ?

— Je ne peux pas vous répondre comme ça, sans d'abord y penser. Ce n'est pas une petite affaire que vous m'offrez là !

— Tu peux au moins commencer par me dire si ça t'intéresse ou si ça ne t'intéresse pas du tout.

– Sûr que ça m'intéresse ! Mais j'ai besoin d'y penser, de retourner tout ça dans ma tête. J'ai besoin de me demander ce que je veux faire dans la vie. Et surtout, j'ai besoin de temps pour me donner une réponse honnête à moi, d'abord, avant de vous donner une réponse honnête à vous. On ne prend pas une décision comme celle-là à la légère. Il faut que j'évalue ce que ça implique.

– Bon..., grommela Douglas, déçu de devoir patienter. Combien de temps ?

– Euh... Au moins quelques semaines... Non ! Quelques mois, plutôt.

– Écoute, Camille. Une première règle, en affaires, c'est de savoir saisir l'occasion quand elle se présente. Sinon, le train passe et toi, tu restes sur le quai à le regarder s'éloigner !

– Je comprends, mon oncle. Je comprends ça. Mais c'est trop sérieux. C'est pas un poste pour six mois, ou pour un an, ou pour cinq, cette histoire-là. C'est pour la vie. C'est mon avenir. Je ne peux pas décider sur un coup de tête de ce que je veux faire pour le restant de mes jours. Je veux y réfléchir.

– Ouais...

Douglas savait qu'il valait mieux se résigner, pour le moment, à attendre la décision de Camille. Cette enfant avait une détermination peu commune. Une vraie tête d'Irlandais, comme il le lui rappelait souvent. Elle ne lâchait pas et Douglas admirait sa force de caractère. Lorsqu'elle avait une idée en tête, elle s'y accrochait, sans faire d'éclats, et elle avançait lentement, vaillamment, en faisant de la patience son arme la plus redoutable, jusqu'à ce qu'elle arrive au but. Et elle y arrivait. Elle y arrivait toujours. Discuter ne mènerait nulle part. Douglas le savait, comme il savait que quelques mois d'attente n'allaient rien changer à l'avenir de Tiernan and Son. Il allait cependant négocier. Un vieux routier comme lui ne pouvait pas concéder si facilement la victoire à une jeune apprentie comme Camille.

– Jusqu'en mai, ça te va ?

– Non, jusqu'à la fin de l'été.

– *Boswell* ! Ça nous mène à l'automne. C'est loin.

– Jusqu'au 15 juillet, alors. Je vais vous donner ma réponse le 15 juillet prochain. Ça vous va ?

– Va pour le 15 juillet, jeune femme.

Douglas tendit la main à Camille.

– Il faut être fort pour négocier avec toi, Camille.

– Comment ça ?

– Tu as du bras, ma fille !

– Du bras ?

– Oui. Du bras. Du muscle. De la poigne. En tout cas, peu importe. Viens ! On va descendre avant que Rose n'aille s'imaginer que je suis en train de te raconter des histoires... disons, pas catholiques, *boswell* !

Chapitre 17

Réminiscences éthérées

Ernest tenait les brides d'une main leste, laissant à Lucky tout le loisir de longer tranquillement la rangée de lampadaires électriques qui illuminaient la rue Saint-Georges, d'une lueur fragile et dorée, de la grande côte à la gare. Douglas lui entourait l'épaule de son bras avec une affection expansive. Le chapeau de guingois et le manteau boutonné si maladroitement qu'une pointe du col lui chatouillait les oreilles et l'autre, le dessous du bras, Douglas cuvait sa joie. Le froid de la nuit avait blanchi les moustaches et les sourcils des deux hommes, et les effets du whisky ajoutés à l'euphorie des retrouvailles les avaient complètement insensibilisés à toute agression hivernale. Les deux gaillards beuglaient des airs de leur enfance comme s'ils cherchaient à hurler leur bonheur à la ville entière. L'écho de leurs rires enterrait les efforts des dizaines de « guignoleux » qui devaient hausser le ton pour annoncer aux citoyens leur visite annuelle.

« Si vous ne voulez rien nous donner, nous prendrons votre fille aînée et nous lui ferons chauffer les pieds ! » répétaient en chœur les hommes accoutrés d'une tuque de laine rouge et d'une longue ceinture fléchée et multicolore, qui allaient ainsi d'une porte à l'autre.

Les paroles du refrain de la miséricorde titillèrent tout à coup les oreilles de Douglas au point où il s'arrêta net de chanter.

– Qu'est-ce que tu as ? s'inquiéta Ernest.

– Arrête-toi ! Je vais leur faire un gros chèque, je vais les payer pour qu'ils prennent ma fille aînée et qu'ils lui fassent chauffer les pieds. Ça lui changerait peut-être l'humeur. Qu'est-ce que tu en dis ?

– Franchement, Doug ! Carmen est ta fille ! Souviens-toi de ton père qui répétait toujours, jamais devant ta mère, bien sûr : « Il vaut mieux parler de fesses que de parler de son prochain. Il vaut mieux se laisser tenter par le mal que d'en souhaiter à son voisin. » Il disait que le secret du bonheur, c'était ça et rien d'autre. As-tu oublié ?

– Bah... C'était juste une blague, Mac ! Qu'est-ce que tu veux ? Il m'arrive parfois de penser qu'elle est la fille des voisins, cette enfant-là...

– Jase-moi plutôt de ton mal de dos. Avale d'abord une lampée de ce petit jus-là, ça va te donner de l'élan !

Ernest tendit la flasque de whisky à Douglas, qui s'exécuta sans se faire prier.

– Maintenant, raconte-moi tout ! Quelles sortes d'acrobaties fais-tu pour te retrouver courbaturé comme ça ? Fais-moi rigoler un peu !

Douglas pouffa de rire. Il cracha en plein ciel sa gorgée de whisky, qui retomba en une fine bruine sur la croupe de Lucky, le poussant à trotter comme si la mèche d'un fouet venait de frôler sa robe.

– Tout doux, Lucky ! C'est juste le cousin Doug qui prend le mors aux dents ! Rien de dangereux.

– T'es trop curieux, Mac. Beaucoup trop curieux. Hé, hé !

Douglas aimait Ernest comme un frère. Ils avaient grandi ensemble à Kilkee, en Irlande. Douglas avait quinze ans quand les vagues de l'Atlantique avaient englouti les parents d'Ernest. Ils étaient partis, en pleine tempête, au secours de leur dingo de chien, prisonnier des rochers à la marée montante. Le père de Doug, William, détesta l'océan à partir de ce jour-là. Il en voulut éternellement à cette mer cruelle de lui avoir volé son unique sœur, Cecile. Il ne supportait plus ni le bruit, ni l'odeur, ni la vue des vagues qui, chaque matin, le narguaient et lui rappelaient inexorablement leur toute-puissance criminelle. Un bon matin, William Tiernan en eut assez et décida de quitter ce bord de mer maudit. Avec sa femme, ses trois filles, son fils Douglas et son neveu Ernest, il gagna l'intérieur des terres, du côté de Mullingar, aux abords de Dublin. Il y vécut pendant cinq ans. Cinq années d'une vie de plus en plus difficile, cinq années ponctuées de deuils, cinq années de misère, jusqu'à ce que le mildiou l'oblige finalement à recommencer sa vie ailleurs. Encore une fois.

– Il y a vingt-cinq ans, qui aurait pensé qu'un jour on fêterait le jour de l'An à Saint-Jeeerôme, P.Q., Canada ! Hein, Mac ?

– Ça, tu l'as dit.

– Attends que je me rappelle... Il y a vingt-cinq ans, Mac, on débarquait à Montréal. C'est bien ça, hein ?

– Euh... Ouais... Mon Dieu que le temps passe. Des fois, trop vite, d'autres fois, pas assez.

– Ouais.

Ces souvenirs assombrirent l'entrain de Douglas.

– Tu sais Mac, quand on s'est embarqués à Dublin, il me semblait que la lumière revenait. Il me semblait qu'on laissait la misère et la mort derrière nous, et qu'on s'embarquait pour une vie plus... mieux... Il me semblait qu'on s'en allait vivre. Vivre, un point c'est tout. Une fois sur le bateau, j'ai pensé qu'on s'était tous fait avoir. Que mon père avait acheté un voyage aux enfers. Rien de moins. J'ai pensé qu'on avait laissé derrière tout ce qu'on possédait pour aller mourir, lentement, les uns après les autres. J'ai pensé qu'on n'allait nulle part. J'ai eu peur que ce soit un coup monté et qu'en réalité, il n'y aille rien de l'autre bord. J'ai pensé que l'Amérique, c'était juste une histoire qu'on nous avait racontée, un prétexte pour nous expédier dans un faux paradis.

– Pour être bien honnête, je n'ai jamais voulu repenser à ça. Je voulais oublier. J'aurais tellement aimé ça, tout oublier. Les premières années, c'était comme un mauvais rêve. Un rêve qui revient. Un rêve qui s'accroche à la peau comme une sangsue qui décolle seulement quand elle n'a plus de vie à sucer.

– Un mauvais rêve... Un cauchemar, tu veux dire ! Un cauchemar épouvantable qui ne vieillit pas. Un cauchemar qui se remet à te torturer l'esprit dès que tu oublies de le noyer dans quelque chose de fort, comme ça.

Douglas avala une goulée de whisky.

– Tu n'as rien à te reprocher, Doug. Tu le sais, ça ?

– Je le revois. Je le reverrai toujours, toute ma vie... couché dans le fond de la cale... plié en deux par le mal... en train de se vomir les entrailles. L'odeur du pain rassis, de la fièvre, de la pisse chaude et de la merde de ceux qui n'arrivaient plus à se retenir. Pas d'eau, pas d'air, pas de médicaments... rien. Rien à faire. Rien pour arrêter la maladie. Rien, *boswell* ! Obligé d'assister à ça. Obligé de regarder la douleur le torturer, le consumer à petit feu... pendant des jours et des jours... Un colosse d'homme, rivé au plancher par la souffrance... impuissant... pas capable de se battre pour sa vie. Pauvre père ! Il ne méritait pas ça. Non, il ne méritait pas ça. Tu te rappelles la nuit...

Ernest fit oui de la tête.

– Il me semblait qu'il était encore chaud. Il me semblait qu'il n'était pas mort, Mac.

– Il était mort, Doug. Il était bel et bien mort.

– J'avais sa tête entre mes mains. Je ne voulais pas le lâcher. Je n'aurais pas dû le lâcher. C'est épouvantable. Je l'ai jeté par-dessus bord, Mac. Comme une bête dont on se débarrasse.

– On ne pouvait pas faire autrement, Doug. On a fait ce qu'il fallait faire.

– Je ne voulais pas le donner à la mer. Lui qui la détestait. Je ne voulais pas qu'il parte. J'aurais tant voulu que lui aussi connaisse ce pays-là, *boswell* !

– Il faut croire qu'on ne décide pas de grand-chose, ici-bas.

– Comme si le bon Dieu n'était pas venu en chercher assez : d'abord la mère... puis Margaret... ensuite Kathleen... et, pour finir, la petite Brenda. Ça fait beaucoup de monde dans une même famille, ça. Ça fait beaucoup de monde qui s'en va, dans l'espace de quelques mois seulement. Maudit pays ! Beau ! Ah, oui ! Bien beau ! Mais cruel sans bon sens. Sec. Une vraie terre de famine, pas même capable de nourrir ses enfants ! Ce n'est pas les patates que le mildiou a dévastées. C'est tous les Irlandais. Il les a tués parce qu'ils voulaient rester, et après, il les a tués parce qu'ils voulaient partir. Il me semble que le bon Dieu aurait pu nous donner une petite chance. Il me semble qu'il aurait pu se forcer un peu et attendre que le père soit de l'autre bord, avant de venir le chercher. Une journée de plus... rien qu'une journée de plus et il y serait arrivé.

– C'est triste... Injuste... Écœurant, Doug ! Mais on a fait de notre mieux. On ne pouvait rien faire de plus.

Douglas se desserra la gorge d'un coup de whisky.

– N'oublie pas qu'une fois rendus de ce bord-ci de l'Atlantique, Doug, le bon Dieu nous l'a donnée, à nous, notre chance. Pense à tout ce que tu as réussi à faire en vingt-cinq ans. Pense à ce qu'on a réussi à faire ensemble, en vingt-cinq ans. Regarde-toi. Regarde où tu es rendu, cousin !

– Pour ça, c'est vrai qu'on l'a roulée, notre bosse. On n'a pas été malchanceux. Bof... Pas trop. Pas en arrivant. Le jour même où on a débarqué, toi tu t'es retrouvé livreur de commandes dans Griffin Town et moi, débardeur dans le port.

– Ça ne nous a pas pris six mois pour économiser l'argent qu'il fallait pour graisser le vieux... Comment il s'appelait déjà, le contremaître ?

– O'Hare. Sam O'Hare. Ça nous a coûté cher, mais il a tenu sa parole, le vieux ! Ça n'a pas traîné.

– Le lendemain.

– Ouais. Le lendemain, toi et moi on suait à grosses gouttes à boulonner les rails du Canadian Pacific Railroad pour faire rouler les gros chars !

– Tu t'étais donné un an pour te placer au bureau-chef.

– Ouais. Ça a pris six mois, Mac.

– Là, tu en as fait, de l'argent !

– En sachant sur quelles terres la compagnie allait passer ses rails, ce n'était pas trop sorcier. Il me restait juste à emprunter pour acheter les lots, et à attendre tranquillement que la CPR vienne me les racheter à gros prix.

– Tu es né pour les affaires, mon vieux ! Tu es plus rusé que cent renards !

– Je voulais tellement avoir ma compagnie à moi.

– Tu l'as eue.

– Cinq ans, jour pour jour après notre arrivée à Montréal, on accrochait l'enseigne de Tiernan and Son, Mac.

– Tu veux dire que moi j'accrochais l'enseigne de Tiernan and Son, et que toi, tu me regardais l'accrocher !

– Bon... Chacun son domaine, hein ! Moi, les affaires, toi, le marteau, Mac.

Douglas tendit la flasque à Ernest. Par souci de solidarité, Ernest porta le goulot à ses lèvres, mais n'avala rien. Ernest ne buvait que très rarement de l'alcool. Il n'aimait pas que ses mots, ses gestes ou ses sentiments échappent à son contrôle. De plus, il avait remarqué, au cours des dernières années, qu'après le deuxième ou le troisième verre, tout au plus, il éprouvait de vives douleurs au côté gauche. Il préférait donc ne pas faire d'excès et, la plupart du temps, il choisissait de s'abstenir.

– Franchement, tu ne regrettes pas d'avoir quitté la compagnie ? Ça marchait si bien, nous deux.

– J'ai fait mon bout, Doug. Vingt ans, bien proche ! Je suis allé jusqu'où je pouvais aller. Tu l'as dit toi-même : je ne suis pas fait pour les affaires ! Tiernan and Son, c'était *ton* rêve. Je t'ai donné ce que je pouvais te donner. Les années ont passé. J'ai eu envie d'essayer de vivre *mes* rêves.

– Tant mieux si tu es heureux, Mac. Tant mieux.

Douglas reprit la bouteille d'alcool des mains de Mac et taquina son cousin :

– Laisses-en un peu aux autres !

Lucky s'arrêta entre la diligence de l'hôtel Lapointe et les nombreuses voitures des Jérômiens venus accueillir parents et amis en provenance de Montréal. Aux premiers sifflements de la locomotive, un jeune garçon à la peau noire, aussi noire que le café sans lait, sortit de la gare. Ses gants, sa veste et son petit chapeau rond tranchaient en blanc, rouge et or, sur le fond marine et bistre de l'obscurité, si bien que les regards convergeaient inévitablement sur ses mouvements. Le « nègre », ainsi que l'appelaient tous les voyageurs du Canadien Pacifique, alla chercher le marchepied de bois rangé contre le mur de la bâtisse. Il l'apporta sur le quai et veilla à le positionner bien droit, prêt à supporter l'excitation des dizaines de personnes qui s'élanceraient des wagons. Parmi eux, les petits-enfants et les arrière-petits-enfants de William et de Cecile Tiernan surgiraient d'entre les derniers souffles de vapeur de l'engin activé au charbon : des descendants bien vivants et en apparence détachés de leur histoire. Leur insouciance tumultueuse allait étouffer les fantômes du passé, le temps des réveillons, le temps de quelques générations encore.

Chapitre 18

Tabous déboutés

Ce soir, Magdaline étrennait. Sur une robe de satinette corail, une tunique en dentelle de coton d'un jaune plus tendre encore que celui des coquilles d'œuf lui donnait un air de toute jeune fille. De longs rubans vert pâle, saumon et crème soulignaient un décolleté carré juste assez profond pour laisser entrevoir les taches de rousseur de sa poitrine bien en chair. Elle n'avait jamais porté cette robe, car elle trouvait qu'elle lui conférait une allure de jeune mariée qui la mettait un peu mal à l'aise. Jouer les amantes fraîches et fidèles, à son âge, lui avait paru jusqu'à aujourd'hui plutôt audacieux. Pourtant, et sans trop savoir pourquoi, en cette veille du Nouvel An 1924, Magdaline avait le cœur à la fête. Elle avait envie de célébrer. Célébrer la vie et l'amour. Son amour pour Bayou, son chat ; son amour pour Vertu, sa jument ; son amour pour Camille, sa meilleure amie ; son amour pour la peinture, pour la musique, pour le genre humain et pour la vie.

Magdaline avait toujours cru qu'il était vrai, dans un sens, que « l'habit faisait le moine ». Elle avait la profonde conviction qu'il fallait d'abord, pour éprouver certaines sensations, adopter l'apparence d'un personnage suscep-tible de vivre ces sensations. Le costume fait appel à l'être, disait-elle. Pour faire le clown, il faut se sentir drôle ; et pour se sentir drôle, rien de tel que de commencer par avoir l'air drôle. Pour créer, il faut se voir illuminé. Pour séduire, il faut se voir séduisante. Les vêtements, s'ils ne sont pas défraîchis, donnent à l'humain cette illusion d'être ce qu'il veut être. L'habit donne la foi. Cette foi ouvre le cœur et l'esprit et permet aux sens de reproduire les états affectifs désirés. C'est pourquoi ce soir, cette robe aux reflets immaculés de candeur et de passion lui paraissait si bien indiquée. Grâce à sa tenue, elle allait goûter pleinement au bonheur d'une jeune mariée qui célèbre tout simplement son amour pour la vie.

Tout en exécutant un pas de valse, Magdaline glissa jusqu'au coin repas de Bayou qui tentait de la suivre dans une chorégraphie de chassés-croisés langoureux, lui frôlant les mollets et lui marchant de temps à autre sur les pieds. Devant son museau rose et humide, elle déposa une copieuse assiette d'un ragoût encore fumant, concocté à partir de rognons de veau, de foies de poulet et de gros morceaux d'achigan débarrassés de leurs arêtes. Elle s'assit par terre et lui tint compagnie. Elle lui caressait le cou et les flancs pendant que lui, la tête enfouie dans son festin et pointant sa grosse queue touffue vers le ciel, ronronnait de bonheur.

– Bonne année, mon minet ! C'est bon ?

Magdaline embrassa Bayou sur la tête, comme si elle présumait qu'il avait répondu « oui ». Quelqu'un frappa à la porte. Elle n'attendait personne. Même si elle devait se joindre à la famille McCready dans moins d'une heure, la perspective d'accueillir quelqu'un chez elle ne la gênait pas du tout. Au contraire. Magdaline raffolait des surprises et elle adorait l'excitation que lui procuraient ces visites impromptues. Pourtant, lorsqu'elle ouvrit la porte, son corps se raidit.

– Edward ! Mais, pour l'amour du ciel, que faites-vous donc à Saint-Jérôme ? Et de surcroît, la veille du jour de l'An ?

– Bonsoir, Magdalina. Pardonnez mon audace. Certes, j'en conviens, il aurait été plus galant de vous annoncer ma visite. Mais je...

– Mon Dieu, Edward... Vous n'êtes pas souffrant, j'espère.

– Non. Je suis venu parce que je voudrais, enfin si vous me le permettez, vous entretenir... un court moment... de...

– Certainement, Edward, certainement. Ne restez pas dehors, pour l'amour ! Entrez, je vous en prie. Quelque chose ne va pas ? Vous avez des problèmes ?

– Non. Oui. Enfin non et oui.

– Pourquoi ne pas d'abord vous asseoir ?

– Bonne idée, en effet.

Edward remit son manteau et son chapeau à Magdaline. Il se dirigea vers le salon et attendit, debout, que son hôtesse l'y rejoigne.

– Asseyez-vous, mon ami. Vous avez l'air si grave. Que se passe-t-il ?

Trop déroutée par cette apparition, Magdaline négligea d'offrir quoi que ce soit à Edward. Elle ne l'avait pas revu depuis septembre et ne s'attendait pas le moins du monde à le voir surgir ainsi chez elle, à Saint-Jérôme, la veille du jour de l'An. Jamais il n'avait mis les pieds dans sa demeure.

Jamais il n'avait fait le voyage de Montréal pour venir la visiter à Saint-Jérôme. Pas une fois. Non, pas une seule fois au cours des soixante-quinze mois pendant lesquels ils avaient été éperdument amoureux l'un de l'autre. L'automne dernier, pour des raisons clairement évoquées, il avait préféré mettre un terme à leur relation. Magdaline comprenait fort bien sa position et ne lui en avait pas tenu rigueur. Elle savait depuis longtemps déjà que leur relation connaîtrait un tel dénouement. Ils avaient convenu qu'ils seraient éternellement reconnaissants à la vie de leur avoir permis de partager ensemble d'aussi bons moments. Ils savaient, tous les deux, qu'ils garderaient l'un pour l'autre un respect immuable. Ils ne se reverraient plus, avaient-ils décidé d'un commun accord. À moins, bien sûr, que le hasard n'insiste et ne leur réserve une quelconque surprise. Pourtant, de toute évidence, la visite d'Edward Sutherland ne devait rien au hasard.

Troublé, Edward prit la main de Magdaline dans un élan spontané, comme si ce geste faisait naturellement partie d'un rituel intrinsèque à leur relation.

– Magdalina... Chère Magdalina... Imaginez-vous que le Boston Museum of Art m'a fait une offre que je n'ai pu refuser. Je serai, dans moins d'une semaine, le conservateur de ce musée.

Magdaline expira un peu de ses craintes. Le soulagement momentané que lui procura la nouvelle lui arracha un petit rire nerveux et saccadé, semblable à celui que l'on produit après avoir échappé miraculeusement à un accident qui aurait pu être fatal.

Il ne s'agit que de ça, pensa-t-elle, réconfortée, son beau visage redevenant lumineux.

– Mais c'est formidable ! Quelle bonne nouvelle ! Et quand partez-vous pour les États-Unis ?

L'air coincé d'Edward ne disparut pas. Son annonce ne sembla guère soulager sa tension, qui augmentait au point de perler son front de sueur. Ses yeux restèrent gorgés d'émotion et sa pomme d'Adam montait et descendait comme si elle cherchait avec une urgence pressante une voie d'échappement.

– Je dois être à Boston le 3 janvier, lâcha-t-il à la manière de ces immenses nuages sombres qui libèrent d'abord quelques fines gouttelettes de pluie avant de dégager violemment une tension interne insoutenable.

– Mais c'est dans trois jours à peine !

– Oui, Magdalina.

Magdaline sentit la main de son ami qui tremblait sur la sienne. Elle remarqua que le partage de sa bonne nouvelle n'apaisait pas son embarras inhabituel.

– Ne me dites pas que vous avez fait le voyage de Montréal uniquement pour me dire au revoir avant de partir.

– En quelque sorte...

– C'est gentil, mais...

Magdaline appréhendait que ce ne fut pas là le véritable dessein de sa présence chez elle.

– Vous devez avoir tant de détails à régler avant votre départ. Quelle délicate attention, Edward... Vous êtes vraiment charmant.

Magdaline caressa la main de son visiteur. Son regard croisa le sien. La tendresse de ses grands yeux bleus lui piqua le cœur. Elle ne voulait pour rien au monde lui offrir sa tristesse en cadeau de départ, mais tout à coup, tant de souvenirs remontaient... D'une voix sans fard, elle murmura :

– Vous me manquerez, Edward. Vous me manquerez vraiment. Qui sait ? Le destin nous arrangera peut-être une rencontre à Boston, un de ces jours. Mais peut-être n'a-t-il pas de préférence pour l'endroit. Paris, Rome, Montréal ou Boston ! Quelle importance cela peut-il avoir à ses yeux ? Vous savez, Edward, je n'ai jamais vu Boston.

Edward avala, comme pour se donner une dose de courage, et plongea nerveusement sa main dans la poche de son veston. Il en sortit, non sans difficulté, un écrin aux angles arrondis, recouvert de velours bleu saphir. Il l'ouvrit et le tendit à Magdaline.

– Magdalina... Suivez-moi à Boston !

Magdaline prit l'écrin sans en retirer l'anneau d'or, serti de trois minuscules diamants étincelant de bien grandes promesses.

– Edward...

La soirée allait de surprise en surprise. Qu'était-il donc arrivé à Edward ? Non seulement il semblait ne plus craindre les ragots des Jérômiens, qui s'empresseraient de faire courir d'un bout à l'autre du canton la nouvelle de sa venue chez elle, mais il souhaitait aussi s'afficher avec elle à son bras et la présenter officiellement comme son épouse. Magdaline restait perplexe.

– Edward, mon cher ami... Depuis combien d'années nous connaissons-nous ?

– Bientôt sept ans. C'était le jour de mes vingt-cinq ans. Vous vous souvenez ?

– Comment pourrais-je l'oublier ? Mon premier voyage à Paris. Six mois après la mort de mon père. C'était en mai. Le quatorze. Chez Paul Durand-Ruel. Le hasard a fait que nous nous sommes rencontrés dans cette galerie, la toute première galerie où je mettais les pieds. Nous nous sommes mis à parler de l'impressionnisme, comme de vieux amis connaisseurs. J'ai retrouvé, avec vous, la passion des discussions que mon père entretenait avec ses amis de l'Art Association of Montreal. À travers vos mots, votre pensée, votre culture, mon père ressuscitait. Vos points de vue et les miens se rejoignaient, comme ça, magiquement. Tous les deux, nous aimions Monet, Degas, Manet et Renoir. Nous aimions ces peintres qui sortaient des conventions établies et qui osaient présenter autre chose que l'idéal dans son essence éternelle et inaltérable. Ils s'appelaient les « indépendants » et les « intransigeants », et nous nous sommes proposés de les imiter pour la journée. Le soir venu, nous ne voulions plus nous quitter. Nous avions tant à nous dire. Le temps pressait, comme si nous cherchions à terminer une conversation commencée des milliers d'années auparavant.

Edward acquiesça d'un mouvement de la tête. Un soupçon de sourire détendit ses traits.

– Hum... Le lendemain, nous avons visité mon ami Bernheim. Sans histoire, sans chichi, sans promesse et sans explication. Dans sa galerie, nous avons découvert Van Gogh ! Quelle merveille cela a été. Nous jubilions de bonheur devant ses toiles. Et la discussion a repris de plus belle.

– Oui. Devant Van Gogh, et ensuite devant Gauguin. Là, nous n'étions plus d'accord. Je sais. Vous n'avez jamais aimé et vous n'aimerez jamais les couleurs de Gauguin. Moi, je raffole de ses couleurs fauves, vives, presque violentes ! Nous avons connu notre premier différend.

Edward rit.

– Vous vous souvenez de Nice, Magdalina ? Cinq jours plus tard, nous étions à Nice ! Vous vous rappelez notre longue marche sur cette plage d'horribles petits galets sur lesquels vous vous tordiez les chevilles à chaque pas ? Heureusement que mon ami Bernheim avait eu la galante attention de vous offrir son bras.

– Vous lui aviez laissé croire que j'étais votre sœur !

– Il avait le béguin pour vous, le gredin !

– Je ne saurais dire. Enfin... C'est tout de même grâce à son amabilité et à ses amis que nous avons découvert la peinture « surnaturelle »... C'est comme ça qu'il disait, non ? Picasso, Kandinsky et Delaunay !

– Tant de beautés que nous avons apprivoisées ensemble. Tant de beautés ! Vous n'avez pas oublié Walden, dites ? À Berlin, au printemps, quatre, ou peut-être cinq ans plus tard.

– En juin 1921, Edward. Quelle histoire ça avait été de nous embarquer pour l'Europe sans que l'on nous voie ensemble. De vrais enfants qui désobéissent à leurs parents !

– C'était mon cas. C'est au cours de ce voyage que nous avons découvert Chagall. Jamais je ne pourrai oublier votre sourire devant *Le Modèle* de Chagall. Jamais, Magdalina.

– Quel beau chapitre de vie cela a été, Edward.

– Oui. Après ce voyage, j'ai toujours eu l'étrange impression d'aimer une femme que Chagall avait lui-même aimée. Son *Modèle* vous ressemblait de façon si étonnante !

– Oh ! Edward ! C'était votre imagination de jeune homme amoureux !

– Ce n'était pas mon imagination. Je vous assure, Magdalina.

– Je ne sais pas, j'en doute... Reste que j'ai été ébahie par les œuvres de ce Marc Chagall, particulièrement par cette toile-là, c'est vrai. Je dois dire que le discours que nous tenait ce monsieur Walden, quand il nous parlait de ce peintre, m'émerveillait tout autant. Tous ces termes nouveaux qu'il employait pour décrire l'homme et ses œuvres. Jusqu'à ce jour, je n'avais jamais entendu parler de concepts comme le « culte de l'inconscient ». Je vous avoue, d'ailleurs, que je cherche toujours le sens de ce qu'il voulait dire lorsqu'il affirmait que le « culte de l'inconscient de Chagall était de beaucoup moins excessif que celui de son protégé »... Comment s'appelait-il, déjà... ? Soupe... Soupe à quelque chose, il me semble. Soupe à quoi, donc ?

Edward rigolait.

– Soupault, Magdalina. Soupault tout court ! Joseph Soupault !

– C'est ça ! Je me souviens qu'il s'est emporté en parlant de... Voyons ! Je vieillis. Je perds la mémoire. Attendez ! Ça va me revenir ! Voilà... Il condamnait l'étalage...

– « L'étalage ostentatoire d'illogismes de nombreux artistes du surnaturel » !

– C'est ça, l'étalage ostentatoire d'illogismes. Alors que votre monsieur Walden soutenait que Chagall utilisait plutôt la magie de son propre langage onirique pour décrire un monde qu'il voyait lui-même comme un monde de rêves et de magie. Ça, je ne l'oublierai jamais. Il voyait le monde comme un monde de rêves et de magie. Comme c'est beau. Quel chanceux !

– Vous ne l'oublierez pas parce que ça vous ressemble, Magdalina. Comme Chagall, vous avez développé votre propre langage de rêves et vous l'utilisez pour représenter un monde que vous concevez, vous aussi, comme un monde de rêves et de magie. C'est tout à fait vous, Magdalina. Tout à fait vous.

– Merci, Edward, vous me flattez.

– Comment pourrais-je ne pas savoir ? Comment pourrais-je ne pas vous connaître, ne pas connaître votre univers, vos talents, vos qualités, vos rêves et vos espoirs ? Nous avons passé tellement de temps ensemble. Nous avons défait et refait le monde si souvent, Magdalina.

– C'est vrai. Entre nous, il n'y avait pas de secrets. Pas de gêne. Pas d'inhibitions. Et pas de sujets tabous. Lénine, Mussolini, Jack London, Émilie Dickinson, l'amour, la guerre... Nous avons même réglé la question des Anglais et des Français !

– Oui. Évitons toutefois de nous rappeler comment. Votre imagination avait dû déraper, ce soir-là. Nous avons aussi trouvé la solution aux guerres de religions, vous vous souvenez ? Nous avions passé la nuit à redéfinir le péché, le Ciel et l'Enfer !

– De manière tellement plus intéressante, d'ailleurs ! Que de tasses de thé nous nous sommes versées, Edward, en nous berçant de douces, douces folies !

– Et que de tasses de thé nous avons laissé refroidir, parce que nous avions tant à nous dire que nous ne pouvions nous arrêter, même le temps d'une gorgée.

– Je dirais que nous avons été heureux, Edward. Malgré tout, nous avons été heureux.

– Bien sûr, Magdalina, nous avons été heureux. Très heureux.

Magdaline regardait la bague. Une larme glissa sur sa joue. Bayou, qui devait avoir englouti jusqu'à la dernière miette de son gueuleton, bondit sur le canapé et se nicha, sans gêne, entre la cuisse d'Edward et celle de Magdaline. Edward eut un mouvement de recul. Il n'aimait pas les chats. L'arrivée de Bayou rappela à Magdaline que le bonheur était aussi fait de tous ces petits détails qui agrémentent la vie quotidienne avec tellement de discrétion qu'on a tendance à les oublier trop facilement.

– Nous avons été heureux, répéta Magdaline, le visage crispé par une douloureuse gravité, tout en refermant l'écrin et en le rendant à Edward.

– Vous ne pouvez pas dire non. Réfléchissez-y d'abord. Je vous en prie ! Prenez tout le temps nécessaire. Je sais, vous avez toutes les raisons du monde de refuser. Je le reconnais. Pendant ces sept années, j'ai fréquenté d'autres femmes. Mais je ne vous l'ai jamais caché. Je croyais que mes parents avaient raison. Je croyais que, comme ils me le répétaient, je finirais tôt ou tard par trouver une femme plus jeune, une femme de mon âge, de mon rang, une femme qui me donnerait des enfants et avec qui je vivrais heureux pour le restant de mes jours, sans avoir à me cacher. C'est vrai : j'étais jeune. À peine un homme. J'ai cru que je vous oublierais. J'ai voulu vous oublier. Mais aujourd'hui, même si je dois être renié par toute ma famille, je sais que c'est vous que j'aime. Je sais que les quinze ans qui nous séparent n'ont aucune importance. Je sais que jamais je ne trouverai une autre femme avec qui je pourrai autant partager. Je ne pourrai jamais aimer une femme autant que vous. Jamais. Je vous aime comme un fou, Magdalina, et je vous veux à mes côtés pour l'éternité.

Les larmes ruisselaient sur les joues de Magdaline.

– Merci, Edward. C'est la plus belle déclaration d'amour qu'on m'ait jamais faite.

Edward déposa l'écrin sur la table à café, devant lui.

– Prenez le temps d'y penser, Magdaline. Je vous en prie.

– Je vous promets que j'y penserai, Edward. J'y penserai.

– Je suis descendu à l'hôtel Lapointe. Je repars pour Montréal demain matin, par le train de neuf heures. Si vous voulez me joindre, n'hésitez surtout pas. Peu importe l'heure.

– Entendu, Edward.

Avant de repartir, Edward caressa tendrement le visage de Magdaline et déposa un baiser sur son front.

– Bonsoir ma belle, ma grande, ma chère amie !

Magdaline prit les mains d'Edward et les serra contre sa poitrine tout en rapprochant son corps du sien. Quand ses lèvres furent assez près des siennes, elle l'embrassa.

– Bonsoir, mon ami. Mon grand, mon tendre, mon éternel ami.

Magdaline referma la porte et retourna au salon. Elle prit l'écrin sur la table avec l'intention de le ranger dans le tiroir du bahut, dans le corridor, mais quelque chose l'arrêta. Elle ouvrit le boîtier, sortit la bague et la passa à son doigt. Elle regarda longuement sa main ainsi habillée, et ses yeux dévièrent vers la photo de son défunt père qui trônait sur le meuble de chêne. Elle défit l'arrière du cadre et en sortit une photo, dissimulée à l'endos de celle de son père. Ludger, son mari d'un mois, refit surface.

– Ludger, pardonne-moi. Tu étais certainement un brillant industriel, un homme séduisant, affable, nanti et parfois même gentil mais, je te l'avoue..., je me l'avoue..., je ne t'aimais pas. Pardonne-moi. Le Ciel t'a rappelé à lui lors de ce bête accident. Quelle mort horrible ! On ne peut pas souhaiter, même à son pire ennemi, d'être déchiqueté par une scie de moulin. Tu ne méritais pas ça. Mais ce soir, j'ai besoin de te dire : ton départ m'a soulagée, Ludger. Je sais, c'est effrayant d'avouer ça. Ma vie à tes côtés aurait été misérable. Nous étions si loin l'un de l'autre. Je reconnais toutefois que c'est grâce à ta générosité, et à celle de mon père, que j'ai pu vieillir librement. Vingt-cinq années ont passé depuis. Je n'ai jamais souhaité me remarier. Je n'ai jamais cherché à le faire. Oh ! J'ai bien rêvé d'amour, comme toutes les femmes. De cet amour tendre et fou censé durer toujours. Combien de fois ne me suis-je pas demandé s'il existait vraiment ! J'ai même cru un moment qu'Edward était cet amour-là. Puis, au bout de quelques mois, j'ai compris qu'il y a des préjugés que l'amour ne surmonte pas. Certaines réalités s'estompent, le temps des passions, dans les moments intimes, derrière une porte close, mais remontent à la surface si tôt le jour venu. Cependant, la vie ne peut pas être faite que d'intimité. La fusion permanente tue. J'ai tant pleuré pour que ces quinze années d'écart entre Edward et moi disparaissent. Quand on est enfant, quelques années font une énorme différence entre les êtres. Puis, à l'âge adulte, cet écart s'estompe, au point où il faut parfois le regarder à la loupe pour y voir l'impossible. Pendant un moment, la différence s'amenuise et disparaît. Oui. Pendant quelque temps. Puis, au mitan de la vie, elle revient. Aujourd'hui, cette différence est réapparue. Elle est là. Je la sais là. Edward, lui, ne la voit plus. Quel triste synchronisme ! Le temps qui passe a sevré mes espoirs. J'ai tant voulu cet amour que la vie s'obstinait à taire. J'ai cru que j'en mourrais. J'ai cru que mes larmes finiraient par m'étouffer, que la douleur allait finir par m'achever. Et voilà que la vie m'offre ce qu'elle m'a refusé pendant sept ans. Je suis littéralement morte de peur. J'hésite à dire non. Pourtant, j'ai l'impression que si j'accepte, cette fois, je mourrai pour vrai. Ah, Ludger ! J'ai agi de manière malhonnête envers toi. Je ne veux plus faire mal. Je ne veux plus avoir mal. L'amour entre un homme et une femme est-il donc toujours aussi complexe... ?

Magdaline replaça l'anneau dans l'écrin, qu'elle rangea dans le bahut. Elle ouvrit la porte de dessous et s'accroupit pour y prendre une petite boîte de bois peinte d'orange, de bleu, d'images et de rêves. Son père la lui avait offerte le jour de son mariage avec Ludger. Il l'avait peinte expressément pour elle, avant que Magdaline ne quitte la maison paternelle pour s'exiler à Saint-Jérôme, chez son industriel de mari. Son père lui avait dit qu'il y avait enfermé, juste pour elle, la voix du cœur et qu'ainsi, peu importe l'endroit, le moment ou la raison, Magdaline entendrait toujours la voix de son cœur, la seule qu'il lui faille toujours écouter.

Magdaline renversa la boîte dans sa main. Elle tourna la clé métallique pour remonter le mécanisme. Elle déposa l'objet à côté de la photo de son père et de son époux d'un mois et l'air de « Qui je suis ?... Une fée, un bon ange » de l'opéra *Le Domino Noir* d'Aubert s'en échappa.

– Dis-moi, mon ange, qui je suis ? Dis-moi où je dois aller, dis-moi, pleura Magdaline.

Chapitre 19

Pour la postérité

Gonzague était satisfait de sa mise en place, mais il voulut tout de même faire une dernière vérification. Il se remit à arpenter la surface encore libre du plancher de bois grinçant de son petit studio. Il avait mis plus de deux semaines de travail pour peindre sa nouvelle toile de fond. C'était un trompe-l'œil qui évoquait à s'y méprendre une scène champêtre. En arrière-plan, une demi-ogive veillait sur deux rangées de cinq longs et étroits carreaux d'une fenêtre à peine colorée par les rayons d'un soleil levant, dans un camaïeu de jaune cadmium. Pour s'assurer de la netteté des photos qu'il allait prendre, il avait savamment disposé, à courte distance entre le décor et sa boîte à images, quatre imposants fauteuils en rotin. Il avait prévu quelques caissons de bois, quelques coussins et quelques bardeaux de cèdre pour grandir, au besoin, la bonne douzaine de figurants qu'il attendait. Sur les tables d'appoint et sur les consoles qui brisaient, çà et là, la monotonie des angles trop droits, de volumineux bouquets de roses en papier de soie rouge, rose et blanc débordaient des vases d'albâtre, d'inspiration italienne, au galbe ravissant. Des pampres de vignes sauvages, coupés l'été dernier aux chutes Wilson et desquels fusaient, dans tous les sens, des cascades de vrilles échevelées, habillaient les deux guéridons qui marquaient les limites horizontales du premier plan. Pour éviter tout incident fâcheux, la base des deux lampes placées côté jardin, afin d'éclairer le décor, ainsi que celle des quatre autres lampes disposées en demi-cercle, de chaque côté de la caméra, pour illuminer les visages des protagonistes, avait été solidifiée avec de nombreux sacs de sable. La clochette de la porte d'entrée se fit entendre. Gonzague s'immobilisa derrière sa Nettel déjà fixée au trépied planté en face du décor. Sitôt son tour fini, il se reprit. Il était toujours nerveux d'accueillir autant de clients en même temps, et il aimait bien que tout soit plus que parfait.

Camille ouvrit la porte. Wizard, sans attendre les membres du clan McCready, se rua vers Gonzague. L'audacieux cabot alla s'asseoir à ses pieds et, sans la moindre gêne, posa ses deux pattes de devant sur ses précieux richelieus deux tons, tout neufs et fraîchement cirés.

– Ah non ! Pas encore toi, s'exclama Gonzague, le visage soudainement défait et quasi découragé.

Wizard, d'un air piteux, pencha la tête et dans une tirade attendrissante, quémanda son indulgence.

– Bonsoir, monsieur Chaperon ! lança Camille dans un élan outrancier de gentillesse afin de venir à la rescousse de son chien qui, de toute évidence, cherchait à se faire pardonner ses bêtises passées.

La froideur immuable de Gonzague ne laissa rien présager qui vaille.

– Camille ! Soyons clairs ! Ce soir, ton chien reste à la porte.

– S'il vous plaît, monsieur Chaperon ! Je vous promets qu'il ne vous causera pas d'ennuis.

– Camille... J'ai dit et je répète : ton chien, à la porte !

– Monsieur Chaperon... Je vous en prie ! Wizard fait partie de la famille. Il faut absolument qu'il soit dans le portrait !

Rose tenait les mains d'Emma et d'Annette de plus en plus serré, cherchant un moyen de contenir son agacement. Pour l'amour de son mari, elle avait choisi de demeurer à l'écart et de faire de son mieux pour ne provoquer, entre elle et sa nièce, aucune altercation susceptible de gâcher cette soirée si importante pour Ernest. Mais l'entêtement de Camille l'irritait sérieusement. Les caprices de cette enfant la forcèrent à tirer un trait sur ses bonnes résolutions et à sortir de ses gonds.

– Camille, ça va faire, les enfantillages ! Monsieur Chaperon t'a dit : le chien, à la porte ! C'est clair, il me semble ! Alors, tu mets le chien à la porte. Et tout de suite, s'il te plaît !

Camille s'exécuta sans faire d'histoires pendant qu'Ernest, Douglas et les autres membres du clan McCready-Tiernan surgissaient dans une bousculade ponctuée d'exclamations et de rigolades. Dolorès, Bibiane, Viviane, leurs maris et leurs enfants s'attroupèrent avec excitation devant le comptoir vitré de l'étroite boutique sans remarquer qu'Yvonne ne les avait pas suivis. Derrière eux, la petite sœur de la Miséricorde s'ingéniait, par de singuliers pas de danse, à dégager son voile de la porte qui la retenait prisonnière. Le bourdonnement de l'agitation s'intensifiait et rendait Gonzague de plus en plus nerveux. De peur de perdre totalement le contrôle, il décida d'intervenir sans tarder. Sans l'ordre et le calme, il ne pourrait rien faire de bon. Il extirpa alors de sous le comptoir son escabeau à trois marches et y grimpa prestement. Du haut de son perchoir, il s'empressa de reprendre la situation en main.

– S'il vous plaît, s'il vous plaît ! Pourrais-je avoir votre attention ?

Le silence s'installa doucement.

– Bonsoir à tous ! Vous avez probablement hâte de retourner chez vous et d'aller fêter le jour de l'An en famille ! C'est pourquoi nous allons sans plus tarder nous activer. D'abord, démêlons les familles. Je voudrais ici, à ma droite, monsieur et madame McCready, Emma, Annette, Camille, ainsi que les quatre autres filles de monsieur, leurs maris et leurs enfants que je n'ai malheureusement pas le plaisir de connaître.

Dans la joie et la bonne humeur, chacun bougea selon les indications du photographe. Treize personnes se rangèrent à sa droite et seulement cinq autres demeurèrent dans son champ de vision : deux femmes, deux hommes et, en retrait, contorsionnée contre la porte, une étrange religieuse entortillée dans son voile, dont les épaules sautillaient en silence.

– Ma sœur ! Mon Dieu... Qu'est-ce qui vous arrive ? Quelqu'un peut-il donner un coup de main à cette pauvre femme, pour l'amour du ciel ?

Sarah courut illico à la rescousse de la petite sœur de la Miséricorde qui ne pouvait s'arrêter de ricaner. Ficelée comme un boudin dans sa capeline, elle ne semblait pas le moins du monde angoissée par sa fâcheuse posture. Elle parut toutefois reconnaissante qu'une âme charitable se porte à son secours. Gonzague, soulagé de la réussite de l'intervention, poursuivit :

— La famille n'est pas nombreuse de ce côté-là !

— Elle n'est peut-être pas nombreuse, monsieur, mais je vous dis qu'elle est toute là ! brama Douglas qui, sur ces mots, décida qu'il était approprié de s'envoyer une rasade de whisky derrière la cravate.

— Une petite gorgée, monsieur... Euh... Comment déjà... Chapon, non ? Tu parles d'un nom !

Tout le monde se mit à rire sauf Carmen, trop occupée à scruter les photos accrochées aux murs pour écouter les balivernes de son père.

— S'il vous plaît, s'il vous plaît. Maintenant, enlevez tous vos manteaux, vos chapeaux et vos bottes, et déposez tout ça sur les chaises autour de vous. Les dames, vous laissez vos manchons et vos sacoches ici. Je vais commencer par faire le portrait de la famille McCready. Alors, je...

— Non, non ! Monsieur Chapon ! Tu parles d'un nom, *boswell*...

— Chaperon, monsieur. Chaperon !

— Oui. C'est bien ce que j'ai dit. Moi, c'est Tiernan ! T-I-E-R-N-A-N, Tiernan ! Lui, là, vous le connaissez ! C'est McCready ! Mon petit cousin ! Je ne rentrerai pas dans les détails de nos histoires de famille, parce qu'on risque d'être encore ici l'année prochaine. Ce que je veux vous dire, monsieur, c'est que je voudrais que vous commenciez par le portrait de nous tous ensemble ! Tout le monde dans le même portrait, *boswell* ! Parce que, ce soir, c'est spécial. On fête nos retrouvailles. Les héritiers du mildiou sont enfin réunis et ça, ça se fête, monsieur Chapon ! C'est ce qu'il faut immortaliser en premier. Vous comprenez ?

– Certainement, monsieur Tirrrrenannn !

Gonzague descendit de son escabeau, le plia et le rangea là où il l'avait pris. Il allongea son bras de façon galante pour inviter ses clients à le précéder dans le studio.

– Après vous, je vous en prie ! Les femmes et les enfants d'abord... Les messieurs, ensuite !

Pendant que les membres de la bruyante mêlée passaient, à la file indienne, de l'autre côté du rideau de velours rubicond, Carmen n'en finissait plus de découvrir la beauté des photos réalisées par Gonzague. Ces images avaient quelque chose de fascinant. En tant que chanteuse d'opérette, Carmen avait eu l'occasion de travailler avec trois ou quatre photographes différents, à Montréal. Mais elle n'avait jamais rien vu de semblable. D'abord, tous les portraits qui tapissaient la boutique étaient en couleur. Ensuite, chaque image apparaissait au spectateur dans un habile fondu de tons, à la manière des plus grands chefs-d'œuvre du pointillisme. Les contrastes y étaient adoucis et les coloris, dans une palette réduite à sa plus simple expression, étaient liés les uns aux autres avec une incroyable subtilité. Au cœur de chaque composition, il y avait une femme. Une femme différente sur chaque photographie, mais de laquelle émanait une beauté qui s'apparentait à celle des autres. Une beauté classique, sobre, humble et dénuée de tout artifice. Mais, en même temps, une beauté si pure qu'elle en coupait le souffle. Chacune de ces femmes posait dans un décor inventé tantôt constitué de fleurs, d'arbres ou de rivières, tantôt créé à partir d'accessoires inusités, comme un avion à pédales aux ailes de plumes ou encore une boîte à savon flottante à la voilure de guipure dorée. Ces images transcendaient la représentation du réel. Elles vivaient, là, sous les yeux de ceux qui s'y arrêtaient. Elles charmaient, elles provoquaient, elles émouvaient.

Gonzague allait laisser le rideau retomber derrière lui lorsque Carmen l'interpella.

— Monsieur Chaperon !

— Mademoiselle !

— Ces portraits sont magnifiques !

Flatté de l'intérêt que manifestait cette jolie jeune dame à l'égard de son travail, Gonzague alla rejoindre Carmen.

— Ça vous plaît ? Vraiment ?

— Est-ce vous qui prenez ces photographies ?

— Bien sûr ! Ce sont des autochromes, mademoiselle. C'est une technique qui vient de la France. Je ne pense pas qu'il y ait grand-monde qui s'intéresse à ça, chez nous, et même à Montréal. Mais moi, ça me passionne, même si c'est un travail long, difficile et qui coûte cher.

— C'est vraiment très beau, monsieur. Je vous félicite. Vous avez beaucoup de talent.

— Merci beaucoup, mademoiselle.

— Dites-moi... Ces femmes que vous photographiez, ce sont des actrices ?

– Oh non ! Ce sont des créatures de par ici. Vous savez, ce ne sont pas les belles femmes qui manquent dans les Laurentides. Et elles ne sont pas juste belles, elles sont aussi bien fines ! Parce que, vous savez, pour faire des auto-chromes comme ceux-là, en plus de la beauté et du talent, ça prend beaucoup, beaucoup de patience. Pour faire un beau portrait comme celui-là, ça demande quasiment toute la journée. Les volontaires sont donc plutôt rares !

– Toute une journée ! Écoutez, monsieur Chaperon... Moi, je suis chanteuse... Chanteuse d'opéra, bien sûr.

– Vraiment ?

– Si vous acceptez, je vous engage pour me faire des beaux portraits comme ça. Évidemment, je vais vous payer le prix que ça coûte. N'ayez crainte, je sais reconnaître la valeur du talent artistique, monsieur. Et j'ai les moyens. Croyez-moi !

– Sach...

Gonzague fut interrompu par la tête de Douglas qu'il vit poindre derrière la cloison de velours.

– Qu'est-ce que vous faites, monsieur Chapon ? On le prend ce portrait-là ou on le prend pas ? On est prêts, nous !

– J'arrive ! J'arrive ! lui lança Gonzague, nerveux.

Ces mots suffirent à faire disparaître Douglas aussi rapidement qu'il était apparu.

– Mademoiselle Tiernan... Avant que nous allions rejoindre les autres, je veux que vous sachiez que votre

192

proposition m'honore et m'intéresse. Comment pourrais-je refuser de photographier un beau brin de fille comme vous ! Ce serait un privilège...

Carmen avait obtenu ce qu'elle voulait.

– Parfait. Je reviendrai vous rendre visite dans un moment plus calme et nous pourrons discuter des arrangements. Cela vous convient-il ?

– Tout à fait, mademoiselle.

De retour dans l'autre pièce, Gonzague installa Douglas et Ernest dans les fauteuils, au premier plan. Il répartit en girandole les enfants, les conjoints et les petits-enfants. Il recula à côté de sa caméra afin de mieux évaluer la composition.

– Camille ! Que fais-tu encore à côté de ton père ? Je te l'ai dit, c'est la place de l'épouse ! Allez, recule un peu. Madame Tiernan, avancez, je vous prie.

Pour accélérer le changement, Gonzague alla déplacer lui-même Camille. Il la tira vers l'arrière par la manche de son chemisier et ramena Rose à côté d'Ernest. Tandis qu'il retournait à la caméra, Rose dévisagea Camille de ses yeux triomphants.

Gonzague enfouit sa tête sous son voile noir et vérifia le cadrage dans le viseur de sa Nettel.

– Tout le monde est prêt ?

– Une petite minute, s'il vous plaît !

Tout le monde maugréa contre la dissidente. Camille courut à la porte et rappliqua aussitôt, son cabot dans les bras.

– Vous pouvez y aller, maintenant, monsieur Chaperon !

– Ah... Camille ! Tiens-le bien serré et surtout ne le lâche pas !

– Promis !

La caméra figea dans le temps l'image trompeuse d'une famille en apparence unie. Des racines identiques, une histoire commune, des expressions semblables et des regards ravis convergèrent dans la même direction durant ce bref moment d'une illusion presque rassurante.

Chapitre 20

Voix d'ange

La capeline de sœur Yvonne se balançait de tous bords tous côtés pendant que son pied droit jouait allègrement de la pédale. De toute évidence, ses exercices quotidiens d'accompagnatrice de la chorale du couvent lui avaient permis d'assouplir ses doigts de façon remarquable. Ses mains glissaient sans peine d'une octave à l'autre, dans l'interprétation d'un *reel* enlevant qui chauffait les danseurs à blanc. Ernest, à côté d'elle, ébouriffait son archet sur son violon ranimé et « callait » avec cœur le set carré.

Seuls Carmen et Miville demeuraient assis. Miville n'avait jamais eu l'occasion d'assister à une fête de famille populaire. Il vivait dans un monde habitué aux dîners protocolaires et aux concerts guindés. Ce soir, le spectacle lui en mettait plein la vue. Il observait avec intérêt des comportements tout à fait nouveaux pour lui. Cela le distrayait et l'amusait. Quant à Carmen, sa passivité et son mutisme exprimaient plutôt un mélange inextricable de colère, de jalousie et de fatuité.

– Programme musical intéressant, n'est-ce pas ? se moqua-t-elle, la bouche passablement ramollie par quelques verres de vin de cerise.

– Tout le monde s'amuse, non ?

– Oui. Tout le monde s'amuse. Et tout compte fait, il est grand temps que je m'amuse moi aussi, répliqua-t-elle sèchement en fonçant vers la cuisine.

Devant l'évier, Rose lavait des verres sales que Camille venait de rapporter. À côté d'elle, Sarah les essuyait, puis les déposait sur un plateau d'argent et les emplissait aussitôt de vin de cerise, afin que Camille puisse repartir avec une autre tournée. Douglas levait le coude depuis la fin de l'après-midi. Quelqu'un qui ne le connaissait pas n'aurait cependant pas pu deviner qu'il avait ingurgité autant d'alcool. Douglas avait suivi Camille à distance, avec l'intention de lui parler dans un coin tranquille. C'était le meilleur moment pour lui dire ce qu'il aurait dû lui dire quelques heures plus tôt, peut-être même quelques années plus tôt.

– Camille ! Viens par ici, une minute !

Douglas l'entraîna à l'écart, derrière la table, là où ni Rose ni Sarah ne pouvaient distinguer leurs propos.

– Écoute, je ne veux pas insister... Tu m'as dit que tu voulais réfléchir et je respecte ça. Cependant, je veux ajouter quelque chose que je ne t'ai pas dit et qui pourrait très bien influencer la décision que tu vas prendre.

Camille l'écoutait, intriguée.

– Tu es brillante. Débrouillarde. Travaillante. Tu as des qualités que peu de gens ont. Si j'avais pu choisir mes enfants, Camille... Si tu étais venue après Ti... À la place de Ti... De Ca... Euh... Je veux dire que tu me rappelles telle-ment ta mère. Ce que je veux te dire, Camille...

196

Douglas se pencha pour entourer les épaules de Camille, qui sous-estimait l'importance de l'ébriété de son oncle.

– Je t'aime plus que ma propre fille. Je t'aime comme si tu étais *ma* fille... Non, plus que ça ! Comme si tu étais *ma* fille et, en même temps, *mon* gars, *boswell* ! Tu ne peux pas imaginer la peine que j'aurais à te voir gaspiller tout le talent que tu as, dans un bled comme Saint-Jérôme. Ici, il n'y a rien ni personne à la mesure de ce que tu vaux.

– C'est gentil... Je comprends... Mais vous savez, les affaires commencent à bouger à Saint-Jérôme. Il y a de plus en plus de grosses compagnies des États-Unis qui viennent s'installer ici, comme la Regent Knitting et la Boston Rubber. Ces usines-là paient les femmes jusqu'à six piastres par semaine. Et une contremaîtresse, sept piastres et demie ! C'est beaucoup d'argent. Il y a aussi la manufacture de la famille Rolland qui grossit sans bon sens. Dans le bureau, une secrétaire commence à huit piastres par semaine. Je ne pense pas que Saint-Jérôme soit un bled sans avenir. Au contraire.

– Et pourquoi tu commencerais en bas de l'échelle quand tu as la chance de faire autrement, dis-moi ? Tu ferais le double, et même le triple, en commençant, si tu venais travailler pour moi.

– Peut-être, mon oncle... Mais une femme, ça ne se compare pas à un homme. Ce n'est pas tout d'avoir un bon emploi et de faire de l'argent. Une femme, ça a aussi besoin d'aimer un mari, des enfants. Pas vrai ?

– C'est certain, Camille. Quand c'est ce que la vie décide pour elle. C'est d'ailleurs ce que la vie décide pour la grande majorité des femmes, je te l'accorde. Mais toi, tu as vingt-trois... Non ! Vingt-quatre ans dans quinze jours. À ma connaissance, tu n'as jamais laissé la chance à aucun homme de soupirer pour toi. Dis-moi pourquoi ça changerait maintenant ? À chacun sa voie, Camille ! La tienne, elle est dans les affaires ! Crois-moi, je ne me trompe pas.

Avec la délicatesse d'un boxeur qui, les mains gantées, tente de manipuler une fine porcelaine, Carmen débarqua entre Camille et son père en fredonnant des paroles improvisées et en se trémoussant sur la musique qui provenait du salon. Sans s'arrêter, elle détailla Camille de la tête aux pieds.

– Hum... Jolie jupe-culotte, cousine ! Et que dire de ce chemisier impeccablement repassé ! Quel chic, ce soir ! Excuse-moi, je viens t'enlever mon père, le temps d'une danse.

Carmen tourna complètement le dos à Camille et recommença à se déhancher en frôlant de son corps celui de son père. Puis, avec le même air sardonique, elle lança officiellement son invitation.

– Papa, vous voulez bien m'accorder cette danse ? Ce sera certainement plus amusant que des conversations de fond de cuisine.

Douglas toisa le bras de Carmen agrippé au sien. Lentement, mais avec une grande fermeté, il leva son bras très haut afin que sa fille n'ait pas d'autre choix que de décoller ses ventouses. D'un regard sombre, il toisa sa fille avec une même dose de hargne que celle qui transfigurait le visage de celle-ci. L'instant parut éternel à Sarah qui, de loin, assistait à la scène. Douglas conclut l'affaire d'une voix glaciale :

– Je suis certain que ton fiancé est un bien meilleur danseur que moi et qu'il se fera un plaisir de « s'amuser » avec toi. Quant à moi, je tiens à terminer ma conversation de « fond de cuisine ». Tu peux disposer.

Les yeux grands comme des calots, Sarah ne voyait plus ce qu'elle faisait. Le vin débordait du verre et emplissait dangereusement le plateau d'argent.

– Oh ! Mon Dieu ! Sarah ! s'exclama Rose qui s'amena à toute vitesse avec son chiffon, cherchant à limiter les dégâts, le vin se répandant déjà sur le comptoir.

Sarah prit conscience de sa bévue. Voulant saisir le linge à vaisselle, elle s'étira le bras autant qu'elle pouvait et, dans son effort, accrocha une rangée de verres. La verrerie fine alla aussitôt s'abîmer sur le plancher, aspergeant tout ce qui se trouvait autour.

– Ma pauvre Sarah ! la plaignit Rose, votre belle robe en taffetas du serpent ! Euh... Du Persan !

Au fond de la cuisine, dans un silence cynique, Carmen exprimait à son père toute la véhémence de sa rancœur. La tension était si grande entre eux que tous deux en ignorèrent la maladresse de Sarah. Camille jugea qu'il valait mieux laisser son oncle et sa cousine régler leurs différends. Elle s'excusa et s'empressa d'aller aider ses tantes. Pour sauver la face, Carmen se remit à chanter et alla rejoindre son fiancé en tournoyant sur elle-même, emportée par la légèreté de son pas de danse à l'allure faussement triomphante.

– Miville, mon ami ! Je crois qu'il est grand temps de montrer à ces pauvres incultes ce qu'est la vraie musique. Prends le violon de mon oncle et accompagne-moi. Je vais leur chanter *When you're away,* de Mabel Garrison.

– Je ne peux pas prendre le violon de monsieur McCready, Carmen. Un violon, c'est comme une fiancée ; ça ne se prête pas. De plus, je n'ai pas du tout envie de jouer *When you're away*. J'aime mieux regarder ces gens se réjouir à leur façon, avec leur musique. Ils ont l'air si heureux !

Carmen garda son sourire frelaté.

– Comme tu veux.

Dans une démarche théâtrale, elle rejoignit Yvonne qui plaquait les accords de la finale d'un air populaire régional.

– Ma sœur... Vous devez avoir les doigts endoloris. Vous jouez depuis des heures. Pourquoi ne pas prendre une pause ? Je vais vous remplacer.

La petite sœur de la Miséricorde voulut dire à Carmen qu'elle ne se sentait nullement fatiguée et qu'elle avait envie de continuer toute la nuit. Mais l'attitude sans équivoque de Carmen lui fit oublier ses mots et, sans s'en apercevoir, sœur Yvonne se retrouva assise sur le canapé, entre Annette et Emma.

– Ne me dis pas que tu vas nous faire l'honneur de chanter un petit quelque chose, lança Ernest avec un sourire à n'en pas douter sincère.

Carmen lui répondit d'un signe de tête, sans le regarder, tout en tapant des mains pour annoncer sa prestation.

– S'il vous plaît ! Votre attention, s'il vous plaît !

Le brouhaha se calma peu à peu.

— À la demande de mon très cher père, je vais maintenant vous interpréter une de ses chansons préférées : *When you're away*.

Les membres de la famille McCready, que l'incursion intempestive de leur cousine embarrassait, applaudirent avec réserve. Ernest déposa son violon sur une chaise derrière lui.

— Tu ne m'en voudras pas de ne pas essayer de t'accompagner ? Cette musique-là, c'est trop difficile pour un *fiddler* comme moi.

— Non, c'est mieux comme ça. Les fausses notes, vous savez, ça déconcentre une chanteuse au point où elle peut rater complètement sa chanson. C'est en effet beaucoup plus sage que vous alliez vous asseoir.

Ernest obéit. La désobligeance de sa nièce ne l'atteignit pas. Il connaissait ses limites et il savait qu'il n'aurait eu aucun plaisir à tenter l'expérience.

L'annonce avait été entendue dans la cuisine. Rose s'essuya les mains et pressa Sarah et Camille de suspendre leurs activités de nettoyage.

— Laissez ça ! Nous allons manquer la chanson de Carmen ! Venez vite !

Rose remarqua l'air étrange de Douglas. Il ressemblait à un yéti congelé qui appréhendait l'arrivée du printemps.

— Monsieur Tiernan, ça va ?

— Oui, oui.

– Eh bien, venez ! Vous n'allez quand même pas manquer votre chanson préférée, chantée par votre fille unique !

Douglas répondit par un rire démentiel qui pétrifia Rose. Carmen entama les premières mesures. Au même instant, quelqu'un frappa à la porte arrière. Camille alla ouvrir et tomba sur une gigantesque pièce montée en forme de carrousel, fabriquée de gâteau et de caramel et surplombée d'un toit en chocolat décoré d'éclats de bonbons de toutes sortes et de toutes les couleurs. Des dizaines de petits animaux en sucre d'orge, traversés de bâtonnets de meringue rouge et blanc, à l'allure d'enseignes de barbier, semblaient monter et descendre dans un manège forain appétissant à rendre fou.

– S'il te plaît, aide-moi, Camille. C'est lourd !

Camille empoigna un des côtés du support de bois vernis et recula précautionneusement jusqu'à la table sur laquelle Magdaline et elle déposèrent le spectaculaire dessert.

– C'est toi qui as fait ça, Magdaline ? Tu n'arrêteras jamais de me surprendre. C'est incroyable le talent que tu as.

– Je suis heureuse que ça te plaise, Camille.

– Donne-moi ton manteau. Tu sais, je commençais à m'inquiéter. J'ai même pensé que tu avais décidé de ne pas venir.

– Une promesse, c'est sacré, surtout une promesse faite à quelqu'un que j'aime de tout mon cœur.

Magdaline entendit la musique. Elle s'immobilisa et tendit l'oreille à la voix exceptionnelle de la mezzo-soprano qui remplissait la maison.

– Qu'est-ce qu'il y a ? s'enquit Camille.

– Pardon, murmura Magdaline, distraite par la beauté de l'inestimable cadeau qui lui berçait l'âme. Cette voix ! Quelle couleur exceptionnelle... Chaleureuse... Ronde... Rare... Dis-moi... qui donc chante si merveilleusement bien ?

– Ah, ça ! se renfrogna Camille. C'est ma cousine Carmen. Je t'en ai déjà parlé. Tu ne te souviens pas ? Viens, je vais te la présenter.

– Donne-moi d'abord une petite minute, veux-tu ?

– Bien sûr, chuchota Camille en regardant Magdaline fouiller dans son sac pour en sortir une boîte enveloppée de papier de soie blanc et décorée d'un minuscule polichinelle en écailles de glands, de noix de Grenoble et de cajou.

– C'est pour toi.

– Pour moi ?

– Ouvre-le !

Camille ne put résister à l'envie de jouer d'abord avec le curieux pantin à la binette rigolote.

– Il faudra que nous lui trouvions un nom ! lança-t-elle avant de s'occuper du paquet.

Camille y découvrit une boîte carrée, mince et peinte de formes bigarrées dont un coq volant, un couple de nouveaux mariés suspendus dans les airs, un soleil ou peut-être une lune bleue et orange, un gros arbre noueux comme s'il avait mille ans et des fleurs rouges perlées de gouttes de rosée. Camille tourna l'objet dans tous les sens. Elle trouva dessous un tout petit remontoir à ailettes en cuivre, délicatement ouvragé comme de la valenciennes. Elle le tourna jusqu'à ce que le mécanisme s'active et fasse tinter chacune des fines lattes métalliques qui l'habitaient. Camille ne connaissait pas cet air du *Domino Noir* d'Aubert, mais l'émotion brillait dans ses yeux.

– Un jour, mon père m'en a offert une semblable. Avec le même air. Il avait lui-même peint la boîte. Les motifs de celle-ci sont différents. Je l'ai peinte pour toi, à ton image. Mais l'objet porte en lui le même sens. Mon père m'a souvent répété qu'il fallait toujours écouter sa petite voix. Il me disait qu'il m'arriverait certainement, au cours de ma vie, de l'oublier, de vouloir la faire taire ou de lui faire dire ce qu'elle ne me disait pas. Mais il ajoutait qu'il ne fallait pas que je m'inquiète pour ça, parce que tout le monde agit comme ça. Mon père disait que, dans ces moments-là, je risquais de me sentir perdue, mêlée, déroutée, mais que la musique de cette boîte saurait me ramener à ma voix, à ma petite voix à moi. Il me disait que cette boîte à musique serait à la fois ma bonne fée, mon ange gardien et ma bous-sole de vie. Maintenant, tu as toi aussi une bonne fée, un ange gardien et une boussole de vie. Je sais que la vie n'est pas facile pour toi, en ce moment. Je sais que tu dois prendre des décisions et faire des choix. Alors, quand tu sentiras que le doute veut t'amener là où tu ne veux pas aller, là où tu ne dois pas aller, remonte le mécanisme et écoute. Tu entendras.

– Merci infiniment.

Camille serra Magdaline très fort dans ses bras pendant un long moment.

– Quel beau cadeau ! Et qui ne pouvait mieux tomber... Si tu venais maintenant rencontrer cette femme à la voix magique ? proposa Camille pour éviter de pleurer d'émotion.

Elle rangea d'abord précieusement son cadeau sur la plus haute tablette de l'armoire. Puis, elle prit la main de Magdaline et l'entraîna jusqu'au salon.

Partie 3

Oser
Mars et avril 1924

Chapitre 21

Frisson

– Mon Dieu ! s'exclama Camille, affolée. Les gars, venez voir ça !

L'invitation venant du dehors frappa le mur du fond de la succursale et revint comme un écho d'exubérance contagieuse. Ernest s'élança en direction de la porte, sans s'excuser auprès des clients qu'il bousculait, tant il était pressé d'aller voir ce qui se passait à l'extérieur. Josaphat Rabain, l'ancien directeur de la Banque des Marchands, interrompit sa jasette avec le nouveau directeur de la Banque de Montréal dont il était maintenant l'assistant. Rabain pensa à une catastrophe : un ouvrier était peut-être tombé de la toiture. Pire ! La bâtisse s'écroulait comme un château de cartes sous les yeux des épargnants épouvantés. Il ne pouvait pas rester là à se laisser empoussiérer les râteliers, en attendant que McCready daigne lui rapporter des nouvelles. Sa loyauté envers l'institution qu'il avait vue grandir depuis 1903 le sommait de faire preuve de courage et de passer à l'action. Sans plus d'hésitation, Rabain empoigna Flynn par la manche de sa veste et l'entraîna dans sa croisade sans lui demander son avis. Après tout, si la banque changeait d'allure, c'était pour devenir sa banque à lui. La responsabilité de cet immeuble lui incombait donc maintenant tout autant qu'à lui.

Les deux hommes talonnaient Ernest McCready. En dépit de la collection imposante d'outils qu'il trimbalait dans son tablier, le vieux Mac se déplaçait en souplesse, comme un véritable jeunot. Il fallait le voir sautiller avec l'agilité d'une gazelle par-dessus les égoïnes, les rabots et les niveaux, et zigzaguer gracieusement entre les nouveaux et les anciens comptoirs dispersés dans l'immense pièce. L'aisance de ses mouvements lui permit de distancer rapidement Rabain, qui rageait de le voir aller. Sa colère catalysa sa maladresse : il s'empêtra dans ses pas, accrocha son complet aux planches empilées, caracola autour du désordre avant d'abandonner sa poursuite alors qu'il n'avait même pas atteint la porte. À bout de souffle, l'air piteux, Rabain se contenta de regarder son entrepreneur en menuiserie se fondre dans le groupe des ouvriers déjà encerclés de nombreux curieux.

Ernest reprit son souffle. L'exercice lui avait serré le cœur. Malgré cette douleur sourde qui lui brûlait la poitrine, il se pressa derrière la foule entassée au milieu de la rue Saint-Georges pour mieux embrasser la situation. De là, il aperçut Camille, juchée en haut d'une des deux longues échelles qui étaient appuyées sur la façade, de chaque côté de la porte. Elle rigolait, s'agrippant d'une main à l'un des « s » de l'enseigne de la Banque des Marchands et de l'autre à une brique de l'édifice.

Flynn avait profité de l'état de décrépitude de son collègue pour s'esquiver en douce. L'ambiance qui régnait dans la foule l'excitait et le changeait de l'indifférence de Montréal. Il marchait parmi les commerçants et les passants qui venaient s'ajouter au nombre important de badauds plantés sur le pavé macadamisé de l'artère commerciale. Il aimait sentir cette fébrilité qui animait la rue. Il allait, de sourire en sourire, à la rencontre des regards émerveillés, à la recherche de la simple joie que ce rassemblement lui procurait.

Flynn se délectait. Ce matin, il bénissait le ciel de cette ivresse rare, contagieuse et suffisamment puissante pour ressusciter les rêves disparus. Ses dernières années passées en plein cœur de Montréal lui avaient miné l'existence au point où il s'était imaginé qu'il ne lui restait plus qu'à accepter la grisaille de sa vie, sans grand malheur et sans grand bonheur, et à attendre le repos éternel. Il attribuait à la vie urbaine une partie importante de son mal-être et aussi, peut-être, un peu de la maladie de Candide, son épouse. Tout allait trop vite dans les grandes villes industrialisées comme Montréal. Beaucoup trop vite. Les valeurs changeaient. Les gens ne se préoccupaient plus guère les uns des autres. Trop d'individus couraient sans prendre le temps de sourire, de dire bonjour et de raconter leurs petites histoires. Les gens devenaient individualistes. Plus assez de temps pour les repas en famille, pas assez de temps, non plus, pour les utopies collectives ! Les temps modernes transformaient les humains en d'étranges créatures toujours plus assoiffées d'argent. Les uns rêvaient de voitures, les autres de vêtements, de meubles ou de divertissements de toutes sortes, comme des gramophones ou des sorties aux « petites vues ». Une vie heureuse s'achetait maintenant avec un bas de laine bien rempli ; mais pour amasser un tel pécule, il fallait renoncer à badiner avec les plaisirs de la vie quotidienne, comme cet instant présent qui lui procurait pourtant tellement de bien-être.

Sa décision de quitter Montréal n'avait pas été facile à prendre, pour plusieurs raisons. Depuis longtemps, il souhaitait vivre dans une petite ville tranquille. Il croyait que l'air pur, les oiseaux et les arbres redonneraient peut-être la santé à Candide et la ramèneraient à leur bonheur d'antan. Mais avant de convaincre sa femme d'aller vivre ailleurs, il lui avait fallu convaincre sa belle-mère en premier lieu. Son épouse était maintenant trop malade pour s'occuper seule de la maison et des enfants. Comme la situation n'allait malheureusement pas en s'améliorant, la présence de sa belle-mère était devenue indispensable. Or, madame Lafantaisie était une Montréalaise pure laine ; cela n'avait donc pas été une mince affaire que de la persuader de s'expatrier dans le Nord, loin des grands magasins, dans un bled sans « petits chars » où les gens vivaient vingt ans en arrière.

De plus, la Banque de Montréal n'avait guère offert à Flynn un salaire plus généreux, pour diriger la nouvelle succursale de Saint-Jérôme, que les quatre cent cinquante dollars par année qu'il touchait déjà pour ses fonctions de comptable au siège social du centre-ville. Heureusement, depuis quelques années, il trouvait à renflouer ses finances grâce à des revenus non négligeables provenant de particuliers et de compagnies comme Tiernan and Son, qui faisaient régulièrement appel à ses services d'expert-comptable et de conseiller financier.

À ces considérations délicates s'étaient ajoutés les ragots des communautés anglophones, qui entretenaient l'idée que les habitants des petites villes comme Saint-Jérôme faisaient d'ordinaire la vie difficile aux immigrants, particulièrement aux Irlandais à l'accent anglais prononcé. Il avait donc craint une adaptation difficile, voire impossible, surtout avec Candide dont l'état de santé encourageait les commérages. Mais Flynn avait discuté de cette question avec son ami Douglas Tiernan. Ce dernier, pour le rassurer, lui avait parlé de son cousin, Ernest McCready. Selon Douglas, son cousin n'avait jamais été aussi heureux que depuis qu'il s'était installé à Saint-Jérôme ; pour lui, le paradis, c'était le Nord. L'histoire de ce McCready avait non seulement tranquillisé Flynn, mais elle avait influencé sa décision finale quant à l'offre de la Banque de Montréal.

Même si Flynn n'avait pas agi sur un coup de tête, il avait remis son choix en question jusqu'au jour de son départ. Heureusement, dès que sa petite famille et lui eurent mis les pieds dans leur nouvelle maison de la rue Laviolette, tout le monde sembla heureux du changement. Dès lors, Flynn sut qu'il avait eu raison. À partir de ce jour, il eut la profonde conviction qu'il vivrait beaucoup plus près de ses valeurs, dans cette petite ville des Laurentides, loin du racolage de la modernité. Là, il renouerait avec quelque chose qui s'approcherait du bonheur.

Flynn n'était installé que depuis une semaine. Il y avait encore beaucoup à faire, mais jusqu'à maintenant, la découverte de sa ville d'adoption lui procurait un réel plaisir. À travers les rues, les paysages et les histoires de chacun, il retrouvait la saveur de l'existence. Il sentait déjà une force nouvelle s'éveiller en lui. Comme il l'avait espéré, son nouvel univers lui insufflait le courage nécessaire pour se réconcilier avec ses quarante années de vie passées, pendant lesquelles il avait bêtement accepté les vues du destin, sans rechigner contre les responsabilités, sans penser qu'il existait peut-être mieux.

Flynn s'émerveillait de tout ce qui était nouveau autour de lui. Déjà, les eaux vives de la Rivière du Nord le passionnaient. Il la regardait couler, le matin, de la fenêtre de sa chambre, s'étonnant chaque fois de sa nature à la fois si violente et si douce. Tant de contradictions cohabitaient dans une même réalité ! Il trouvait fascinant qu'en amont, cette rivière s'affole avec une force inouïe, faisant tourner, la journée durant, les pales du moulin Wilson, alors qu'en aval, devant chez lui, le flot gazouillait à peine suffisamment pour bercer les barques blanches des amoureux. Rien n'était jamais tout noir ou tout blanc.

Flynn n'aimait pas que l'environnement, à Saint-Jérôme : il appréciait aussi la couleur particulière des gens. Il éprouvait déjà un attachement sincère pour le curé Bergevin, son charisme et ses idées de grandeur. Il s'amusait de la douce folie du photographe et barbier de la place, monsieur Chaperon. Il courait à la librairie Parent pour discuter livres et politique avec l'érudit libraire et éditeur de *L'Étoile du Nord*. Chaque matin, il retrouvait même avec joie son nouvel adjoint, Josaphat Rabain, et toutes ses petites manies de rond-de-cuir. Il y avait aussi ce monsieur McCready qu'il croisait fréquemment ces derniers temps. Il aimait bien le regarder travailler : cet homme avait des mains magiques. Il n'avait pas encore eu l'occasion d'échanger beaucoup avec ce monsieur, mais il sentait chez lui quelque chose d'infiniment attirant qui, au-delà de son silence impénétrable, parlait de force, de sentiments et de loyauté. Oui, jusqu'ici, Saint-Jérôme correspondait bien aux rêves secrets de William Flynn.

Ravi de son sort, Flynn se déplaçait à travers la foule immobile, en contemplant ce tableau formé par tous ces visages tournés vers le ciel. Sans qu'il s'en rende compte, son déferlement le conduisit jusqu'à Ernest. Il s'installa à ses côtés et l'observa, sans dire un mot. Il remarqua combien son expression se distinguait de celles des autres gens présents. À la différence de ses concitoyens, ce n'est pas la curiosité qui animait la physionomie de cet homme. Son visage rougeaud brillait plutôt d'amour, de fierté et peut-être même d'admiration. Le bleu de ses yeux nageait toujours dans une bruine de tendresse, comme s'il voyait constamment un ange aimé l'appeler du haut d'un nuage. Flynn chercha des yeux ce qui avait tant d'effet sur monsieur McCready.

C'était une femme. Une toute petite jeune femme. Une étrange créature, au début de la vingtaine, peut-être un peu plus, peut-être un peu moins. Elle avait un teint de lys et de

214

rose et de longues boucles acajou qui culbutaient avec désobéissance jusqu'à la rondeur des fesses. C'était une espèce de grande enfant, perchée à bonne hauteur sur une échelle à peine plus large qu'un juchoir à poules, et qui s'amusait à défier les lois de la gravité en bougeant comme si elle avait eu les deux pieds sur la terre ferme. Elle avait l'air d'une véritable muse de la comédie grecque, à ce détail près qu'elle portait des gants d'ouvrier éléphantesques, de coutil et de cuir rigides, et qu'elle replaçait tout naturellement un marteau dans un passant effiloché de sa salopette bleue rapiécée et délavée. Elle avait l'allure irrésistible d'un garçon manqué. Sa silhouette était courte et plutôt robuste, mais même en haubanant une gigantesque poulie de fonte noire, tout son corps dégageait une énergie envoûtante. La dernière descendante d'une espèce éteinte de farfadets..., se dit Flynn. Son œil était vif, son esprit éveillé et son sourire, plus lumineux qu'un soleil d'été qui explose de toute sa brillance au dernier coup de midi. Il fallait voir cette espèce de lutin tirer, d'une jante monstrueuse, le nœud coulissant d'une corde de chanvre plus grosse que son bras, comme s'il s'agissait d'un délicat fil à dentelle ! Flynn comprit : Ernest regardait là un être exceptionnel.

— Est-elle une de vos... hommes ? risqua Flynn dans un français impeccable mais coloré d'un fort accent.

— C'est mon meilleur contremaître !

— Vraiment ? Je vous avoue que c'est la première fois que je vois une femme sur un chantier de construction. La première fois, aussi, que je vois une femme qui mène des hommes. Et elle a l'air d'avoir le tour.

— Oui, monsieur ! Mieux que bien des hommes !

– Ça fait longtemps qu'elle est avec vous ?

– Longtemps ? Mon Dieu... depuis toujours ! s'esclaffa Ernest, tout en demeurant absorbé par les manœuvres dirigées de main de maître par sa fille.

L'homme perché dans l'échelle voisine leva son pouce bien haut afin d'indiquer à sa patronne qu'il avait, tout comme elle, réussi à passer le câble autour de l'enseigne. Camille baissa la tête et attendit que les ouvriers, en dessous d'elle, lui signalent qu'ils étaient, eux aussi, prêts pour l'opération. Le plus grand des trois hommes leva son pouce. Camille hocha la tête en guise de réponse. Elle se tourna vers son voisin, parée d'un sourire qui n'en finissait plus, et fit de nouveau un signe clair et sûr de la tête, à la manière d'un chef d'orchestre qui donne le coup d'envoi d'un concert. Camille et l'ouvrier dégagèrent alors, dans un synchronisme parfait, les mécanismes de freinage des poulies. L'enseigne se mit à glisser lentement le long du mur briqueté et atterrit, aussi doucement qu'une plume sur un coussin moelleux, directement entre les bras grands ouverts des trois hommes qui l'attendaient sur le trottoir.

La foule applaudit spontanément. Camille ne quitta pas son échelle. Sa main gauche s'étira pour effleurer l'enseigne qui était restée cachée pendant presque un quart de siècle derrière l'imposant panneau de la Banque des Marchands. Elle caressa les lettres dorées, étalées sur un support de bois aux dimensions modestes, dont la peinture vert forêt s'écaillait à peine après toutes ces années de réclusion. Ses yeux pétillaient comme ceux d'un archéologue fasciné par l'imminente découverte des vestiges d'un passé oublié. Elle voulut qu'Ernest voie son trésor. Elle le chercha dans la foule. Elle savait qu'il était là. Elle le repéra sans peine au premier tour d'horizon. Redescendant au sol à toute vitesse, elle le rejoignit en se faufilant habilement à travers la mêlée.

216

Flynn n'en revenait pas de voir combien cet événement, qui semblait à première vue si banal, suscitait autant de joie. Ahuri, il regardait tous ces gens, jeunes et moins jeunes, collés les uns aux autres, partager avec plaisir leur excitation et leur émerveillement. Il se demanda si leur exaltation provenait de la découverte de l'enseigne oubliée ou de la manœuvre parfaite qui avait descendu l'emblème de la Banque des Marchands. En regardant Camille venir vers son père, il comprit que cette jeune femme avait beaucoup à voir avec la réjouissance populaire. Sans en être consciente, cette petite lionne aux yeux de velours exhalait un magnétisme puissant. Elle séduisait littéralement tous ceux à qui elle offrait, par un regard ou un sourire, un peu de sa beauté intérieure. Flynn ne voyait plus rien d'autre que cette force inconnue qui s'insinuait jusque dans les recoins endormis de son être.

– Papa, vous avez vu ça ?

– Ouais... J'ai l'impression qu'il n'y a pas grand monde qui savait que cette affiche était encore là.

– La Banque du Peuple... Savez-vous si ça fait longtemps ?

– Pas la moindre idée ! On va demander à monsieur Rabain. À l'entendre, on a l'impression que la Banque des Marchands et lui, c'est pareil.

– Si vous permettez..., osa Flynn.

– Pardon, monsieur Flynn ! Camille, voici monsieur Flynn, le nouveau gérant de la Banque de Montréal. Euh... J'ai oublié votre petit nom... C'est l'âge !

Flynn tendit la main à Camille.

– William. William Flynn, mademoiselle. Enchanté !

– C'est ma fille, ma grande fille Camille. Camille McCready, ajouta Ernest avec fierté.

– Quel plaisir de faire enfin votre connaissance ! Depuis le temps que j'entends parler de vous, répondit Camille en lui serrant vigoureusement la main.

– Ah..., répondit Flynn, intrigué, peut-être un peu flatté, n'osant pas demander de précision et incapable d'établir un lien avec la jeune Camille McCready ayant travaillé chez Tiernan and Son. Pour votre gouverne, mademoiselle, d'après les registres de nos bureaux, la Merchants Bank s'est installée ici en 1896. Ça devait donc faire au moins vingt-quatre ans que l'enseigne de la Banque du Peuple était cachée derrière celle de la Banque des Marchands !

– C'est incroyable ! Elle a l'air pratiquement neuv...

Tout à coup, la foule gémit un long « Hoooooooooo ». Camille, Ernest et Flynn reculèrent. Ils se dressèrent sur la pointe des pieds et s'étirèrent le cou pour distinguer la façade de la banque. Un des quatre ouvriers qui transportaient l'enseigne de la Banque de Montréal s'était coincé le pied dans un câble et se retrouvait dangereusement bloqué sous le poids de la charge.

– Excusez-moi ! Je dois aller aider mes hommes, marmonna Camille.

Le jeune ouvrier parvint à se dégager avant l'arrivée d'un petit groupe de travailleurs qui s'étaient précipités à son aide.

– Il est quitte pour une sacrée trouille ! Heureusement pour lui, souligna gravement Ernest.

Flynn n'avait pas suivi la scène. Il avait préféré observer Camille. Il l'avait vue rejoindre le groupe d'un pas déterminé, puis reprendre en moins de deux le contrôle des opérations. Sa présence avait aussitôt redonné à l'équipe sa cadence régulière. La foule sembla soulagée et l'enthousiasme général se ranima. Tous attendaient maintenant la deuxième partie du spectacle.

– Oui, quitte pour une sacrée trouille, répéta Flynn, songeur et manifestement troublé par sa rencontre avec cette singulière jeune femme.

Chapitre 22

Verte hardiesse

Dans ses moments de cafard, Gonzague Chaperon se vantait de son insatiable amour pour les têtes. Avec ses balivernes, il lui arrivait d'effrayer ceux qui ne s'étaient jamais frottés à son humour caustique. Quelquefois, il prenait en effet plaisir à raconter, à certaines personnes qui ne le connaissaient pas, que son amour pour les têtes était si grand que, lorsqu'il n'en trouvait pas à photographier, il devait en couper. Son discours insolite faisait généralement sursauter ses interlocuteurs, qui se demandaient s'il n'était pas une sorte de dément qui, dans une vie antérieure, aurait été un homme de main de Joseph Ignace Guillotin ! Les réactions d'horreur qu'il suscitait éperonnaient Gonzague ; il renchérissait alors de plus belle, jusqu'à ce que l'épouvante atteigne son paroxysme. Là, devant la stupéfaction totale de son public, il daignait finalement expliquer ses calembredaines : en fait, Gonzague arrondissait ses fins de mois en travaillant comme barbier.

En ce petit matin de mars, sous un soleil réconfortant, Gonzague affûtait sur une épaisse bande de cuir noir les lames de ses ciseaux. Ce rituel l'aidait à conditionner son esprit pour affronter vaillamment les quatre ou cinq têtes qui s'installeraient bientôt sous son nez. Il épousseta ensuite, à grands coups de blaireau, sa chaise de barbier rouge pompier, nichée contre la vitrine et adjacente aux aires réservées à ses activités de photographe. Il y mettait une telle ardeur que l'on aurait pu croire qu'il cherchait à faire disparaître son fauteuil. Couper les cheveux ne le passionnait pas. Loin de là. Pour tout avouer, les conversations navrantes et les caprices agaçants des clients l'horripilaient au plus haut point. Mais, sans ce supplément de revenus, il ne pouvait pas financer ses précieuses et coûteuses expériences photographiques. C'était le prix à payer pour faire grandir son art. Devant cette réalité incontournable, du moins dans l'immédiat, il s'inventait toutes sortes d'histoires abracadabrantes pour se convaincre qu'il aimait couper les têtes. De cette façon, le temps passé à jouer au barbier lui paraissait moins inepte.

Gonzague achevait la tête du curé Bergevin. Ce jour-là, la verve intarissable de son client l'étourdissait plus qu'à l'habitude et donnait à ses coups de ciseaux une touche plutôt inculte. Depuis quelques mois, le chef de la paroisse de Saint-Jérôme avait développé une désagréable marotte. Partout, peu importait le moment ou l'interlocuteur, le curé reprenait le même discours. En chaire, lors de ses visites de paroisse, au marché et, comme si cela ne suffisait pas, chez tous les commerçants où il avait la bonne fortune de s'arrêter, il déballait son laïus. De toute évidence, son obsession commençait à lui larder le bon sens d'une douce démence sénile.

– Je vous le dis, monsieur Chaperon... Saint-Jérôme a besoin d'une cathédrale ! Il faut que le maire finisse par admettre ça, une fois pour toutes. Ça crève les yeux. Il est plus que temps qu'il se décide à organiser un plébiscite, pour que la population au grand complet s'implique dans le projet. Notre église n'a pas seulement besoin d'être rénovée, elle a besoin d'être agrandie. Ça devient urgent. C'est une question de respect. Pour nous tous, les Jérômiens... Pour nos enfants... Pour nos prières... Pour Dieu... Et surtout, surtout, pour l'avenir de notre belle région ! Nous devons bâtir notre cathédrale, à nous, ici, en face du parc. Sans plus tarder. Sinon, le printemps et l'été vont nous filer sous le nez comme des lièvres débuchés, et nous serons une fois de plus forcés de remettre ça à l'année prochaine. Ça n'a pas de sens. Faut-il attendre que notre église tombe en ruines pour que nos politiciens s'activent ?

Ces harangues répétées courrouçaient beaucoup trop le cœur impulsif de Gonzague pour qu'un pareil gargarisme puisse l'émouvoir. Des mots, des mots et encore des mots ! L'utilité des mots échappait à Gonzague. Il leur reprochait de garder les êtres à distance de leurs rêves et de les annihiler avec impudence, dans une passivité dévastatrice. De plus, à cause de leur nature éphémère, les mots finissaient toujours par s'éteindre plus vite que des feux de paille pour finalement donner lieu à la désillusion. Gonzague, lui, carburait aux images et à l'action. Voir et faire, telle était sa devise. Et pas demain. Tout de suite ! Imaginer les formes et se hâter de les créer, là, maintenant. Leur donner vie avec tout le feu de sa passion et les laisser ensuite nourrir son existence. Tout ça dans le plus merveilleux des silences.

Les paroles du curé agressaient souverainement Gonzague. Si le curé voulait une cathédrale, il n'avait qu'à faire travailler son imagination et à l'inventer plutôt que de gaspiller sa salive à quémander une intervention politique dans les affaires de l'Église. Gonzague se disait qu'il avait mieux à faire que d'accorder de l'intérêt à des problèmes qui, en réalité, n'en étaient pas. Il s'activa à terminer l'émondage des mèches dissidentes de la tignasse du curé pour se soulager au plus vite de la présence de son client au verbe irritant.

Le curé sortit enfin. Gonzague espérait un moment de paix, mais un grand gaillard élancé, tiré à quatre épingles et affublé d'un étrange feutre démodé, fit son entrée d'un pas franchement hardi. Ses guêtres blanches à boutons noirs juraient avec son complet de couleur fumagine aux rayures sépia. Le contraste était si frappant que Gonzague ne pouvait détacher ses yeux de ces deux longs pieds fins, semblables à ceux des lapins, qui scrutaient le plancher de sa *barber shop* comme à la recherche d'un parent adoptif. Gonzague n'avait jamais vu de pareils pieds aux alentours ; pour rien au monde, d'ailleurs, il aurait voulu en hériter. Avec de pareils appendices arrimés à sa taille plus que modeste, on l'aurait certainement confondu avec un gnome en raquettes et on l'aurait vite expédié au pôle Nord.

– Bonjour, monsieur !

– Bonjour, jeune homme ! répondit Gonzague, cessant de reluquer les pieds de l'inconnu et remarquant enfin que son visiteur avait une bouille plutôt sympathique.

– Vous êtes monsieur Chaperon ?

– En personne, mon garçon.

– C'est Esdras qui m'a suggéré de venir vous voir.

– Esdras ? Esdras Chaperon ? Mon petit frère ?

– Lui-même, monsieur.

– Ne me dis pas que tu arrives du chantier de la McLaren ?

– Après quelques détours, oui. J'ai quitté le chantier en décembre dernier pour aller travailler comme ouvrier à l'usine de pâte de la McLaren, à Buckingham. Monsieur McLaren m'avait promis un bel avenir. Mais votre frère avait raison. La vie d'usine, après avoir passé une grande partie de sa vie dans le bois, ce n'est pas facile. Ce n'est pas pour moi, ça c'est certain. J'ai quitté Buckingham vendredi et je me suis payé un petit détour par la ville avant de m'amener par ici.

– Je me disais aussi qu'accoutré comme tu l'es, tu ne devais certainement pas sortir directement du bois. Mis à part ton chapeau, c'est ce que l'on appelle être habillé à la mode.

– Hé ! Quand un homme se cherche un poste respectable, il faut bien qu'il se mette sur son trente et un.

– Ouais, rétorqua Gonzague d'un ton qui trahissait une opinion différente, mais sur laquelle il jugea préférable de ne pas s'étendre. Tu te cherches un poste respectable, hum ?

– Monsieur Chaperon, je voudrais travailler pour vous.

– Pour moi ?

Gonzague tombait littéralement des nues.

– Oui ! Au chantier, j'ai pris beaucoup de portraits. Au camp, on m'appelait *kid kodak*. Regardez, j'en ai apporté quelques-uns. Ici, c'est Esdras et... Oscar qui giguent sur la pitoune ! C'est pas mal, non ?

Gonzague prit la photo. Il la regarda attentivement ; étonné par les qualités techniques et artistiques du cliché, il esquissa un sourire discret.

– Bravo ! Ce n'est pas facile à réussir : dehors et en mouvement ! Mon petit frère a presque l'air d'une vedette, là-dessus ! Il n'y a pas de doute, tu as l'œil, mon jeune !

– Gardez-la. Je vous la donne.

– Merci. Tu sais, mon grand, ce n'est pas que je ne serais pas heureux d'avoir quelqu'un pour m'aider, mais mon commerce, ce n'est ni le chantier, ni l'usine de pâte de la McLaren. Je ne pourrai jamais t'offrir des gages aussi généreux que ceux que tu devais toucher au chantier ou à l'usine.

– Oh ! Les gages, ce n'est pas important pour moi, monsieur Chaperon. Pas important du tout. Vous savez, en dix ans dans le bois, j'ai mis beaucoup d'argent de côté. Ce que je veux maintenant, c'est apprendre un métier et, surtout, apprendre comment on fait rouler une *business*. Un jour, j'en aurai une à moi. On ne sait jamais, monsieur Chaperon, on pourrait peut-être devenir des partenaires, un moment donné ! Non ?

L'audace du jeune visiteur fit sourire Gonzague. L'idée d'avoir un assistant qui se plaise à couper des têtes lui chatouilla la réflexion.

– As-tu déjà coupé des cheveux ?

– Oui. Pas dans une *barber shop*, mais au chantier, c'est moi qui faisais les cheveux des gars. Je n'ai pas la vraie méthode, mais j'apprends vite. Mes mains sont adroites. En plus, je suis habile comme le diable avec le public. J'adore écouter les histoires des uns et des autres ! Pour moi, jaser, c'est un peu comme fouiner, le soir, à travers les fenêtres éclairées, quand les rideaux ne sont pas fermés. On finit par en savoir plus que le curé de la place.

– Hum..., réfléchissait Gonzague, de plus en plus intéressé par ce qu'il entendait.

– Vous ne le regretterez pas, monsieur Chaperon. Faites-moi confiance. Je vous garantis qu'après deux semaines, vous ne pourrez plus vous passer de moi. Ça ne vous coûte pas grand-chose d'essayer.

– Trois piastres ! Trois piastres par semaine ! C'est tout ce que je peux t'offrir.

– Je suis votre homme. Je commence quand ?

– Demain matin, huit heures.

– Entendu. Oh ! Par hasard, vous ne connaissez pas quelqu'un, dans les environs, chez qui je pourrais louer une chambre ?

Gonzague pensa tout de suite à sa bonne amie Magdaline. Il savait qu'il lui arrivait, pour le plaisir, d'héberger des jeunes gens. Mais n'entrait pas là qui voulait. Magdaline choisissait son monde. Elle n'offrait son affection, sa gentillesse et sa folie qu'à ceux pour qui elle avait un coup de cœur. Gonzague étudia le grand gaillard et tenta de jauger ses chances de plaire à Magdaline. Comme il n'arrivait pas à se faire une idée, il décida de laisser à sa chère amie le soin de tirer elle-même ses conclusions.

– Grimpe la côte Saint-Georges jusque chez madame de Tonnancourt. Une grande maison blanche et rouge, sur ta gauche. Dis-lui que c'est moi qui t'envoie. Je ne te promets rien, mais tu peux toujours essayer. Ce n'est ni le charme ni l'audace qui te font défaut. Et enlève ton chapeau avant de frapper !

– Toujours ! J'enlève toujours mon chapeau devant les dames. Merci, monsieur Chaperon. Merci pour tout. Vous allez voir, on va faire une bonne paire, tous les deux !

Pétillant de reconnaissance, le jeune costaud tendit ses longs doigts – dont les dimensions étaient tout aussi impressionnantes que celles de ses pieds – et y engouffra la main de son nouvel employeur.

– À demain, monsieur Chaperon !

Le joyeux luron secoua la main de Gonzague qui, coincée dans cette mâchoire de fer, semblait encore plus frêle. Le pauvre barbier-photographe se sentit soudainement parcouru de la tête aux pieds par de violentes secousses semblables à celles qu'engendre une électrocution. Il tenta bien d'implorer le jeune homme de cesser sa démonstration de force, mais même ses cordes vocales étaient paralysées.

– Hé, garçon ! héla faiblement Gonzague, une fois le séisme passé.

Le jeune homme, déjà à bonne distance, se retourna.

– Ton nom ? lui demanda Gonzague.

– Calvé ! Félix Calvé ! répondit son nouveau compère en riant.

– Alors, à demain, Félix ! Tâche d'être à l'heure.

Chapitre 23

Glose pour couac en si bémol

Miville arrivait généralement aux répétitions avant les autres. Il était incapable d'entreprendre une séance de travail collectif sans d'abord se livrer à sa routine habituelle. Dès qu'il entrait dans le local, il devait tirer une chaise jusqu'au centre de la pièce et s'y asseoir. Il prenait le temps de respirer profondément et regardait ensuite autour de lui, du plafond au plancher, notant chaque détail de l'endroit. Une fois sécurisé par ce premier contact visuel, il fermait les yeux. Puis il écoutait doucement tous les silences de la pièce lui murmurer, tour à tour, leur élégie. Il laissait leurs chuchotements apaiser son âme et éveiller en lui l'émotion et la passion dont il avait besoin pour attaquer la technique. Ce concert de bruits d'ombre l'emplissait d'une énergie fougueuse ; cette vitalité lui était essentielle pour entamer ses exercices de gammes, étudier ses partitions et assouplir ses gestes. Cette gymnastique sacrée pouvait durer une heure et la cadence ne ralentissait qu'à l'arrivée des autres musiciens. L'animation causée par ses collègues heureux de se retrouver le déconcentrait. Il n'arrivait pas à se couper de leurs rires et de leurs papotages. L'agitation ambiante l'amenait donc à mettre un terme à sa préparation.

Le violon faisait partie de la vie de Miville depuis le jour de son entrée au Collège Saint-Laurent. C'était en marchant vers le réfectoire qu'il avait entendu, s'échappant d'une minuscule cabine capitonnée, la couleur de cet instrument au son dolent et duquel s'échappait, ce jour-là, un air de Massenet. Le musicien lui avait paru magicien par la façon particulière qu'il avait de faire si majestueusement jaillir *L'enchantement* des ouïes de son instrument. L'émotion lui avait coupé le souffle. Miville avait été charmé tant par le timbre plaintif du violon que par le savoir-faire de l'interprète. Il était resté planté là, immobile comme un voyeur de sons, incapable de résister à l'appel de la musique, les yeux cachés derrière des pages de Victor Hugo et l'oreille rivée à la porte, pour savourer chaque note. Lorsque l'instrument s'était tu, il avait voulu tourner la poignée pour voir de plus près celui qui, de ce feu d'artifice, avait embrasé ses entrailles. Mais il n'en avait pas trouvé le courage. Il avait rebroussé chemin, puis il était revenu. Trois fois. Son quatrième virage l'avait littéralement propulsé nez à nez avec le père Aquin !

— Oh ! Pardon ! fit poliment le religieux en pressant la base de son appendice nasal, comme s'il cherchait à recenser ses poils d'allure tout aussi hispides que des épines de cactus.

— Je ne t'ai pas fait mal, j'espère, ajouta-t-il lorsqu'il en eut terminé avec son nez.

— Non, non. C'est moi... Excusez-moi, mon père. C'est ma faute.

— Tu m'as l'air un peu... agité... Perdu, peut-être ? Tu cherches quelqu'un ?

La voix chaleureuse et réconfortante du religieux avait permis à Miville de se calmer et de puiser en lui assez d'assurance pour lui poser la question qui l'obsédait depuis qu'il avait entendu la première note de sa remarquable musique.

– Mon père, accepteriez-vous de m'enseigner à jouer du violon ?

Sans hésiter, le père Aquin avait succombé à l'étonnante détermination qui semblait animer ce garçon de douze ans. Il lui avait donné sa première leçon le lendemain de cette rencontre. À la manière dont Miville avait posé son violon sur son épaule, le père sut que Dieu lui avait fait cadeau d'une sensibilité vive et fraîche comme une pousse de magnolia qui vient d'éclore. Aussi, le religieux avait spontanément demandé au Ciel de lui accorder le plus longtemps possible le plaisir de partager son amour pour la musique avec ce jeune homme.

Miville voulait devenir violoniste. Il l'avait souvent répété au père Aquin. En dépit de toute l'amitié qu'il portait à son élève, le religieux ne lui avait jamais caché sa lecture de la réalité. Selon lui, Miville avait du talent pour le violon, sans pour autant que ce talent soit comparable au génie des grands musiciens qui avaient marqué l'histoire. Le religieux lui avait dit que son rêve, certes légitime, ne pourrait se réaliser un jour qu'à la condition de travailler fort. Beaucoup plus fort que les autres, et cela, tout au long de sa vie. Le père Aquin n'aurait pas pu tenir un discours différent à Miville, parce que le vieux religieux avait le grand défaut de l'honnêteté. Ses intentions étaient louables, mais le père Aquin avait tout de même craint que sa franchise n'éteigne les espoirs et la passion de son jeune ami. À sa grande surprise, Miville choisit plutôt de s'accrocher avec courage et de persévérer. Le père Aquin ne l'en admira que davantage.

Semaine après semaine, pendant de longues années, Miville s'était gavé avec détermination des enseignements du père Aquin. Son apprentissage n'avait pas été exempt d'embûches. Il avait traversé des périodes difficiles, pendant lesquelles le doute avait paralysé sa volonté. Il devait travailler beaucoup, en effet, et ses parents ne l'encourageaient guère à poursuivre dans cette voie. À certains moments, Miville avait pensé tout abandonner. Mais ses idées noires avaient toujours fini par s'effacer. Chaque fois qu'il avait le cafard, le vieux religieux lui avait servi son sermon miracle :

– N'oublie pas, Miville. Au cours de ma vie, j'ai vu beaucoup d'artistes réussir parce qu'ils avaient décidé de pallier leur déficit de talent par la volonté et le travail. J'ai aussi vu des artistes qui, bien que dotés d'un génie inestimable, ont ruiné leur existence parce qu'ils ont préféré se vautrer paresseusement dans la confiance absolue que leur procuraient leurs extraordinaires aptitudes. Nul n'a droit de regard sur les cadeaux du Ciel : nous devons accepter ce que Dieu nous a donné. Mais il nous reste encore certaines libertés, dont celle d'utiliser cet héritage comme bon nous semble. Nous en avons la responsabilité. Nous seuls, personne d'autre.

Chaque fois, ce prêche avait sur Miville l'effet d'un philtre magique aux vertus galvanisantes. Ces mots suffisaient à lui redonner la force de se cramponner à nouveau.

Le religieux s'était profondément attaché à Miville ; ce dernier avait grandi en se liant chaque jour davantage à son vieux professeur. Le temps avait bonifié leur relation et leur amitié avait désormais une valeur inestimable. Au terme des huit années de son cours classique, Miville avait cherché une façon de ne pas se séparer de son maître de manière abrupte ou définitive. Il avait proposé que le père Aquin mette sur pied et dirige un quatuor à cordes. L'idée avait ravi le religieux. Comme la congrégation des pères de Sainte-Croix avait autorisé le projet sans tarder, le père avait aussitôt recruté trois autres musiciens et choisi un répertoire intéressant.

En deux ans d'existence, le quatuor Laurentien avait acquis une notoriété respectable auprès des cercles d'amateurs de musique de chambre de Montréal. Les musiciens s'étaient produits lors de réceptions privées et, rapidement, on leur avait offert des engagements publics. Ce succès n'avait pas ralenti leur ardeur. Tous travaillaient fort, le père Aquin ne faisant pas exception à la règle. Le groupe était bien rodé et chacun assumait consciencieusement ses fonctions. Il aurait été normal que le religieux se détache du quatuor et se consacre davantage à ses activités religieuses. Pourtant, il continuait à s'y investir aussi généreusement, sans perdre ses vieilles habitudes. Il arrivait encore aux répétitions une demi-heure à l'avance, juste pour le plaisir de partager un moment privilégié avec Miville. Il suivait toujours ses progrès de près et il souhaitait encore être là au cas où son protégé aurait besoin d'un sermon miracle.

Ce jour-là, Miville paraissait plus nerveux que d'habitude. Faute de concentration, ses doigts escamotaient des notes et son archet ne suivait pas le tempo. Miville s'arrêta de jouer et épongea la mentonnière de son instrument, qui luisait de sueur et se dérobait sans cesse sous son menton. Le père Aquin profita de l'intermède.

– Quelque chose te tracasse ?

– Non..., répondit Miville, sans conviction.

– Ah... J'ai pourtant l'impression que ton cœur est ailleurs, aujourd'hui.

Miville leva les yeux et sourit.

– Vous devinez tout, mon père, avoua-t-il, les yeux humides de gratitude.

– Non, pas tout. Je sens ceux que j'aime. Je leur tends la main. Mais je ne peux pas deviner ce qu'ils ne me permettent pas de deviner.

– Je ne remercierai jamais assez le Ciel de vous avoir mis sur ma route.

– Je ne remercierai jamais assez le Ciel de t'avoir mis sur ma route.

Le silence enveloppa leur sourire. Une réconfortante bienveillance se posa sur leur complicité.

– Pour tout vous dire, mon père... Ce concert me fait peur.

– Peur ? Hum... J'avoue ne pas comprendre. Nous avons pourtant déjà présenté plusieurs fois chacune des pièces au programme.

– C'est vrai, mais nous n'avons pas d'expérience avec une soliste.

Monsieur Molson avait invité le quatuor Laurentien à jouer chez lui. Il avait demandé au père Aquin de trouver une voix pour interpréter les airs de Hans, Godard, Massenet, Hamet et Mozart. Le religieux n'avait pu refuser la requête de ce richissime et influent mécène. Il avait pensé à mademoiselle Tiernan et l'avait invitée à se joindre au groupe. La réputation de cette jeune mezzo-soprano la précédait. D'ailleurs, ses prestations avaient toujours été chaleureusement accueillies par le public. Compte tenu de ce succès, le religieux avait cru que la famille et les invités de la famille Molson apprécieraient ce choix.

— Exact. Mais je ne vois pas en quoi cela t'inquiète. Tu connais bien mademoiselle Tiernan. Tu as l'expérience de l'accompagnement. De plus, tu sais bien que la plupart du temps, souvent à tort d'ailleurs, c'est à la chanteuse que le public réserve ses doléances. Tout comme c'est à elle qu'il attribue le succès du concert !

— Je sais.

— Alors ?

La porte de la salle de répétition claqua. La cantatrice apparut. Elle agita un bras dans les airs pour saluer Miville et le père Aquin : ses nombreux bracelets tintinnabulèrent comme la bélière d'un bouc en rut qui galope joyeusement derrière les brebis.

— Bonjour, messieurs ! Ah... Quelle chaleur pour un début d'avril, n'est-ce pas ?

Les deux hommes suivirent des yeux la flamboyante chanteuse. Elle s'empressa de déposer son cahier sur le lutrin et, de ses mains enfin libres, secoua son corsage pour ventiler au plus vite son buste à la gorge bien renflée, qui semblait souffrir d'une importante surchauffe !

— Bonjour, mademoiselle Tiernan. Vous êtes en avance, aujourd'hui, lança le père Aquin, à l'autre extrémité de la salle.

– Je sais. Que voulez-vous ? J'avais trop hâte de vous retrouver !

Miville déposa son violon et alla l'aider à se débarrasser de son manteau.

– Mon cher Miville ! Je suis si heureuse de te voir. Tu ne peux pas savoir combien ta présence à mes côtés me rassure, aujourd'hui. Ce concert me rend si nerveuse.

Carmen appuya son genou entre les cuisses de son fiancé et caressa tendrement sa joue du revers de la main. Elle y déposa ensuite, de ses lèvres humides, un fougueux baiser. Comme elle l'espérait, ces marques d'affection firent monter en flèche sa libido en fort bonne santé.

– Maintenant, au travail ! ordonna Carmen, en se retournant prestement vers son sac, abandonnant ainsi Miville à l'embarras de son érection.

Celui-ci feignit, d'une main, de mettre un peu d'ordre dans les partitions déposées sur le lutrin et, de l'autre, remonta son pantalon pour laisser à sa verge le temps et l'espace pour s'apaiser.

– Ne vous arrêtez surtout pas à cause de moi. Faites comme si je n'étais pas là. Je vous promets de me faire invisible, roucoula Carmen, moqueuse, tout en retirant ses lunettes de leur étui.

Miville la vit revenir vers lui. Il jugea dangereux de rester là et d'attendre plus longtemps que son vêtement reprenne ses plis normaux. Il rejoignit le père Aquin et le fixa droit dans les yeux afin qu'il n'ait ni l'envie ni le loisir de regarder plus bas.

– Je vais me réchauffer un peu la voix pendant que vous continuez à travailler. Je serai discrète. Ne vous en faites pas.

Aussitôt dit, aussitôt fait ! Carmen entama ses exercices en répétant des « miam-miam » avec l'exaltation d'un bébé affamé qui réclame sa tétée. Elle poussait ses drôles de phonèmes d'un demi-ton à l'autre, comme pour les habituer à grimper avec témérité, de ses cordes vocales jusqu'au maxillaire supérieur. De ce sommet, elle faisait rebondir avec puissance ces sons bizarres sur toute la partie interne de ses lèvres, comme pour s'en gargariser. Finalement, elle crachait ces pauvres sons désemparés avec la force d'un geyser qui propulse ses gerbes d'eau dans le fol espoir d'éclabousser le firmament.

– Miam, miam, miam, miam, miam, miam, miam, miam, miam, s'égosillait Carmen.

Miville voulait ignorer les acrobaties vocales de Carmen, mais le défi était de taille. Parfois, les manifestations de l'énergie diabolique de Carmen déplaisaient carrément à Miville. D'autres fois, cette manière d'être particulière l'excitait au point de chambouler ses sens et de tenailler son désir jusqu'à ce que ses pulsions deviennent insoutenables, comme maintenant. Miville reprit son violon. Il cala son menton dans la mentonnière, prit son archet et fixa ses partitions. Mais il ne pouvait pas bouger. Rien à faire. Il n'arrivait pas à trouver la concentration nécessaire pour travailler. Il déposa alors son instrument et décida d'observer Carmen. Le père Aquin l'imita. La chanteuse semblait l'avoir fait exprès. Elle savait que les deux hommes la regardaient et son changement subit d'attitude traduisait sa satisfaction. Encore une fois, elle venait de mesurer l'étendue de son infaillible pouvoir d'attraction. La vanité étira son visage jusqu'à ce qu'il se transforme en une ridicule caricature dramatique. Ses longs doigts se mirent à mimer, d'un mouvement exagéré et artificiellement sensuel, le voyage des sons qui décollaient de sa cage thoracique et s'envolaient vers le monde des possédés. Carmen se donnait en spectacle. Carmen était heureuse.

Le père Aquin remarqua la métamorphose. Sans comprendre pourquoi, cette transformation l'agaça. En raison de ses connaissances en musique, le religieux était en mesure de reconnaître le talent de la chanteuse. Il admettait, sans le moindre doute, que la voix de la jeune femme était l'une des plus justes, des plus riches et des plus émouvantes qu'il ait eu le privilège d'entendre. Lui qui d'ordinaire ne se préoccupait guère des travers des uns et des autres, il éprouvait pourtant, tout à coup, une étrange sensation d'inconfort. La cause de ce malaise lui échappait toutefois. Il pensa d'abord que ce sentiment pouvait être lié aux allures excentriques et au comportement égocentrique de la cantatrice. Après quelques instants de réflexion, il écarta l'hypothèse. Indubitablement, le frisson qui lui parcourait l'échine provenait d'une autre source, de quelque chose de plus profond que ce que ses yeux pouvaient percevoir. Quelque chose de mystérieusement insaisissable. Quelque chose d'innommable et, à bien y penser, peut-être beaucoup trop subjectif pour mériter autant d'attention.

Déterminé à se débarrasser de ses préoccupations, le père Aquin récupéra son cartable laissé sur une chaise, à côté de la porte, et se proposa de relire ses partitions. Il s'assit. Tout à coup, il remarqua avec amusement que sa position, par rapport à celles de Miville et de Carmen, constituait le sommet d'un triangle scalène. Grâce à ce recul, il pouvait voir maintenant au-delà des visages. La distance qui le séparait de Carmen et de Miville lui révélait une réalité toute différente. Pour la première fois, il percevait non plus l'image des individus, mais l'image de la relation entre ces individus. Il était incapable d'en décoder le sens avec précision, mais il en devinait maintenant la complexité. La force inextricable, ourdie de désir, d'amour et de haine qui unissait Miville et Carmen, jaillit tout à coup devant ses yeux, franche comme un éclair qui fend le ciel en annonçant les déflagrations prochaines du tonnerre. Voilà ce qui l'agaçait.

Le père Aquin ne pouvait pas prédire l'avenir. Il n'avait pas non plus le pouvoir de percer les secrets humains, ni de comprendre les motivations cachées. Pourtant, un étrange sentiment l'habitait. Tout à coup, il avait peur. Peur de son impuissance. Peur de la fatalité. Peur de voir Miville souffrir. Mais le destin devrait suivre son cours. Personne ne pouvait jouer sa vie sans fausses notes.

Le vieux religieux sortit de la salle de répétition. Un coup d'eau fraîche le soulagerait du délire qui troublait sa raison. Qui était-il donc pour juger ainsi du bien et du mal ? Qui était-il pour prétendre savoir ce qui était bon ou mauvais pour l'autre ? L'amour, aussi grand soit-il, ne justifiait en rien ce besoin de contrôle absolu, même pour le bien de l'être aimé. Un homme d'Église aurait dû savoir cela.

Chapitre 24

Tartes aux carottes

Le coffre d'outils pesait lourd au bout du bras de Camille. Elle avait embarqué les deux échelles, les poulies, les cordes, les planches de bois restantes, la cire, les boîtes de clous et les guenilles de coton. La journée avait été aussi excitante que bien remplie. Elle rêvait d'un peu d'eau fraîche pour se débarbouiller, et de vêtements propres pour s'affranchir de sa salopette rugueuse recouverte de graisse, de terre, de sable, de rouille, de bran de scie, de goudron et de poussière de macadam. Il lui restait toutefois assez d'énergie pour chantonner sa joie en marchant jusqu'au buggy. Elle déposa le long coffre de bois à ses pieds, sous le plateau de la voiture. Enfin, elle se planta, jambes écartées et mains dans les poches, pour admirer une dernière fois la nouvelle Banque de Montréal avant de rentrer à la maison. De l'autre côté de la rue, mademoiselle Fournier la héla.

— Bravo, mademoiselle McCready ! C'est du beau travail ! Vous avez de quoi être fière ! De plus, à ce que l'on m'a dit, l'intérieur est tout aussi remarquable que l'extérieur ! J'ai hâte de voir ça.

Camille se tourna vers la jolie et charmante fille du docteur Fournier, celle-là même qui avait la grandeur d'âme de poser pour monsieur Chaperon.

– Merci, c'est gentil à vous.

– C'est surtout sincère. Dire que Saint-Jérôme a maintenant sa succursale de la Banque de Montréal ! Vous savez que c'est l'une des deux plus importantes banques du Canada ?

– Non. Je ne le savais pas.

– Reste maintenant à espérer que ses dirigeants en feront autant pour nous que vous en avez fait pour eux !

– C'est sûr qu'ils vont en faire bien plus pour nous que j'en ai fait pour eux ! Je sais que vous dites ça pour me complimenter, et sachez que je l'apprécie... J'ai l'impression que vous êtes en train de comparer des carottes avec des oranges.

– D'une certaine manière, vous avez raison. Ce que je veux dire, c'est que les grandes institutions financières n'ont pas toujours une générosité aussi désintéressée que la vôtre, mademoiselle ! Allons ! Ne gâchons pas cette belle journée et souhaitons plutôt que Saint-Jérôme continue à prospérer et à s'embellir grâce à vos mains si habiles.

– Comme vous le dites, mademoiselle !

Camille se pencha et empoigna de nouveau son coffre d'outils, qui semblait s'alourdir d'une fois à l'autre.

– Ma foi, vous êtes aussi forte que Samson ! s'étonna mademoiselle Fournier en la voyant soulever une charge si importante.

– Samson ! Samson qui ?

– Le Samson de la Bible. Celui qui avait une force surhumaine grâce à ses longs cheveux, et qui fut trahi par Dalila qui les lui coupa pendant qu'il dormait. Samson !

– Ah ! Ce Samson-là !

– Oui. Ce Samson-là. Faites attention à vos beaux cheveux et ne laissez personne vous les couper pendant votre sommeil. Sait-on jamais !

– Ouais... J'y veillerai, répondit Camille, soudainement perplexe devant l'esprit bien aiguisé de mademoiselle Fournier.

– Bonne fin de journée, mademoiselle McCready. Tâchez de vous reposer un peu !

– À la revoyure !

Mademoiselle Fournier traversa la rue. Camille balança de toutes ses forces son gros coffre d'outils afin de lui donner l'élan nécessaire pour le charger sur la charrette. La poussée amena l'objet à la hauteur voulue. Camille lâcha la poignée pour laisser le coffre atterrir de lui-même sur la plate-forme. Mais à ce moment, en hennissant, Lucky avança d'un pas. Un seul pas. Un tout petit pas qui tira la voiture un tout petit peu en avant du point où le coffre aurait dû se poser.

Impuissante, Camille regarda le coffre de bois s'écraser sur la chaussée, où il s'éventra : marteau, maillet, masse, rabot, égoïne, pied-de-roi, niveau, vilebrequin, lime, corde et ciseaux à bois s'échappèrent de la carcasse démembrée. Se tenant la tête entre les mains, Camille sautilla pour éviter qu'un outil ne lui écrase un orteil en rebondissant. Une fois la tempête passée, la jeune femme s'inquiéta davantage de son cheval que du fouillis qui l'encerclait. Elle voulut aller voir au plus vite ce qui avait provoqué son agitation. Elle longea la voiture jusqu'à la banquette, d'où elle aperçut Lucky fouillant avec audace dans la poche d'un jeune homme qui semblait fort heureux de cette hardiesse.

Camille n'en crut pas ses yeux. À première vue, le jeune étranger semblait encore plus séduisant que l'acteur américain William Duncan qu'elle avait vu embrasser Mary Pickford, sur le grand écran du Ouimetoscope, lors d'une sortie avec Carmen. Ce garçon avait l'allure d'un bourgeois de la grande ville, à l'exception de son chapeau élimé et de son visage dénué de cette sévérité ternissant trop souvent le regard des gens dont la fortune était la principale préoccupation. Ses habits étaient si bien coupés que, tout à coup, à côté de lui, Camille se sentit ridicule dans son accoutrement de tous les jours. Le beau géant portait un complet couleur d'encre de seiche, sur lequel des rayures, aux reflets topaze et délicatement parfilées, mettaient en valeur sa silhouette impressionnante, du rebord de son feutre étrange jusqu'à la blancheur de ses guêtres. Sous son galurin, patiné et poussé vers l'arrière d'une manière libertine, deux billes de lazulite, bien allumées, pétillaient de coquinerie, de culot et, surtout, d'un charme irrésistible.

L'inconnu ne remarqua Camille que lorsque l'ombre des longues jambes d'une troublante créature qu'il suivait des yeux se fut complètement évanouie. Tant de beauté lui avait presque fait oublier le tapage provenant de l'arrière de la voiture. L'observation lui avait donné chaud ; il avait fait basculer son feutre derrière les pavillons légèrement décollés de ses oreilles et s'était étiré le cou pour tenter de chasser l'inconfort d'un col amidonné plus raide qu'un tore de plâtre.

« Quelle ville charmante », pensait-il, oubliant le cheval qui fourrageait dans sa poche pour y retrouver un peu de ce qu'il venait de lui offrir.

Camille ne bougeait pas. Tout à coup, elle aurait souhaité profiter d'une soudaine poussée de croissance et voir ses habits sales et élimés se changer comme par enchantement en une jolie toilette, avant d'être aperçue par cet homme devant lequel elle se sentait démunie. Malheureusement, aucune bonne fée ne voulut venir à sa rescousse. Considérant ses responsabilités de fille bien élevée, elle décida qu'elle ne pouvait pas rester là à attendre toute l'éternité l'intervention de saint Jude pendant que son cheval agissait sous son nez comme un véritable polisson. Elle se résolut à marcher sur son orgueil et prit sur elle d'aller corriger son étalon galopin. Elle s'avança jusqu'à la nuque de Lucky, empoigna la sous-gorge de la bride et dégagea avec fermeté les naseaux effrontés de Lucky.

– Toutes mes excuses, monsieur ! Je ne sais pas ce qui lui prend.

– Pas d'offense. Un contretemps fâcheux, mademoi... ?

L'étranger ravala sa dernière syllabe quand il vit la jeune personne à qui il parlait. L'allure inhabituelle de cette drôle de petite femme le souffla. Il la dévisagea de la tête aux pieds et sourit.

– Oh ! Dites-moi si je me trompe, mais vous ne devez certainement pas passer vos journées à faire des tartes...

Camille sentit ses pieds s'enfoncer dans le sol, comme les racines paniquées d'un géranium fraîchement rempoté qui cherchent avec émoi les limites de son nouvel espace.

Elle qui avait généralement la réplique facile ne trouvait rien à dire. Elle avait envie de courir s'abriter sous la voiture et d'attendre là que ce jouvenceau, beau comme un adonis et arrogant comme un monarque, retourne en vitesse d'où il venait. Dieu merci pour sa fierté, elle réussit à esquisser un rictus poli, en tirant sur Lucky qui insistait pour se coller à son nouvel ami.

— Attendez, mademoiselle !

Le jeune homme brandit hors de sa poche une demi-carotte déjà grignotée.

— C'est pour lui. J'avais commencé à la lui donner, il y a... un moment ! En fait, juste avant de voir, là, derrière, la madem... La ville, je veux dire ! Oui, la ville ! Saint-Jérôme est une bien belle ville, ne trouvez-vous pas ?

Camille soupira, peu intéressée à son histoire. Tout ce qu'elle souhaitait, c'était que l'homme finisse par la donner au cheval, sa damnée carotte, afin qu'elle puisse déguerpir chez elle au plus vite.

— Est-ce cette côte-là, la côte Saint-Georges ? s'enquit le jeune homme, en fourrant le dernier trognon de la carotte au fond de la gueule de Lucky.

— Oui.

— Madame de Tonnancourt, vous la connaissez ?

— Oui.

— C'est vrai qu'elle habite en haut de cette côte ?

– Oui. C'est la grosse maison rouge et blanche avec une galerie tout autour, sur votre gauche. Vous ne pouvez pas la manquer.

– Merci.

L'étranger agita son étrange chapeau et fit un pas dans la direction indiquée.

– C'est une bien belle bête que vous avez là, mademoiselle ! Une bien belle bête, croyez-moi !

Camille lui rendit un sourire forcé, en opinant de la tête. Les dents serrées, elle murmura :

– Voir si j'ai besoin qu'un garçon comme toi me dise que Lucky est une belle bête ! Je le sais bien que mon étalon, c'est le plus beau cheval du canton ! Tu peux bien aller te faire voir, grand dadais !

Camille retourna derrière la voiture pour y ramasser ses outils. Un de ses lacets, qui pendouillait entre ses pieds, la fit trébucher : elle plongea tête la première dans la boîte de guenilles. En se relevant, elle s'érafla le front sur les planches de bois qui dépassaient de la charrette et, en se penchant pour ramasser les outils, elle s'enfonça dans l'abdomen le manche d'un ciseau à bois oublié dans la poche de sa salopette. Après ces déboires, elle put finalement commencer à empiler les outils dans ses bras. Sans raison apparente, l'exercice lui semblait laborieux. Camille s'apprêtait à déposer les outils sur le plancher de la charrette, mais les objets maléfiques lui filèrent encore une fois des mains, comme des anguilles visqueuses, et retombèrent là où ils semblaient vouloir rester. Décidément, rien n'allait.

– Ah ! Damnée carotte ! ronchonna Camille, excédée et levant les bras au ciel.

Elle se remit à la tâche, contrariée de devoir gaspiller tant d'énergie pour réparer les ravages du passage de ce grand brun à l'insolence facile. Afin d'atteindre un tournevis qui avait roulé sous la charrette, Camille s'accroupit et trouva appui en posant sa joue contre la roue. Elle se rendit compte que, dans cette position, elle pouvait voir l'étranger qui montait la côte. Elle se dissimula alors comme une fillette qui joue à cache-cache et observa le bel inconnu.

– Mon Dieu, Camille ! Pour l'amour... Qu'est-ce qui t'arrive ?

Camille sursauta en voyant poindre dans sa cachette le visage rougi et renversé de son père. En tentant de sortir de son poste d'observation, elle se cogna la tête sur le rebord de la charrette et retomba sur le derrière.

– Ouille !

Son père lui tendit la main.

– Mais qu'est-ce que tu fabriques là-dessous ? Je te croyais rendue à la maison !

Ernest regardait partout autour de lui, cherchant à voir ce que sa fille guettait ainsi.

– Qu'est-ce qui s'est passé ? s'enquit-il, en montrant les outils étalés sur le pavé. On dirait que tu viens de rencontrer le Bonhomme Sept Heures en personne !

Sans répondre, Camille ramassa de nouveau ses outils. Brusquement, elle se mit à rire.

– Papa ! Je vais me lancer dans les tartes !

– Dans les tartes ! Qu'est-ce que tu racontes ?

– Dans les tartes aux carottes !

– Ma pauvre fille ! Es-tu en train de perdre la raison ?

– C'est un beau projet.

– De perdre la raison ?

– Non. Les tartes. Les tartes aux carottes. Je vous ramène, papa ?

– Es-tu certaine, ma fille, que nous allons au même endroit ? lâcha Ernest avec un regard inquisiteur, ne sachant trop s'il s'adressait à sa fille ou à une étrangère.

– Je penserais que oui, lança Camille avec un clin d'œil coquin.

Camille claqua les rênes sur la croupe de Lucky, qui s'élança à toute allure dans la grande côte. La secousse du départ faillit projeter Ernest dans le décor. Pour rester du voyage, le vieux Mac empoigna la balustrade servant à protéger le passager des émotions trop vives de la route et qui, en cet instant, s'avérait d'une utilité indiscutable.

– Ralentis un peu, ma fille ! À ce train-là, on risque de se retrouver tous les deux assis sur l'essieu, et pris pour faire traîner nos semelles de bottines sur le macadam pour s'arrêter. Pour ma part, je ne pense pas avoir encore assez de corne sous les pieds pour être capable de faire ça.

Ignorant les doléances de son père, Camille se leva. Debout dans la voiture, elle continua de plus belle à pousser Lucky au bout de ses limites. Ernest enfonça son chapeau sur sa tête et s'agrippa à deux mains. Dans un épais nuage de poussière, le tombereau doubla l'étranger. Sans le regarder, Camille marmonna pour elle seule :

– Tiens, mon grand ! Voilà un morceau de ma tarte aux carottes ! Passe-toi ça entre les dents !

Le jeune homme eut tout juste le temps de reconnaître l'étalon bai et la silhouette de l'étrange petit bout de femme déchaînée qui le conduisait. Il retroussa son feutre fané et tira de sa poche son mouchoir de batiste pour s'essuyer le visage.

« Eh ! ben, dites donc ! Ce n'est vraiment pas des tartes qu'elle fait, cette petite dame. Oh que non ! » pensa le grand gaillard, amusé par cette démonstration de savoir-faire bien peu subtile.

Chapitre 25

Le miracle du succès

Carmen éclatait de fierté. Elle saluait les spectateurs pendant que les applaudissements retentissaient depuis le fond de la salle jusque dans les coulisses. Les gerbes de fleurs rouges, roses, jaunes et blanches volaient jusqu'aux pieds de la chanteuse triomphante et emplissaient l'air d'un doux parfum d'idolâtrie. L'architecture désordonnée du jardin de rubans de velours, de soie et de satin, aux coloris plus variés encore que les fleurs qu'ils retenaient, se transformait sans cesse sur la scène, au rythme fou des bravos scandés par la foule ravie. Les musiciens avaient donné une performance remarquable et, de toute évidence, Carmen avait conquis l'auditoire. Au troisième rappel, le rideau tomba.

Les spectateurs quittaient leurs sièges. Peu à peu, les murmures de la salle s'éteignirent. Derrière le rideau, l'émotion émoustillait le cœur des artistes heureux qui rompaient enfin, les uns après les autres, le silence de la réussite. Fiers du succès de leurs efforts, les musiciens s'échangeaient quelques tapes amicales. À l'arrière-scène, le père Aquin, submergé par la joie, papillonnait là où son cœur le conduisait. Avec une reconnaissance intarissable, il remerciait chaque être humain qu'il rencontrait, du balayeur au cintrier, en passant par madame Molson jusqu'au maire Martin.

À l'avant-scène et à l'écart du groupe, Carmen s'emplissait les bras des plus beaux et des plus gros bouquets. Les dizaines d'autres étaient ramassés par deux fillettes aux boucles châtaigne et carotte, qui les cueillaient en courant d'un bout à l'autre de la scène, avec l'amusement de farfadets ébahis chassant des perles de rosée. Dans l'obscurité des coulisses, Sarah trépignait de joie. Elle attendait avec impatience que sa fille la rejoigne pour la féliciter de ce tour de chant digne des plus grandes cantatrices.

Plusieurs admirateurs s'étaient faufilés derrière le manteau d'Arlequin, du côté cour de la scène, pour exprimer leur ravissement à la vedette de la soirée. Ils ne cessaient d'arriver et commençaient à se faire si nombreux qu'ils se marchaient sur les pieds. Au milieu de cette agitation, non seulement Sarah pouvait à peine respirer, mais elle devait protéger ses escarpins tout neufs des pieds balourds de certains spectateurs trop empressés. Noyée comme elle l'était dans cette marée humaine, elle doutait de plus en plus que Carmen arrive à la repérer. Elle tâcha de s'écarter de la foule et chercha à avancer vers le bord de la scène. Là, elle serait plus confortable et sa fille chérie finirait certainement par l'apercevoir. Son plan lui parut toutefois moins génial lorsque, à sa grande déconvenue, elle comprit que la horde de fans l'imitait, compliquant ce qui devait pourtant être simple.

Le *crescendo* excité des ricanements et des chuchotements qui montait derrière Carmen avertit celle-ci de l'arrivée de ses admirateurs. Sans attendre que la foule se resserre autour d'elle, elle redressa vite les épaules et la tête, rentra son ventre et camoufla sa vanité derrière les gerbes fastueuses qu'elle tenait dans ses bras. D'un pas impossible à deviner sous sa longue robe de mousseline brodée de fil d'organsin doré, elle glissa solennellement vers eux à la manière d'une aristocrate, remorquant sans le moindre effort sa très longue traîne en tulle d'écume et de nuages. Elle soutenait fièrement les regards adorateurs qui la détaillaient. Étrangement, son visage restait pourtant de marbre. Ni les mines réjouies, ni les sourires généreux, ni les yeux charmeurs n'avaient le pouvoir de dérider son air tragique emprunté, pour l'occasion, au répertoire des divas.

Voyant Carmen s'avancer vers elle, Sarah ouvrit grand ses bras, comme un ange gardien qui déploie ses ailes pour inviter à y plonger. Mais Carmen n'y plongea pas. Dès qu'elle sentit son incommensurable bouquet toucher la minuscule poitrine de sa génitrice, Carmen s'arrêta. La chanteuse avait estimé la distance nécessaire pour éviter d'abîmer prématurément l'éclat de ses précieux végétaux. De cette distance, elle pencha la tête et frôla poliment la joue de sa mère, avec une moue empreinte d'une tiède et triste indifférence.

– Tu as été magnifique, Carmen ! Ton père n'a pas pu venir, mais il t'embrrr...

La halte de la jeune artiste fut si brève que lorsqu'elle pivota pour s'offrir corps et âme à son public bouillonnant d'impatience, Sarah babillait encore. Les fans l'accueillirent avec un déferlement d'enthousiasme qui ballotta la mère de la vedette dans tous les sens, et la propulsa tout au fond de la scène, où elle s'échoua aux côtés de Miville. Cette destination n'était manifestement pas celle qu'elle convoitait, mais Sarah ferait contre mauvaise fortune bon cœur. Ne retrouvait-elle pas quelqu'un qui saurait écouter et comprendre les mots qu'elle destinait à sa fille adulée... ?

– Miville ! Bravo, mon garçon ! Ce concert était tout à fait merveilleux !

– Merci, madame Tiernan. Nous devons une fière chandelle à Carmen. Ce soir, sa performance a été absolument parfaite.

– Ah... C'était bien beau à entendre. Et à voir la quantité de gens qui la complimentent, on dirait qu'on n'est pas les seuls à avoir apprécié.

Songeur, Miville observait Carmen. Plus d'hommes que de femmes l'entouraient, mais Carmen ne semblait pas éprouver la moindre gêne de cette considérable présence masculine. On lui faisait des invitations et des propositions. On lui offrait même des porte-bonheur : médailles, plumes, mouchoirs et pièces de monnaie. On lui tendait des billets doux, on lui embrassait la main et on insistait pour la raccompagner. De toute évidence, Carmen nageait dans ce monde superficiel comme un poisson dans l'eau.

Résigné, Miville ramassa son écrin et ses partitions et salua madame Tiernan.

– Vous m'excuserez, madame, je dois être à l'épicerie tôt, demain matin.

– Voyons, Miville ! Vous n'attendez pas Carmen ? s'étonna Sarah, sous le choc.

– Je ne crois pas qu'il soit nécessaire que je la raccompagne, ce soir.

– Mais qu'est-ce qui vous arrive, mon garçon ? Ne me dites pas... C'est ça, n'est-ce pas ? Vous êtes jaloux.

– Jaloux ? Non. Pas jaloux. J'avoue cependant que je doute.

– Vous doutez ?

Sarah se tourna prestement vers Carmen, cherchant ce qui pouvait susciter ces doutes. Elle ne constata rien d'anormal dans son comportement. Rien qui, lui semblait-il, méritait des reproches.

– Vous doutez de l'intégrité de Carmen ? risqua-t-elle, tentant de comprendre les états d'âme du jeune homme qu'elle aimait tant.

– Pas de son intégrité, non. Je doute plutôt de l'authenticité de ses sentiments à mon égard, madame Tiernan. Voyez-vous, je suis de moins en moins certain d'être l'homme dont elle a besoin.

– Pourquoi ? Regardez tous ces galants qui tournent autour d'elle. Voyez ! Carmen fait semblant. Elle joue. Tout ça n'est qu'un cirque pour elle. Vous la connaissez ! Ce n'est qu'une mascarade, sa mascarade à elle, pour devenir une chanteuse populaire. Rien de plus. Lorsque le spectacle est fini, vers qui revient-elle toujours ? Hein ? Dites-le-moi ? Vers vous, Miville ! Parce que c'est vous qu'elle aime et personne d'autre. Ça crève les yeux !

– Carmen et moi sommes différents, madame Tiernan. Si différents ! Nous nous sommes connus grâce à notre passion commune pour la musique. Mais aujourd'hui, je m'aperçois que Carmen et moi vivons cette passion d'une manière difficilement conciliable. Voyez-vous, moi, quand je joue du violon, je reste moi. Je ne cherche pas à m'inventer un cirque ou une mascarade. La musique me comble. La musique m'apporte ce que je cherche. Elle me suffit. Elle me rend heureux pour ce qu'elle est. Tandis que pour Carmen, la musique est un prétexte. Un moyen. Elle se sert de la musique pour être vue, d'abord, et ensuite pour être entendue. La musique est ma vie parce que j'ai besoin d'être en relation avec elle. La musique fait partie de la vie de Carmen, parce qu'elle lui permet de briller, de charmer, d'être admirée et adulée. Vous comprenez ? Sincèrement, madame Tiernan, je crois que je ne pourrai jamais rendre Carmen heureuse. Il lui faut plus que ça. Plus que moi.

— Vous devez être très fatigué, mon garçon, pour tenir un tel discours ! Vous avez beaucoup travaillé ces derniers jours. Beaucoup trop. Je ne soufflerai pas un mot de cette conversation à Carmen. Allez d'abord dormir. Demain, vous y verrez plus clair. Mon Dieu ! Carmen vous aime, croyez-moi. Et vous savez combien je vous aime aussi. Nous avons toutes les deux besoin de vous. Ne prenez pas de décision précipitée. Vous le regretteriez. Commencez par vous reposer. D'accord ?

— Madame Tiernan..., soupira le jeune homme. Je vous aime, moi aussi, mais la question est ailleurs. De toute façon, je ne peux rien dire à Carmen pour l'instant. Si j'ai de la chance, j'aurai mon tour dans une heure... Mais je suis trop crevé pour attendre aussi longtemps. Ce qu'il me reste de mieux à faire dans l'immédiat, c'est d'aller dormir. J'en ai, en effet, grand besoin. Chère madame Tiernan, veuillez m'excuser si je ne vous raccompagne pas. Je me doute bien que vous souhaitez rentrer avec Carmen. Surtout, ne vous inquiétez pas outre mesure. Je n'aurais jamais dû vous parler comme je viens de le faire. Bonne nuit, madame.

— Bonne nuit, mon garçon. Je saluerai Carmen de votre part !

Miville ne répondit pas. Sarah tâcha de dissimuler son émoi en plaçant sa main sur sa bouche. Elle réussit à contenir sa frayeur le temps que Miville disparaisse en douce, côté jardin. Quand les ténèbres de la coulisse l'eurent complètement avalé, elle lâcha la bride à son angoisse. Elle se mit à pirouetter sur elle-même, comme une girouette bringuebalée par des rafales de vents provenant à la fois de l'est et de l'ouest. Elle tentait de retrouver le nord en tournoyant sur elle-même, du côté cour puis du côté jardin, répétant inlassablement :

— Mon Dieu ! Qu'est-ce que je dois faire ? Mais qu'est-ce que je dois faire ? Dites-le-moi, je vous en supplie !

Sarah caracolait ainsi comme une toupie qui s'épuise avant de vaciller puis de s'arrêter, inerte, couchée sur son flanc. Comme elle sentait ses forces la quitter, elle choisit de se poser sur une des chaises des musiciens. Elle allait capituler, mais elle tenta une dernière imploration :

— Seigneur ! Un miracle ! soupira-t-elle cette fois, totalement vaincue par son impuissance.

— Vous n'avez jamais si bien dit. Un véritable miracle, madame Tiernan ! lança le père Aquin, en apparaissant entre les rideaux de l'arrière-scène. Aucun terme n'est plus éloquent pour décrire cette soirée. Et un miracle qui perdure, ma foi ! ajouta-t-il lorsqu'il remarqua que Carmen était toujours sollicitée par ses admirateurs.

— Oh oui ! Tout un miracle... S'il vous plaît, mon père, vous voulez bien vous asseoir, là, à côté de moi, un petit moment ? supplia Sarah d'une voix tremblante.

— Mais avec plaisir.

– Vous qui vous y connaissez en miracles... Voudriez-vous m'éclairer un peu ? Racontez-moi ce que vous savez sur ces choses extraordinaires de la vie qui se produisent comme ça, parfois par enchantement et parfois par désenchantement... S'il vous plaît !

Chapitre 26

Flush de cœur

Magdaline avait offert au jeune Calvé la plus grande des chambres de l'étage. À peine plus longue que large, la pièce était spacieuse, et le soleil d'après-midi en éclairait les moindres recoins. La lumière entrait par deux larges fenêtres dont l'une, du côté ouest, donnait sur la rue Saint-Georges et l'autre, du côté sud, sur la maison des voisins, les McCready. Félix avait été immédiatement charmé par l'endroit. Dès que Magdaline lui avait ouvert la porte, il avait constaté avec plaisir qu'elle n'avait rien de ces vieilles logeuses ronchonnes qui accueillent généralement des pensionnaires chez elles. Félix n'aurait pas pu dire son âge. Mais peu lui importait ; Magdaline de Tonnancourt lui plaisait.

Tout ce qui gravitait autour de cette femme l'avait d'emblée fasciné. Tout dans cette demeure différait des intérieurs dont il gardait souvenance. Contrairement aux camps des chantiers, partout des couleurs éclatantes et inusitées égayaient l'espace. Des bleus, des roses, des rouges, des jaunes et des verts audacieux déjouaient la monotonie habituelle des aires monochromes. Ce déluge de teintes habillait tout aussi bien les murs, les planchers, les meubles et les rideaux que les mille et un accessoires qui semblaient avoir, dans chaque recoin, une histoire particulière à raconter. Chaque pièce sentait la vie à plein nez. Mais une vie différente de ce qu'il connaissait. Une vie désobéissant aux normes établies, empreinte de respect, d'amour, d'imagination et de joie de vivre. Une vie qui bourgeonnait, du rez-de-chaussée à l'étage, de luxuriants géraniums en pots, et qui défiait, là où on s'y attendait le moins, tous ces interdits qui patinent généralement le quotidien de regrets.

Même le salon n'était pas tristement condamné à l'hibernation. Il n'attendait pas la venue de visiteurs pour s'animer. Quelques livres, çà et là, du papier, une bouteille d'encre, une plume, des disques éparpillés, des lunettes et une espèce de tavaïolle élimée, lisérée de dentelle de soie et abondamment garnie de poils de chat, marquaient l'espace d'activités humaines et animales.

Bayou, l'imperturbable matou caramel, compagnon plus fidèle qu'un chien, avait choisi l'endroit pour y établir ses quartiers... avec la permission de sa maîtresse, évidemment. Il s'était approprié le plus haut sommet du sofa et en avait fait son observatoire préféré. Il s'allongeait sur sa tavaïolle d'adoption jusqu'à ce que ses pattes soient tendues au point de chatouiller l'infini, par-derrière comme par-devant. Il sommeillait là pendant des heures, mais gardait toujours un œil ouvert afin de recenser les hirondelles qui faisaient l'aller et le retour entre la corniche de la maison et les érables qui bordaient la rue. Au dire de Magdaline, Bayou regagnait ce même poste d'observation pour surveiller la flamme de la lampe lorsque, certains soirs, elle s'installait devant le secrétaire pour entretenir sa correspondance intime.

Bayou n'avait rien d'une bête désagréable, mais Félix n'éprouvait aucune attirance pour les chats, qu'il jugeait trop sournois et indépendants pour qu'il leur offre sa confiance.

Il n'avait pas l'intention de lui faire la guerre, bien sûr. Toutefois, il comptait bien que le matou n'empiète d'aucune manière sur son nouveau territoire.

Si le cœur du jeune Calvé ne battait pas la chamade pour les félins, il en allait tout autrement pour les représentants de la race équine. Aussi était-il infiniment reconnaissant à Magdaline de lui avoir prêté sa vieille Vertu en attendant qu'il se décide à acquérir une nouvelle monture. Vertu avait été prénommée ainsi parce que la jument isabelle incarnait, aux yeux de Magdaline, la plus noble des quatre vertus cardinales : le courage. Félix avait craqué pour Vertu en la voyant. Avec les années, sa robe s'était un peu fanée et ses oreilles légèrement affaissées, mais quand Félix avait glissé doucement ses doigts le long de son encolure, il avait senti son pelage se dresser de vigueur. Il avait décidé de faire de Vertu sa protégée. Il lui avait promis quelques bonnes galopades, histoire de lui rappeler ses jeunes années.

Félix était tombé sur un véritable paradis terrestre : une logeuse exquise, une maison charmante, une Vertu à soigner et, en plus, un voisinage délicieusement féminin. Le jeune homme croyait dur comme fer que le bon Dieu avait créé deux grandes merveilles dans la vie : les chevaux, bien sûr, mais surtout, surtout, les femmes ! Il aimait les femmes un peu pour les mêmes raisons qu'il aimait les chevaux. Selon lui, il n'y avait rien de plus beau au monde qu'une belle paire de fesses ou qu'une belle paire de pattes, qu'elles soient féminines ou chevalines ! Félix avait un flair inné pour repérer, à des milles à la ronde, toutes les belles fesses rondes et toutes les grandes pattes fines des alentours. Mais toujours celles des femmes avant celles des chevaux...

Dès qu'il s'était collé le nez à la fenêtre de sa chambre, il avait aperçu la prodigieuse corde à linge de la maison voisine. Quel céleste spectacle ! Sur cette corde, une interminable guirlande de dessous affriolants tout blancs volait au vent avec frivolité ! Félix n'avait jamais vu pareil étalage de caracos, combinettes, combinaisons, camisoles, corselets, corsets, culottes et soutien-gorge ! Et surtout pas dans sa famille. Félix étant le quatrième d'une famille de cinq garçons, les cordes à linge de ses souvenirs étaient loin d'avoir le charme de celle-ci. Quant à celles du chantier, en plus de répandre des effluves de castor faisandé, elles ressemblaient plus souvent qu'autrement à une triste parade de chaussettes à la mine sidérée et de combinaisons à panneau élimé, aux couleurs de terre, de lichens et de cambouis. Rien à voir avec ce qu'il avait actuellement sous les yeux. S'il ne s'était pas retenu, il se serait précipité à bride abattue et serait allé fourrer son nez dans ces cotonnades à frisons et à dentelles, histoire de respirer un peu de l'odeur des courbes féminines qui, en temps normal, habitaient ces vêtements que les hommes déploraient de ne voir que trop rarement.

À l'instant où Félix avait tourné les yeux vers la corde à linge, Magdaline avait compris l'intérêt de son nouveau pensionnaire pour les dessous féminins et, fort probablement, pour ce qui se retrouvait à l'intérieur une fois qu'ils étaient secs. Elle avait ajouté à son plaisir en lui apprenant que non pas une, ni deux, ni trois, mais bien quatre jolies filles vivaient dans la maison voisine. Félix avait accueilli la nouvelle avec ravissement, par souci de politesse. Cependant, son sens de l'observation pointu et son œil de connaisseur lui avaient déjà permis de remarquer que quatre tailles différentes de culottes et deux de soutien-gorge se balançaient en effet sur la corde. Avant même que Magdaline ne le lui confirme, il avait compris que deux de ces créatures étaient trop jeunes pour faire l'objet de ses fantasmes. Quatre moins deux faisant deux, il en restait encore deux susceptibles d'attirer et d'attiser son intérêt. C'était somme toute un pourcentage honorable.

Félix rêvait d'épier ses voisines et espérait pouvoir croquer, à la dérobée, quelques images secrètes de cette volupté féminine dont il ne se lassait pas de découvrir de nouveaux aspects. Il n'y avait pas de temps à perdre. Aussi insista-t-il auprès de Magdaline pour s'installer dans ses nouveaux quartiers le soir même. Il irait faire les quelques courses qui lui restaient encore et se rendrait ensuite à l'hôtel Lapointe pour y ramasser ses effets personnels. Il reviendrait un peu après la brunante, vers neuf heures. L'arrangement convenait à Magdaline.

L'horloge du grand hall d'entrée n'avait pas encore sonné le premier coup de sept heures que Félix faisait les cent pas, sa valise à la main. De temps en temps, il déposait son bagage, sortait sa montre, la regardait, soupirait, la replaçait dans sa poche, reprenait son bagage et recommençait à tourner en rond. Le temps ne passait pas. Félix ne pensait qu'à retrouver Magdaline, Vertu, la maison, sa chambre et sa divine fenêtre. Après de longues minutes d'éternité et un chapelet de réflexions, l'horloge sonna finalement sept heures. Au septième coup, Félix décida qu'il n'allait pas mariner là une seconde de plus.

— Ah ben ! *Boswell* ! Si c'est pas le grand Calvé !

Félix se retourna et reconnut l'homme au chapeau qu'il avait rencontré chez McLaren, à Buckingham, en décembre.

— Monsieur Tiernan !

— Hé ! Comment va ta grande jument noire ? Je ne l'ai pas vue autour.

— Je l'ai vendue, monsieur. À un ami du chantier.

— Quel dommage ! C'était une fichue de belle bête.

– Oui, mais ce n'est pas la seule belle bête au monde, hein ? Les chevaux, c'est un peu comme les femmes... Vous, en avez-vous connu rien qu'une, dans votre vie ?

La question, un brin impertinente, déclencha un rire éclatant.

– Je t'aime bien, toi ! Ouais, tu me plais bien. Qu'est-ce que tu dirais d'un petit scotch ?

– Euh..., réfléchit Félix. Pourquoi pas ! J'ai quelques heures devant moi. Mais, pour moi, ce sera du Southern Comfort ! conclut-il en se disant qu'il valait mieux, au fond, qu'il arrive chez Magdaline à l'heure entendue.

– Bon ! Une affaire de réglée ! Avant, viens voir ! Je vais te montrer ma nouvelle machine ! Une Graham-Paige, flambant neuve, avec les *bumpers* et les miroirs chromés ! Quelque chose de beau, mon garçon. Je viens juste d'aller faire essayer ça à mon cousin. Tu aurais dû le voir ! Il n'osait pas pousser à fond, parce qu'il paraît qu'à Saint-Jérôme, au-delà de douze milles à l'heure, tu te retrouves avec la police aux fesses. Tu parles d'une ville ! Ça a l'air que le maire a décidé ça parce qu'il y avait trop de gens qui se plaignaient de la poussière et de la senteur de gazoline ! Il y en aura toujours pour arrêter le progrès !

– Et, heureusement, il y en aura toujours pour le faire avancer !

– J'espère, *boswell* !

– Alors, votre cousin habite à Saint-Jérôme.

– Eh oui ! Juste en haut de la côte Saint-Georges.

– Vraiment ! Comment est-ce qu'il s'appelle ?

– McCready. Ernest McCready. La plupart des gens de la place l'appellent Mac.

– C'est certainement le seul McCready par ici, non ?

– Je penserais que oui, mais je ne pourrais jurer de rien.

– Je vais habiter...

Devant son magnifique bolide, Douglas interrompit Félix. L'engin à moteur, décapoté et au nez outrageusement caréné, était encerclé d'une dizaine de curieux qui reluquaient l'habitacle de cuir, les ailes bombées, flattaient les courbes pleines des phares et des rétroviseurs et astiquaient du bout de leur manche la carrosserie miroitante rouge pompier. On ne voyait pas souvent de pareils véhicules à Saint-Jérôme et leur passage créait de véritables commotions.

– Alors, mon grand ?

– Ouais ! C'est une vraie belle bête, monsieur Tiernan !

– Et comment donc ! Cinquante-sept chevaux-vapeur, quatre vitesses et des *brakes* hydrauliques ! Ça roule, ça, mon p'tit gars !

– Ça doit boire pas mal plus qu'un cheval, par exemple.

– Pour monter ça à soixante milles à l'heure, c'est certain qu'il faut y donner autre chose que de l'eau. C'est comme un homme, cette machine-là ! Ça a besoin de fort pour se remonter le piston !

Les deux lurons éclatèrent de rire comme de vieux complices.

– Je commence à avoir la gorge sèche, moi. Pas toi ?

En guise de réponse, Félix toussota d'une manière qui n'avait rien de naturel.

– La mienne me pique comme c'est pas possible. Je ne sais pas pourquoi.

– C'est parce que tu as le gosier sec, toi aussi. Viens-t-en vite ! Je ne te laisserai pas mourir de soif, tu peux compter sur moi.

Les hommes firent demi-tour en direction de l'hôtel. Douglas passa son bras sur l'épaule de Félix, comme si ce jeune homme était une connaissance de longue date, un ami cher ou son propre fils. De toute évidence, Douglas et Félix avaient des atomes crochus. La vie les appelait à frayer dans la même eau, du moins le temps de quelques rasades éthyliques.

– Raconte-moi donc ce que tu viens faire par ici, toi. Tu es loin de Buckingham !

– Je m'en viens m'établir ici, monsieur.

– Lâche-moi le « monsieur », d'accord ! Et la McLaren ? Qu'est-ce qui s'est passé ? Ne me dis pas que Pat a manqué à sa promesse ! Je serais bien surpris d'apprendre ça.

– Pas une miette. Il m'a donné un job de *foreman*, comme il vous l'avait dit. Mais la vie d'usine, ce n'est pas pour moi. Le bruit des machines, la poussière du bois, l'odeur de la pâte à papier, et toujours sale comme un ramoneur... J'ai fait trois mois. Je n'étais pas fait pour un travail comme ça !

– Ouais... On dirait que tu en as long à conter, toi.

– Non. J'ai tout dit. L'histoire finit là.

– Je ne suis pas sûr de ça, pas sûr du tout ! Écoute... Il me passe une idée par la tête, juste comme ça... Les cartes, ça te dit quelque chose ?

– Poker, 500, Romain ? Avec une mise d'une couple de billets de cent, histoire de mettre un petit peu de piquant dans l'affaire ?

Félix eut envie de raconter à Douglas qu'en jouant au poker sur le chantier, il avait réussi à amasser une petite fortune, suffisamment considérable d'ailleurs pour bâtir une belle grande maison en bois franc. Mais il se ravisa. Il aurait plus de plaisir à le regarder perdre sa prétentieuse supériorité, pendant que lui, il empocherait les mises.

– Je vous l'ai dit, j'ai deux heures devant moi.

– Deux heures ! C'est pas très long, mais c'est mieux que rien. Je gagerais fort qu'un beau grand gars comme toi qui se promène avec sa valise et qui a juste deux heures devant lui, c'est parce qu'il doit avoir une jouvencelle à courtiser à Saint-Jérôme.

– Tout est possible.

– Tu ne m'en diras pas plus qu'il ne le faut, hein ? Je te parie qu'une lampée de Southern Comfort va te délier la langue.

À neuf heures pile, après quelques larmes d'alcool, avec six piastres de plus dans ses poches et le cœur au septième ciel, Félix rentra dans son nouveau chez-lui. À son arrivée, Magdaline le salua du salon, le regard presque lointain. Devant une grande feuille de papier blanc, quelques barbules de plume lovées entre les lèvres, elle écoutait *Ich Liebe Dich*. C'était un air allemand interprété par Geraldine Farrar, chanteuse qui, selon Félix, criait plus qu'elle ne chantait. Bizarrement, ces surprenantes modulations vocales semblaient apaiser Magdaline. Avec toute la délicatesse du monde et d'une voix plus vaporeuse que l'arôme d'un vieux brandy, elle pria son nouveau pensionnaire de la laisser jouir encore quelques moments de sa solitude afin d'achever sa lettre. Puis, avec un sourire désarmant, elle lui rappela qu'il était dorénavant chez lui. Elle lui souhaita une bonne nuit et retourna à sa plume comme si elle repartait dans un monde où elle ne pouvait amener personne.

« Quelle merveilleuse créature », se dit Félix. Il lui souhaita bonne nuit à son tour et monta à sa chambre. Il referma la porte derrière lui, mais n'alluma pas la lampe. À cette heure du jour, les dessous ne devaient plus danser sur la corde à linge de ses voisines, mais il éprouva le besoin d'aller à la fenêtre pour s'en convaincre. Juste au cas... Si les dessous n'y étaient plus, il les imaginerait. Il s'appuya contre le rebord de la fenêtre et chercha dans l'obscurité le fil sur lequel les vêtements débridés s'en étaient donné à cœur joie tout l'après-midi. Des nuages couvraient le ciel et la lumière vacillante de la lune manquait d'ardeur pour dessiner des silhouettes. L'obscurité était plus noire qu'une houillère désaffectée. Bof ! Pour ce soir, il se contenterait d'en rêver.

Un scintillement orange et mauve éclaira tout à coup la fenêtre d'en face. Félix se tassa contre le mur pour ne pas être vu et, avec la précaution d'un voyeur, lorgna le spectacle.

Une lueur tout aussi délicate que l'éclat d'une volée de lucioles dessinait la silhouette profilée d'une femme qui ne lui parut pas très grande. Tête renversée, elle brossait son épaisse chevelure, ses boucles balayant presque la chute de ses reins. L'éclat lumineux frôlait sa robe de nuit blanche et révélait la forme ronde de ses seins fermes et affriolants comme de beaux pamplemousses tout ronds. Ce mouvement de va-et-vient, avec lequel la jeune femme maniait sa brosse, avait dû lui avoir été enseigné chez les sybarites, tant il était délicat et sensuel. Quel dommage que l'éclairage fut trop discret pour permettre à Félix d'immortaliser pareil chef-d'œuvre sur une plaque photographique...

Le jeune homme ne voulait pas que sa présence soit remarquée. Il espérait se prévaloir encore de ce privilège illicite, mais pas du tout mal intentionné. Aussi tira-t-il délicatement le rideau pour mieux disparaître. Au même instant, la jeune femme se releva. Sous sa tignasse touffue et plus ébouriffée qu'une perruque des belles de Versailles, il reconnut la jeune fille à la salopette qu'il avait croisée plus tôt dans la journée. Félix s'esclaffa. Histoire d'agir en bon voisin, il agita les doigts en guise de salutation polie.

Outrée de se retrouver presque nue devant ce grand dadais, Camille croisa les bras sur sa poitrine pour camoufler ce qu'elle pouvait encore cacher et bondit jusqu'à la fenêtre. Elle le fixa hardiment, droit dans les yeux. Puis, elle lui fit une grimace si grotesque qu'elle en eut l'air complètement ridicule, avant de disparaître comme un fantôme derrière le rideau crayeux. La fenêtre s'éteignit. Félix se tenait les côtes tant il rigolait. Il essayait de se contenir, mais dès qu'il parvenait à respirer normalement, les saccades se remettaient à le secouer de plus belle. Comme le hasard faisait drôlement les choses, parfois. Et comme la vie ne cessait de lui réserver d'adorables surprises !

La moutarde lui montant au nez, Camille s'assit sur son lit. Qu'est-ce que cet énergumène faisait chez Magdaline ? Pourquoi surgissait-il ainsi dans sa vie, dans son intimité, dans son entourage ? Pourquoi ce quidam produisait-il tant d'effet sur elle ? Pourquoi, pourquoi, pourquoi ? La colère de la jeune femme fit resurgir sa peine. Elle prit sa boîte à musique sur la table de chevet, en remonta le mécanisme et l'approcha de son oreille. Tandis que la mélodie se faufilait jusqu'à son cœur, Camille s'écroula, la tête sur l'oreiller. Une douleur à l'âme la fit se recroqueviller. Il ne pouvait pas s'agir de cela ! Son ange devait sûrement se tromper...

Partie IV

Carrousel
Début juin 1924

Chapitre 27

Cauchemar

Le jour cherchait à s'éveiller. Quelques morceaux de ciel bleu s'étiraient derrière d'immenses nuages sirupeux. Les dernières images des songes de Bayou s'effilochaient en curieux soubresauts et en gémissements hoquetants. À moitié endormie et les reins collés à la chaleur de son chat, Magdaline se délectait encore du velours de ses rêves avant que le petit matin ne les lui vole. Ils étaient encore chauds, ses rêves, presque réels, et ils n'avaient comme alibi que leur suavité. Ils parlaient d'Edward en instants irisés et caressants, déjouant habilement les repères de la réalité. C'était curieux, la façon dont ces mirages nocturnes arrivaient à maquiller la vérité avec finesse ! S'ils goûtaient trop souvent le factice, il n'y avait qu'eux pour laisser à l'âme cet arrièregoût grisant et ô combien nécessaire. Le jour pouvait attendre encore un peu. La douce impression d'être l'autocrate de son propre destin valait bien ces quelques instants de demiconscience.

Pendant que d'immenses nuages noirs et menaçants tentaient d'envahir le ciel, à l'étage de la grande maison rouge et blanche, Félix dormait d'un sommeil agité. Dans sa tête, le soleil se faisait plus sombre qu'un caveau funéraire. Dans ses rêves flottait l'humidité d'un temps chaud trop hâtif, qui enserrait la Rouge dans un manteau étouffant de brouillard à fendre à la hache. Encore une fois, il revoyait cette vingtaine d'hommes disséminés sur les berges, à moins d'un mille du campement, dans un silence assourdissant d'inquiétude. Suivant la consigne, ils étaient allés s'abriter derrière les rochers quand le grand Calvé avait hurlé « *Stand by !* ». Contre toute attente, rien ne s'était produit : ni détonation, ni cris, ni bruits. Rien. Rien qui leur indiquât ce qui se passait derrière le rideau de brume. Vraisemblablement, le draveur dynamiteur éprouvait des difficultés. Mais de quel genre ? s'étaient demandé les hommes. Pourquoi est-ce que ça ne sautait pas ? Pourquoi Calvé ne revenait-il pas sur la rive ? Personne n'osait bouger. Tout le monde savait qu'avec ce genre d'explosif, il fallait jouer prudemment.

– Calvé ! Qu'est-ce que tu fous avec tes pétards ? avait crié le contremaître du chantier, l'écho de sa voix paniquée se répercutant jusqu'aux escarpements de roc rouge ceinturant la rivière.

Félix se revoyait, à quelques pieds de là. Il n'avait pas répondu à l'appel. Avec l'agilité d'un équilibriste, il trottinait sur les billots flottants, paralysés par ce monstrueux bouchon qui lui résistait. Il avait hésité. Devait-il retourner voir ? Avait-il enfoui suffisamment de dynamite dans les entrailles de l'amoncellement pour le faire voler comme une poignée d'allumettes qu'on lance au ciel ? À cause de l'humidité, Félix avait dû s'y prendre à trois fois pour allumer la mèche. L'explosion tardait. Elle tardait beaucoup trop. De deux choses l'une : ou la mèche s'était éteinte et Félix devait aller la rallumer, ou l'humidité combattait la flamme et ralentissait la combustion, mais la mèche brûlait toujours. Dans ce cas, retourner sur les lieux signifiait courir à sa perte.

En dix ans, Félix avait fait sauter d'innombrables bouchons de « pitounes » sur la Rouge. Sa réputation courait, des chantiers de la Diable jusqu'à ceux de la Haute Lièvre. Tous les hommes qui étaient passés par les camps des Hautes Laurentides avaient entendu parler du grand Calvé et de ses exploits à la dynamite. Certains faisaient l'éloge de son courage et de son sang-froid, alors que d'autres condamnaient sa témérité et prétendaient que ce Calvé n'était qu'une tête brûlée qui s'amusait à prendre des risques inutiles. Chose certaine, Félix n'avait jamais reculé devant le danger. Au contraire ! Plus les risques étaient élevés, plus le jeu l'intéressait. Un coup de rye derrière la cravate lui donnait le courage d'aller jouer sa vie. Il avait souvent parié gros. Il avait toujours fait confiance à son intuition et à son habileté et il avait toujours gagné. Il empochait les dollars de ses paris et recommençait dès que l'occasion se présentait. Il l'avait fait pour l'argent, certes, mais surtout pour le plaisir irrésistible qu'il éprouvait à narguer la mort.

Félix s'était cru invincible jusqu'à ce jour où il n'avait pas pu regagner la rive avant l'explosion. Ce matin-là, il avait été entraîné par le courant. Un tourbillon d'enfer l'avait gardé prisonnier pendant de très longues minutes. Il avait culbuté entre les billots, rebondissant tantôt contre le bois, tantôt contre la roche et la glaise. Coupé de tout repère, il avait désespérément giflé l'écume bouillonnante pour remonter à la surface. Il avait bien réussi à sortir sa tête hors de l'eau à quelques reprises, mais, chaque fois, il n'avait trouvé que de grandes lampées d'eau rouge et déchaînée pour rassasier ses poumons suffocants. Il croyait être au ciel quand deux hommes du chantier l'avaient repêché entre deux rochers où il était miraculeusement resté coincé. Ce jour-là, Félix avait eu peur. Ce jour-là, la mort n'avait pas tout à fait gagné mais, de toute évidence, lui avait perdu cette manche-là.

Félix tremblait sous sa couette. Malgré l'angoisse qui le tenaillait, son cauchemar insistait pour dérouler jusqu'à la dernière séquence cette journée maudite. De la rive, les hommes cherchaient en vain, sur la rivière, la silhouette du grand Calvé. Félix se revit sortir sa flasque et enfoncer le goulot entre ses dents qui claquaient. Il avait penché sa tête en arrière pour en avaler, d'un trait, tout le contenu. Il avait pris une grande inspiration, puis il avait décidé de foncer vers la dynamite, sautant de bille en bille avec l'aisance d'une gazelle et la peur d'un lièvre traqué par la mort.

– Il me semble que j'ai entendu quelque chose ! avait chuchoté Oscar au contremaître, Esdras Chaperon, qui ne savait plus trop quoi penser.

– Moi aussi... Calvé ! avait hurlé à nouveau le patron, la voix gonflée de désespoir. Qu'est-ce que tu brettes, baptême ?

– Il est sûrement mal pris. Je vais aller voir ! avait conclu Oscar Charbonneau, épouvanté à l'idée que Félix pouvait être en danger.

– Non ! Tu restes ici, Oscar ! lui avait ordonné Esdras.

Malgré l'ordre, Oscar n'avait pu se résigner à abandonner son meilleur ami aux mains du destin. Pendant qu'il fouillait la nappe de brouillard à pas de tortue, Félix, lui, avait rejoint la charge. Dès qu'il s'était accroupi, le grand Calvé avait vu la flamme bleutée, faible mais encore en vie. D'une douceur impudente, le feu consumait encore la mèche, qui ne faisait plus guère qu'un demi-pouce. Sans réfléchir, Calvé avait bondi en direction de la rive droite, jugeant la gauche, où ses compagnons étaient abrités, impossible à atteindre avant l'explosion imminente. L'écho du *Stand by !*

que Félix avait hurlé à pleins poumons dans sa course folle, s'était fondu dans le vacarme sourd et violent de la détonation.

Félix avait atterri en catastrophe sur la berge, propulsé par les secousses de la déflagration. Il avait réussi à se tapir derrière un bouclier de roc et avait à peine eu le temps d'enfouir sa tête sous ses avant-bras. Un fracas épouvantable avait secoué la rivière entière. Le ventre de la Rouge s'était mis à frissonner de rage. Dans un spectacle saisissant, les eaux avaient éructé à pleine gueule les dizaines de carcasses de bois qui sommeillaient sur le lit de la rivière. Les billots avaient bondi, comme des démons fous cherchant avec acharnement à échapper aux supplices insoutenables de l'enfer bouillonnant. Projetées en l'air, les billes s'entrechoquaient violemment, repartaient dans une nouvelle direction, chargées d'une fureur plus grande encore, puis replongeaient inopinément au cœur des eaux tumultueuses.

Tout à coup, par-dessus ce vacarme d'épouvante, un effroyable cri de douleur avait jailli. Félix avait levé la tête. À travers les vapeurs de brume déchirées par la pétarade d'explosifs, un corps flottait dans les airs. Il n'avait rien d'un ange : c'était un corps défiguré, brisé, mutilé, qui aspergeait le néant de grosses gouttes de sang bien rouge. Puis, tout devint blanc. Blanc et sourd à la fois. La tempête de billots s'était calmée, mais Félix ne l'avait pas remarqué. De l'autre côté de la rive, on les appelait encore, lui et cet homme qui volait dans le ciel. Mais Félix n'entendait pas. Il était plié de douleur, comme si la vie venait de lui assener une droite au cœur. Il ne voyait plus que ce cadavre qui venait de s'échouer, face contre terre, à quelques pas de lui. Il s'était agenouillé. Longuement, il avait regardé le corps. Il avait glissé une main sur la chemise sordidement maculée du carmin de la mort et s'était effondré entre les omoplates de cet homme avec qui il avait si souvent parié sa vie au cours des dix dernières années. Félix avait pleuré sa douleur, sa rage, son impuissance.

– Oscar, mon vieux ! Pourquoi ?

Les pleurs et les cris qui provenaient de l'étage sortirent brusquement Magdaline de sa douce rêverie. Elle enfila sa robe de chambre à toute hâte et grimpa l'escalier en courant. Elle frappa à la porte en appelant son pensionnaire.

– Félix ! Est-ce que ça va ?

Félix ne répondait pas, mais Magdaline l'entendait toujours sangloter :

– Oscar ! Pourquoi as-tu fait ça ? Idiot ! C'est ma faute ! Ma faute ! répétait la voix endormie de Félix.

Magdaline comprit que Félix faisait un mauvais rêve et l'idée qu'il ne soit pas réellement en difficulté la calma un peu. Après un instant de réflexion, elle estima qu'il valait mieux ne pas intervenir et choisit de faire demi-tour. Mais les pleurs intarissables trahissaient une telle souffrance qu'elle se ravisa. Elle frappa de nouveau à la porte. Les sanglots se turent. Magdaline en fut soulagée. Elle s'appuya de tout son poids, le dos contre la porte. Le loquet mal fermé céda et le battant s'ouvrit. Magdaline se retrouva au chevet de Félix qui, assis sur le bord de son lit et flanqué de son étrange chapeau élimé, vomissait des flots de sang. Magdaline alla mouiller une débarbouillette et la lui déposa sur le front.

– Mon Dieu ! Qu'est-ce qui vous arrive, mon ami ?

Magdaline lui caressa le dos. Elle épongea son visage et lui tint la main avec compassion, jusqu'à ce que ses convulsions s'apaisent. Elle attendit, sans un geste, sans un mot, que le silence lui redonne quelques forces. Des larmes coulaient sur les joues de Félix. Il ressemblait à un pécheur implorant le pardon de sa conscience.

– J'ai tué mon meilleur ami, Magdaline. J'ai tué Oscar, mon vieil ami Oscar.

Magdaline écouta sans broncher l'histoire de la mort atroce d'Oscar Charbonneau, heurté de plein fouet par un billot de quatre pieds. Assis l'un contre l'autre, ils regardèrent ensemble le jour qui se levait. Dans la tête de Félix, les lambeaux de ciel bleu se débattaient toujours contre d'immenses nuages noirs. Magdaline le rassura : aujourd'hui, selon elle, le ciel bleu s'étirerait derrière d'immenses nuages sirupeux et le soleil brillerait. Aujourd'hui, le ciel serait irradié de tout l'espoir du monde, et tous ceux qui revenaient d'un effroyable cauchemar trouveraient le courage de s'accrocher de nouveau à la vie. Magdaline embrassa tendrement Félix sur le front. Elle lui suggéra fortement de passer chez le médecin le plus tôt possible. Vomir du sang ne pouvait pas être attribuable à un seul cauchemar, si effroyable soit-il. Magdaline sortit, secouée, toujours sensible à la douleur de ses semblables.

Chapitre 28

Au bout du huitième rang

La Graham-Paige décapotable s'immobilisa sur les sillons étroits de terre molle, encore trop gorgée d'eau pour supporter, sans s'enfoncer, le poids des cinquante-sept chevaux-vapeur du bolide épuisé par un voyage difficile. Le trajet avait été long. Les chemins tortueux, escarpés et raboteux de la grande route provinciale ne correspondaient pas tout à fait aux promesses de l'Association des automobilistes du Canada. En effet, ces riches propriétaires et grands financiers du pays s'étaient engagés, quatre ans auparavant, à construire une route qui permettrait aux touristes montréalais d'accéder facilement au nouveau paradis des sports et de la villégiature qu'allaient devenir les Laurentides.

– Ouf ! C'était toute une promenade, mon ami ! La prochaine fois, on prendra le train ! C'est moins salissant et plus reposant.

– On arriverait certainement un peu plus... présentables ! acquiesça Flynn.

Les deux hommes descendirent de la voiture, éreintés et crottés. Leur apparence jurait avec le décor bucolique des pommiers garnis de bouquets blancs, des roses sauvages encaquées dans leurs fourreaux trop ajustés et des lys d'eau tangerine, dont les boutons pointaient au bout de longues tiges vert céladon. Tiernan, Flynn et, surtout, la Graham-Paige détonnaient dans le paysage, comme trois pâtés d'encre dégoulinant au milieu des *Blés jaunes* de Van Gogh. Les horribles taches sépia qu'ils formaient avilissaient la beauté champêtre de ce sommet de la montagne de Piedmont, dont Tiernan s'était porté acquéreur l'automne précédent.

— Veux-tu me dire comment ça se fait qu'un rouge comme Lomer Gouin ne réagisse pas pour que la route du Nord devienne une vraie route, une fois pour toutes, *boswell* ! C'est pas une route, c'est une *trail* pour les sauvages. Pourtant, Gouin, c'est un homme qui encourage le progrès. Qu'est-ce qu'il attend, donc, pour mettre de l'argent là-dessus ? Il y a une piastre à faire avec le Nord, William. Une grosse piastre ! Mais il faut que les gens puissent y venir. Il devrait comprendre ça, monsieur Gouin.

— Gouin va probablement passer au fédéral, en juin. Tu vas voir ! Le provincial, ça ne l'intéresse plus. C'est pour ça qu'il s'implique moins. Ses vues sont ailleurs. Je suis sûr de ça. Selon moi, c'est Taschereau qui va le remplacer comme premier ministre. Et c'est là, Doug, que les affaires vont se mettre à bouger.

— Avec Borden en poste au gouvernement fédéral ? Moi, je ne suis pas sûr du tout que ça change quelque chose, William. Bleu au fédéral et rouge au provincial, ça ne fera jamais des enfants forts, ça. Il faudrait que Mackenzie débarque Borden, l'année prochaine. Là, on serait en *business* ! Hé ! Rouge, rouge, rouge ! Rouge partout ! Là, les choses avanceraient.

— Et si les gouvernements, même rouges partout, comme tu le dis, avaient d'autres projets en tête ?

– D'autres projets... Quels autres projets ? Pourquoi le gouvernement s'intéresserait à la galerie du voisin quand il a une vache à lait sur la sienne, William ?

– Je ne dis pas que le gouvernement ne serait pas intéressé à développer le Nord. Je dis juste qu'il pourrait penser à le développer par une autre voie d'accès que la route. Comme le train, par exemple. Hein ! Et si le CN était déjà dans le coup ? As-tu pensé à ça ?

– Voyons, William ! L'automobile est en pleine expansion. Dans quelques années, tous les gens vont avoir une automobile. Tu m'en reparleras. Et ça ne sera pas si long que ça. Quand on va arriver là, on va être obligé de transformer les wagons de trains en caravanes pour les *gypsies* ! On va faire fondre les rails pour fabriquer des pièces pour les moteurs d'automobiles, qui vont devenir des engins plus forts que dix paires de mustangs dans la fleur de l'âge et qui vont être capables de pousser les machines jusqu'où les chemins voudront bien les mener ! En développant la route du Nord, ce n'est pas juste à l'industrie de l'automobile que le gouvernement va donner un coup de pouce, William. Penses-y deux minutes. Pense à tout ce qui peut bénéficier du progrès des machines à quatre roues : la gazoline, le ski, les bâtisseurs de maison... Et les commerces, aussi ! Les restaurants, les hôtels, les vendeurs de guenilles, *name it* ! Même les cultivateurs y trouveraient leur compte ! T'imagines-tu qu'ils ne seraient pas heureux, les cultivateurs, de vendre leurs fruits et leurs légumes à prix fort aux touristes de la ville, plutôt que de s'en servir pour engraisser leurs cochons ? Investir dans la route du Nord, ça rapporterait à toute la population du Québec.

– À toute la population, Doug. Ça ne veut pas nécessairement dire que ça remplirait les coffres publics. As-tu pensé à ce que ça coûterait au gouvernement d'entretenir une route de soixante milles de long ? Il faut que le gouvernement s'organise pour récupérer ses dépenses. Je ne sais pas comment les gens du gouvernement calculent, mais qui dit qu'ils ne sont pas arrivés à la conclusion que développer les chemins de fer serait plus rentable que de développer les routes ? Les intérêts du gouvernement ne sont pas toujours les mêmes que ceux de la population, Doug. C'est pas à toi que je vais apprendre ça, hein !

– Peut-être. Peut-être bien. Mais, d'une manière ou d'une autre, il y a de l'argent à faire ici. Je te le dis. Tiens ! Admettons que ton intuition est bonne. Admettons que la montagne se développe grâce aux chemins de fer, plutôt que par la route. Tu ferais quand même une bonne affaire en achetant quelques arpents aux alentours. Pense à toutes les piastres que le CN pourrait offrir aux propriétaires pour passer ses rails sur leurs terres. Tout ce que tu as à faire, c'est acheter et attendre. C'est pas trop compliqué. Et c'est un placement qui va rapporter gros, William. Bientôt ou dans quelques années. Qu'importe ! En attendant que la manne tombe du ciel, Mac te bâtit un beau petit camp, juste là. Tu viens te reposer de ta banque, la tête en paix, avec ton vieil ami et son cousin. Qu'est-ce que tu veux de plus ? Tu achètes le lot qui reste, du bas de la côte jusqu'au bout du huitième rang, et la montagne au grand complet nous appartient. À toi et à moi. Dans une couple d'années, toi et moi, on roule sur l'or. Qu'est-ce que tu dis de mon offre, William ?

– Si tu es si sûr de ton affaire, pourquoi tu proposes pas le *deal* à ton cousin Mac ?

– À Mac ? Mac ne veut rien savoir des affaires. Même quand c'est sûr, c'est trop risqué et ça lui fait faire de l'angine de poitrine. Mac, il est heureux quand il a un petit morceau de bois à gosser. Il ne lui en faut pas plus.

– Ça, c'est vrai ! répliqua Ernest, qui surgit de derrière l'enfilade de pommiers blancs. Je ne peux pas garantir que tout ce qu'il vous a dit avant est véridique, par exemple. Hein, Doug ? Quand il veut, mon cousin, il est l'as de l'entourloupette, vous savez ! Un homme averti en vaut deux.

– Bah... N'exagère pas, veux-tu ? rétorqua Douglas en riant. Tu connais William, je pense.

– Monsieur Flynn ! Certainement ! Disons que crotté comme vous l'êtes, je ne vous aurais pas reconnu du premier coup d'œil. Si ça ne vous fait rien, je ne vous serrerai pas la main tout de suite...

– Monsieur McCready ! Content de vous retrouver. Vous savez que, jusqu'à hier, je n'avais pas encore fait le lien entre Douglas et vous. Doug m'avait bien dit que son cousin Mac vivait à Saint-Jérôme, mais j'avais en tête Mac Tiernan. Jamais je n'ai fait le rapprochement avec Ernest McCready. On a de ces idées préconçues, parfois.

– Il n'y a pas d'offense, monsieur ! On n'a pas le même nom. D'ailleurs, on ne se ressemble pas du tout. C'est dur de savoir... Surtout que Doug, il n'en dit jamais plus qu'il en faut. En tout cas, soyez le bienvenu chez nous, monsieur Flynn !

– Je vous en prie, appelez-moi William.

– Avant que vous fassiez fuir tous les moineaux des alentours, je vais vous faire bouillir de l'eau pour que vous vous dégommiez un brin. Il me semble que ça ne vous fera pas de tort. Amenez-vous ! Chemin faisant, je vais vous montrer tout ce que ma Camille et moi, on a fait de nos mains, ici. Venez voir ça !

– Votre fille est-elle ici ? se réjouit Flynn.

– Non ! Moi, je finis le travail, maintenant. Mais c'est Camille qui a fait le gros de l'ouvrage, l'automne passé. C'est elle qui a pensé à tout, qui a tout prévu, tout calculé. Elle n'est pas juste habile de ses mains, ma Camille, elle est plus intelligente que beaucoup d'hommes, vous savez.

« Dommage qu'elle n'y soit pas », pensa Flynn.

– Il ne reste pas grand-chose à faire. Quelques babioles dans mon petit camp, c'est tout.

Ernest amena Doug et William jusqu'au bout du sentier. Ils débouchèrent derrière une épaisse lisière de végétation, après avoir enjambé racines, roches et broussailles. Là, à quelque cent pieds de la route, une superficie impressionnante de terrain avait été défrichée. Défrichée, mais pas rasée. On avait sacrifié juste ce qu'il fallait d'arbres pour y ériger deux maisons et une écurie. Tout le reste, arbustes et fleurs sauvages y compris, avait été préservé. Deux habitations peintes en un bleu de grisaille délicieusement discret se fondaient dans le décor d'aiguilles de sapins et d'épinettes. Les portes, les tours de fenêtres, les volets ainsi que les boîtes à fleurs brillaient d'un rouge orangé, presque effronté, qui donnait à l'endroit un air malicieux et cordial. Une des constructions faisait au moins le double de la superficie de l'autre. Elle était tapie en retrait, sous un érable centenaire, juste au bord de la dénivellation. La grande maison avait une véranda ouverte sur trois côtés, qui s'étirait sur son flanc jusqu'à l'orée du bois. La petite, plus coquine, cachait derrière son dos, mine de rien, une longue galerie de laquelle on pouvait entrevoir le chapelet lointain des toits rouges et noirs qui peuplaient le village de Morin Heights. Entre les deux maisons, un ruisseau coulait sous la garde bienveillante d'un cortège touffu de fougères en crosse, de baume odoriférant et de crocus blancs et mauves. La musique des gazouillis de l'eau qui courait entre les roches emmitouflées de lichens résonnait plus fort encore qu'une chorale d'oisillons tapageurs. De quoi rendre jaloux les sittelles, les geais bleus, les hirondelles et les chardonnerets à des milles à la ronde.

William n'avait pas assez de ses yeux et de ses oreilles pour goûter à la beauté des lieux.

— Le paradis, ça doit ressembler à ça ! s'exclama-t-il.

— Ouais ! Les maringouins en moins, j'espère..., grogna Doug qui se faisait dévorer tout rond par ces bestioles plus voraces que des vampires venant de rompre le carême. Il me semble qu'on pourrait tout voir ça pareil d'en dedans, hein !

— Chez vous ou chez nous ? demanda Mac avec un sourire en coin, connaissant d'avance la réponse.

— Chez nous, quelle question ! D'abord, chez vous, ce n'est pas encore fini. Chez nous, c'est plus grand, meublé, le poêle chauffe, il y a des verres... Et du scotch en masse ! L'affaire est réglée !

Sans les attendre, Douglas fonça en direction de la grande maison. Flynn resta planté là où il était, en admiration devant le travail d'ébénisterie et de menuiserie que représentaient les constructions, mais aussi devant l'originalité de l'aménagement des lieux.

— Je n'en reviens pas. Vous avez fait tout ça avec votre fille, monsieur McCready ?

— Mac ! Oui, mon garçon. C'est ma grande fille qui a fait les plans. C'est elle qui a tout calculé et tout commandé. Je vous jure qu'il n'y a pas eu beaucoup de pertes ! Ensuite, elle et moi, on a monté ça de nos mains. Bah... Il y a bien eu quelques paires de bras qui sont venus nous aider, de temps à autre. Mais, en gros, c'est Camille et moi qui avons fait le travail.

– Je vous félicite, monsieur... euh... Mac. C'est impressionnant. Et unique ! Vous avez de quoi être fier de votre fille ! Je connais peu de gens qui pourraient réaliser un projet pareil. C'est quelqu'un, votre Camille.

– Oh, oui ! Des Camille, on n'en rencontre pas souvent, mon garçon. À mon âge, je suis bien placé pour te le dire.

– Est-ce que... A-t-elle... Euh... Votre fille est-elle mariée ? risqua Flynn, espérant que Mac ne voie pas dans sa question un intérêt déplacé.

– Non, non. Elle n'est pas mariée..., marmonna Ernest, gêné.

– Elle a certainement un fiancé, ou alors de nombreux soupirants, renchérit William pour atténuer l'inconfort d'Ernest.

– Ni fiancé, ni soupirant, bredouilla Mac, les yeux humides et le dos voûté par l'embarras.

– Hé ! Ni mariée, ni fiancée ! lança Doug en leur ouvrant la porte de la maison. Mais c'est juste parce que cette enfant-là, elle est née pour les affaires. Ce n'est pas plus compliqué que ça. Il ne faut pas chercher plus loin. Si elle peut finir par se décider et s'engager là où il faut qu'elle s'engage, on va rire !

– Que veux-tu dire par « se décider » ? S'engager où ? s'enquit Ernest, intrigué par la réplique de Douglas.

— Camille ne t'a pas parlé de l'offre que je lui ai faite ?

— Quelle offre ?

— Prendre la barre de Tiernan and Son !

— Quoi ? Tu as offert à Camille de prendre la barre de Tiernan and Son ?

— Ça lui revient, cette *business*-là, Mac. Penses-y.

— Excuse-moi, Doug, toussota Flynn. Je ne veux pas me mêler de vos affaires de famille, mais on travaille ensemble depuis cinq ans, et j'ai bien de la difficulté à croire que toi, Douglas Tiernan, tu as offert à une femme, par-dessus le marché jeune et belle, de diriger ta compagnie. C'est bien simple, ça me fait à peu près le même effet que si je t'entendais dire que tu détestes les cartes, les chevaux, le scotch et les femmes.

— C'est parce que tu ne connais pas Camille, William. Camille n'est pas une femme. Je veux dire, pas comme les autres. Camille, c'est un boulet de canon qui explose d'intelligence, de talent et de détermination. Camille, c'est Camille. Il n'y en a pas d'autres comme elle. Il faut la connaître pour comprendre.

— Je ne demanderais pas mieux ! glissa Flynn, sans que sa remarque soit vraiment entendue.

— Un jour, tu auras peut-être l'occasion d'en juger par toi-même. Mais là, rentrez qu'on ferme la porte. Sinon, ces *boswell* de bébittes enragées vont finir par me sucer tout mon sang.

– Attends, Doug ! Pas si vite ! Et Camille, qu'est-ce qu'elle t'a répondu ? Est-ce qu'elle a accepté ?

– On rentre, Mac. Je vais te dire tout ça à l'intérieur. Sinon, vous allez être obligés de me ramener en ville dans une boîte en bois, les deux pieds devant, gros comme un raisin sec, le corps plein de bosses comme une route de gravelle et tout siphonné par en dedans comme un ballon de baudruche dégonflé. Et ce sera tant pis pour vous autres.

Chapitre 29

Sur le pont de la Regent

Camille turlutait *Jabadaw*, sa chanson préférée, et dansait de joie sur le pont de fer près de la Regent Knitting Mills. Elle gambillait et tournoyait à en étourdir les remous de la rivière. Ses talons claquaient si fort sur le treillis métallique que le tablier tanguait presque. Une nouvelle vie commençait. Elle regardait avec fierté le réservoir à eau en tôle galvanisée, assis sur ses échasses effilées deux fois plus hautes que les quatre étages de l'usine de textile récemment érigée sur la rive ouest du pont. Elle y lisait le nom de la Regent Knitting Mills peint en grosses lettres blanches, avec l'euphorie d'une ex-prisonnière qui ânonne l'acte de sa libération. Enfin, l'espoir avait un nom, un lieu, un visage. Enfin, l'air était rempli de promesses.

Camille goûtait le plaisir de sa première vraie victoire. L'exploit avait exigé tout son courage et toute sa détermination. Elle avait hésité un long moment avant d'oser franchir la porte d'entrée de la Regent Knitting Mills. Une fois à l'intérieur, elle avait foncé tout droit entre les métiers à tisser mécaniques, jusqu'au bureau d'Andy Marcoux, d'un pas plus sûr que si elle avait été une vieille connaissance du directeur de l'usine. Sa jeune secrétaire, heureusement inexpérimentée, l'avait accueillie froidement en l'informant, de ses lèvres rouge cerise en forme de sceau en cire, que « monsieur le directeur ne recevait personne sans rendez-vous ». Camille lui avait alors servi une histoire abracada-brante, selon laquelle elle était le bras droit du menuisier chargé de bâtir la nouvelle maison du directeur, qu'il y avait confusion sur les essences de bois à commander et que le problème exigeait une solution urgente. Dans le temps de le dire, Andy Marcoux lui-même était venu, curieux de voir à quoi ressemblait cette jeune femme capable de mentir avec tant d'impudence.

– Comme ça, vous bâtissez des maisons, ma petite made-moiselle ? lui avait lancé en boutade le directeur, croyant que l'humiliation de l'affrontement suffirait pour que cette frêle créature prenne ses jambes à son cou et déguerpisse au plus vite.

– Oui, monsieur ! avait rétorqué Camille d'une voix pleine d'assurance, sans broncher ni baisser la tête.

Le directeur, étonné par le sang-froid et l'opiniâtreté de sa visiteuse, était resté quelques instants bouche bée.

– Vous n'avez pas froid aux yeux, vous ! avait finalement répliqué le directeur, se demandant quelle attitude adopter devant cette ramenarde. Alors, comme ça, vous voulez me voir... pour les essences de bois ?

– Oui, monsieur. Je ne traînerai pas. Quelques minutes... Dans votre bureau ! Croyez-moi, vous ne le regretterez pas.

– Et dans mon bureau, par-dessus le marché ! Je vous donne cinq minutes ! Pas une de plus. J'espère que vous savez ce que vous faites. Sinon, ma petite, sachez que vous apprendrez à vos dépens jusqu'où la tromperie peut mener. Venez !

L'entretien n'avait pas duré cinq minutes. Camille avait attaqué tout de suite après avoir refermé la porte du bureau. Avec une économie de mots extraordinaire, elle avait exprimé son souhait d'être engagée comme contremaîtresse. Elle avait brièvement décrit son expérience en tant que chef d'équipe, sans enrober les faits de détails inutiles. Puis, elle avait conclu sur une note de modestie sincère, aussi troublante que si elle avait révélé une partie de son intimité. Elle se savait née pour prendre des responsabilités, pour décider et pour diriger, avait-elle tout simplement ajouté en terminant son baratin. Le directeur avait mis exactement le temps d'écraser son cigare pour évaluer ses propos, et lui avait immédiatement fait une offre :

– Vous commencez lundi prochain et je vous donne cinq dollars par semaine.

Camille avait rechigné sur le salaire. Elle avait argumenté qu'une bonne ouvrière, capable de mettre son cœur à l'ouvrage pendant de longues heures, pouvait aller chercher cette somme. Or, elle considérait valoir plus qu'une ouvrière, même la plus vaillante. Elle voulait six dollars. Il lui en avait offert cinq et demi. C'était son dernier mot. Elle avait accepté. Elle s'était levée, lui avait serré la main et était sortie du bureau. Elle avait eu toute la misère du monde à contenir sa joie jusqu'à l'extérieur. En entendant dévaler les eaux du bief d'amont, elle avait relâché les écluses de son cœur et avait laissé le flot de son exaltation exploser de bonheur.

Mille et un projets trottaient dans sa tête. Dans quelques années, elle compterait parmi les dirigeants de la Regent Knitting Mills. Mieux encore ! L'expérience acquise lui permettrait de fonder sa propre entreprise. Entreprise de quoi ? Ça, elle n'en savait encore rien, mais l'inspiration viendrait. Elle avait confiance. Elle économiserait ses gages. Ses épargnes lui permettraient de se bâtir une jolie maison semblable à celle de Magdaline. Un peu plus petite, tout de même ! Il ne fallait pas tomber dans la folie des grandeurs. Plus petite, oui, mais plus fleurie encore. Elle planterait des géraniums partout, des lilas devant et derrière et des phlox corail tout autour de la galerie. Elle fabriquerait d'immenses cages qu'elle suspendrait aux quatre coins de sa demeure et elle y élèverait de nombreuses familles de canaris. Elle leur enseignerait à chanter, du soleil levant jusqu'à la nuit tombante. Et, bien sûr, elle adopterait deux chevaux et autant de chiens. Enfin, la vie lui donnait rendez-vous.

Avant de concrétiser ses projets, il lui faudrait d'abord trouver à se loger ailleurs que chez Rose. Camille pensa à en parler à madame de Tonnancourt. Mais, après certaines considérations, elle remit l'idée en question. Vivre sous le même toit qu'une femme telle que Magdaline serait un privilège inestimable ; toutefois, l'affaire comportait non pas un, mais bien deux hic. D'abord, la maison de son amie était, pour ainsi dire, située dans la cour de celle de Rose. D'une part, cette contiguïté n'allait pas favoriser le détachement et, d'autre part, Rose n'allait pas laisser une simple clôture freiner son insatiable désir de fourrer son nez dans les affaires des autres, particulièrement celles de Camille. C'était le premier hic. Le deuxième comportait deux volets. Le premier : Magdaline avait maintenant un pensionnaire. Il fallait voir si sa générosité irait jusqu'à en accueillir un autre. En supposant que oui, restait le deuxième volet du deuxième hic : pourrait-elle vivre sous le même toit que ce grand échalas de Calvé, qui lui faisait l'effet d'une dose d'huile de foie de morue quand elle le voyait lui envoyer gentiment la main avant de baisser la toile de sa fenêtre ? Hum... C'était là une question de grande importance.

Cette pensée permit à Camille de remarquer, tout à coup, combien la seule évocation du nom de Calvé lui enfumait le ciboulot d'épaisses vapeurs de colère. Mais qu'est-ce qui l'agaçait tant chez cet homme ? Étrangement, elle n'en savait rien. En examinant la situation avec la plus grande objectivité, elle devait admettre que ses réactions étaient sans fondement. D'abord, Calvé ne lui avait jamais manqué de respect. Elle ne se souvenait guère qu'il ait été impoli ou disgracieux à son endroit. Tout bien réfléchi, il n'avait absolument rien d'un être antipathique, méprisant ou mauvais. Elle n'avait aucune raison de le détester à ce point. Pourtant, même en faisant de son mieux pour se raisonner, ce Calvé continuait à la déranger. Il l'asticotait comme une roche minuscule qui se faufile dans une chaussure et qu'on n'arrive pas à déloger, même en secouant vigoureusement son soulier. Il lui rongeait l'esprit comme cette roche qui érafle toujours le même petit bout de peau avec la cruauté subtile d'un supplice chinois, et qui met au défi de riposter avant d'avoir complètement perdu la raison.

Mais, qu'est-ce qui, chez cet homme, lui causait un tel malaise ? Sa taille ? Ses yeux ? Ses mains ? Sa façon de parler ? Sa façon de s'habiller ? Sa façon d'être ? Non ! Rien de tout ça ne lui paraissait désagréable. Au contraire. Les rares fois où Camille avait rêvé d'un homme, elle l'avait imaginé grand, mince et bien mis... Comme lui. Elle lui avait inventé des cheveux couleur de réglisse et un teint foncé, allumé d'un regard smaragdin et pétillant comme une bière d'épinette bien fraîche... Comme lui. Elle lui avait dessiné des mains longues, bien droites et souples, dissimulant à peine des habiletés à parler de tendresse... Comme les siennes. Elle l'avait doté d'un esprit pétulant et d'un langage ponctué d'humour... Comme lui. Ah ! De toute évidence, plus Camille réfléchissait, moins elle trouvait d'argument justifiant l'effet désagréable que ce Calvé produisait sur elle.

Elle le détestait. Point. Sans aucune autre explication. À quoi bon s'éterniser sur le sujet et chercher à légitimer, par la raison, ce que son instinct criait à tue-tête ? Tout compte fait, il y avait peut-être un petit quelque chose sur lequel elle arrivait à mettre le doigt. Quelque chose lié à ce charme pour lequel elle ne trouvait aucun qualificatif. Oui. Voilà ce qui l'irritait : cette façon de plaire qu'il avait, qui paraissait tout aussi naturelle que la manière dont il respirait, et qui lui conférait un pouvoir d'attraction capable de pulvériser les résistances des indifférents et des plus prudents. Calvé savait séduire. Intuitivement peut-être, il connaissait tout sur la séduction. Camille en était certaine. Il avait l'œil, il avait du goût, il maîtrisait parfaitement l'art de la chasse et il était bon joueur. Il suffisait de l'observer pour remarquer combien il prenait plaisir à semer son charme aux quatre vents et à papillonner avec insouciance, dans l'attente de la moisson. Sauf avec elle. Avec Camille, Calvé ne jouait pas ce jeu de butineur. Le suc qu'il avait à y butiner ne devait probablement pas en valoir la peine, pensa Camille. Voilà précisément ce qui la contrariait.

– Camille !

À l'autre extrémité du pont, Magdaline hélait son amie qu'elle avait aperçue en sortant du bureau de poste. En raison du tumulte de l'eau, elle dut insister à quelques reprises avant d'être entendue.

– Magdaline ! Viens ! C'est chouette, ici ! On a l'impression de marcher sur l'eau !

– Non, merci ! Les rapides de la rivière me donnent la nausée. Tu ne devrais pas t'attarder là. Un beau jour, le courant va l'emporter, ce pont.

Camille alla rejoindre Magdaline en rigolant. C'était là un côté pessimiste de son amie qu'elle ne connaissait pas.

– Et moi qui croyais que tu n'avais peur de rien !

– Oh non ! Nous avons tous, à un moment ou à un autre, peur de quelque chose, même si nous ne l'avouons pas ! Mais dis-moi ce que tu fiches sur ce pont ? Tu recensais les perchaudes en migration de l'autre côté de l'écluse ?

– Je n'ai pas encore l'œil assez rapide pour ça. Figure-toi que je célébrais !

– Tu célébrais ! s'étonna Magdaline. Et tu célébrais quoi ?

– Mon premier véritable emploi.

Tandis que Magdaline ouvrait la bouche de stupéfaction, Camille se tourna et tendit le bras vers le réservoir d'eau de l'usine.

– Taram ! Contremaîtresse à la Regent Knitting Mills !

– Bravo, Camille ! Bravo ! Si je comprends bien, tu as décidé de décliner l'offre de ton oncle ?

– À l'instant même. Pourquoi retournerais-je à Montréal ? J'aime Saint-Jérôme. D'ailleurs, si mon oncle a pu bâtir sa compagnie, pourquoi ne pourrais-je pas bâtir la mienne, ici ? Je suis habile de mes mains, j'aime les chiffres autant que tu aimes tes tubes de couleur, je suis intelligente et j'aime mener mes affaires sans qu'on me dise comment m'y prendre. Ça devrait suffire. Je ne sais pas encore quel genre d'entreprise je pourrais mettre sur pied. Mais ça viendra. Il faut faire confiance à la vie, non ?

– Tu as raison, Camille. Tu as tout ce qu'il faut pour monter ta propre affaire. Mais tu ne choisis pas la route la plus facile. En travaillant avec ton oncle, tu profiterais de ses connaissances et de son expérience, et le climat serait très certainement différent de celui qui règne dans une usine. Le travail dans une manufacture n'est pas rose, tu sais. Tu as pris le temps d'observer les travailleurs ?

– Euh... Pas vraiment...

– Ce sont presque uniquement des femmes... Et des enfants, aussi. C'est bien différent de faire travailler des femmes et des enfants que de diriger des hommes, comme tu l'as fait jusqu'ici. De plus, ces gens-là ne ressemblent pas aux menuisiers, aux ouvriers et aux artisans avec lesquels tu as l'habitude de travailler. Pour la plupart, ils n'ont d'autre choix que de gagner leur vie dans l'abrutissement. Ils plient l'échine, ils obéissent bêtement parce qu'on a bien veillé à les dépouiller de leur sens de l'initiative et de leur jugement dès qu'on les a astreints à une tâche mécanique. Ces gens deviennent vite amers, frustrés, désillusionnés. Ils oublient le sens du respect, parce qu'on ne les respecte plus. Ils n'ont plus que le vacarme des machines à écouter et, à la moindre manifestation de rébellion, ils se font mâchouiller un doigt, une main ou un bras par leurs geôliers aux mâchoires d'acier. Des humains que l'on transforme, en un temps record, en petites roues du colossal engrenage de ces industries qui fabriquent de nouveaux besoins qui grandissent plus vite que la population, voilà ce qu'ils sont.

– Quel portrait sombre tu me dépeins là, Magdaline. L'industrialisation, c'est le progrès, l'avenir ! Le travail dans les usines ne doit pas être si différent du travail exercé ailleurs. Il doit y avoir là des gens satisfaits, d'autres qui le sont moins et certains qui ne le seront jamais. Comme partout.

– Peut-être. Peut-être suis-je un peu sombre aujourd'hui. Chose certaine, il n'y a que toi qui puisses en juger. On porte tous un regard différent sur la réalité, tu sais. Dix personnes se retrouvent devant un même jardin, et elles y voient des détails distincts. Je suis en train de gâcher ton plaisir. Excuse-moi, Camille.

La jeune femme serra tendrement Magdaline dans ses bras.

– Dis, Magdaline, à tout hasard, tu n'aurais pas planifié un voyage à Montréal, au cours des prochains jours ?

– Non. Oh ! Toi, tu as une idée derrière la tête ! s'égaya Magdaline, heureuse de constater que ses paroles n'avaient pas entaché la bonne humeur de Camille.

– J'aimerais aller sur la rue Sainte-Catherine avec toi. Tu pourrais m'aider à me trouver une nouvelle robe, un chapeau et des chaussures. Ce serait amusant, qu'en penses-tu ?

– Ça peut s'arranger ! Jeudi ? Vendredi ?

– Vendredi !

– Alors, vendredi. Pour le moment, je dois me sauver. Monsieur le curé m'attend. Tiens ! Pendant notre escapade, vendredi, tu me raconteras comment tu comprends ça, le péché !

– Le péché ! s'esclaffa Camille. Tu sais, il y a des jours où je voudrais bien savoir comment en commettre sans risquer d'aller brûler en enfer !

– Coquine, va ! Tu m'en apprends des choses, aujourd'hui. Je sens que tu vas avoir beaucoup, beaucoup de choses à raconter pendant notre voyage. On devrait peut-être penser à aller plus loin que Montréal. Bon, je dois y aller. Bonne journée, Camille.

– Bonne journée à toi, Magdaline. Et ménage monsieur le curé !

– Promis.

Chapitre 30

Varappe en solo

Comme deux comtesses attendues au bal de la cour de Versailles, pomponnées avec une élégance exquise, habillées de faille, de brocart, de shantung et de surah, l'une parée de rubis balais et l'autre d'aigues-marines aux allures d'émeraudes, Carmen et Sarah allaient enfin passer le seuil de leur résidence cossue du boulevard Gouin, mais elles rebroussèrent chemin. Au grand dam de Carmen, sa mère revenait une fois de plus sur ses pas. Sarah traînassait dans le couloir, ricochant d'un mur à l'autre, fouillant des yeux chaque recoin de l'espace. Elle en était à son troisième faux départ. La première fois, elle était revenue parce qu'elle avait oublié son sac à main sur la console du vestibule. La deuxième fois, elle avait voulu récupérer ses gants sur le lit. Cette fois, elle venait de décider d'apporter son poudrier.

En fait, Sarah errait comme si elle n'avait envie d'aller ni au concert, ni ailleurs. Elle semblait en quête d'un alibi de dernière minute, d'un prétexte qui surgirait par miracle de sous le tapis, de derrière les rideaux, d'une étagère ou d'un tableau et qui la libérerait de ses responsabilités. Une excuse, même banale, pour oublier un soir, un soir seulement, qu'elle était la mère de Carmen. Parfois, comme ce soir, elle en avait assez de tout faire pour sa fille. Elle n'en pouvait plus de cette culpabilité qui l'obligeait à accepter l'inacceptable et qui la réduisait à être moins que l'ombre de sa fille. Elle rêvait d'une échappatoire improvisée pour chérir, ne serait-ce qu'un moment, la Sarah Goodman qu'elle avait enfermée, le jour de son mariage avec Douglas Tiernan. Que pouvait-elle demander au Ciel qui puisse la soulager de sa douleur d'être ? Un incendie ? Un ouragan ? Une inondation ? Un tremblement de terre ? Mieux... Une fin du monde. Oui. Une fin du monde. Voilà ce qu'elle voulait. Elle joignit les mains et ferma les yeux, implorant de toutes ses forces le crucifix de bois suspendu au-dessus de la porte de la cuisine. Mais il n'y eut pas de fin du monde. Plutôt, la sonnerie du téléphone éteignit son espoir d'un soulagement instantané et la ramena à la réalité.

– Allô, répondit Sarah, sans enthousiasme.

Debout, elle tenait avec nonchalance le combiné sur son oreille. En silence, les yeux hagards, elle suivait du doigt la rayure du papier peint qui longeait le boîtier de l'appareil. Son index parcourut le motif safran, usé par son incorrigible manie qui datait de l'époque où cette boîte à paroles avait été installée à côté de ses chaudrons pour lui annoncer surtout des mauvaises nouvelles. Aucune émotion ne traversait son visage. Après de longues secondes d'impassibilité, Sarah stoppa son mouvement et marmonna avec la lippe d'un ventriloque fatigué :

– Merci.

D'un geste automatique, Sarah reposa le combiné sur son support. Elle tira une chaise et s'assit. Carmen surgit alors, précédée d'une bourrasque d'impatience.

– Qui c'était encore ?

– La secrétaire de ton père.

– Ne dites rien ! La chipie vous a raconté que papa a dû se rendre chez un client, que cette rencontre n'était pas prévue, qu'elle ne pouvait pas être remise et que papa ignore combien de temps cela va durer ! En bref, mademoiselle la secrétaire vous informait que monsieur Tiernan ne peut absolument pas promettre qu'il sera présent au concert, ce soir. Nous savons très bien qu'il n'y sera pas. C'est ça ?

– ...

– Bon. Rien de bien nouveau sous le soleil. Alors, vous venez, maintenant ?

– Non.

– Maman, vous n'allez pas me dire que cet appel vous affecte à ce point ! Depuis le temps que papa nous la sert, cette rengaine ! Venez, sinon je vais être en retard.

– Vas-y sans moi, Carmen. Ce soir, je reste ici. Mais, avant que tu partes, je vais te dire une chose. Je t'ai encouragée, soutenue, défendue du mieux que j'ai pu. J'ai toujours cédé devant tes volontés et tes caprices qui, parfois, frisaient la limite du bon sens. J'ai tout fait pour toi, Carmen. Tout. Mais tu dépasses les bornes. Je ne peux pas me faire complice de ça. Je ne peux pas te regarder faire du mal à Miville, et te faire mal à toi-même, sans rien dire.

– Voyons ! Maman ! Ce n'est pas parce que j'ai accepté de chanter pour les amis du docteur du Mesnil et que Miville n'est pas là que je lui fais du mal. Les relations de monsieur du Mesnil ont de l'influence et ils paient bien. Je serais folle de passer à côté d'une telle chance. C'est bon pour ma carrière et ça peut me mener loin. Bien plus loin que les concerts du père Aquin...

– Toi, ton père et les autres, vous croyez que je ne vois rien de ce qui se passe autour de moi. Tu penses que je ne sais pas que tu n'as pas revu Miville depuis le concert chez les Molson. Tu supposes que je suis assez sotte pour croire que c'est normal. Que, tout à coup, Miville n'est plus invité à tes tours de chants. Tu t'imagines que je ne m'aperçois pas que, depuis cette soirée chez les Molson, tes engagements tournent toujours autour du docteur du Mesnil. Tu penses que je ne remarque pas qu'après chacun de tes spectacles, le docteur se pointe immanquablement en coulisses, comme par hasard. Je le vois bien que, chaque fois, il glisse un billet doux dans l'échancrure de ta robe et qu'il t'embrasse la main en te dévorant des yeux. Tu penses que je ne comprends pas, quand tu sors chaque soir ou presque, prétextant que tu vas prendre une marche, toi qui as toujours détesté marcher. Tu penses que je ne l'ai jamais vue, la voiture du docteur du Mesnil, tourner le coin de la rue et disparaître rapidement après que tu en sois descendue.

– Maman ! siffla Carmen, tremblante de rage mal contenue. Vous vous inventez des histoires.

– Oh non ! Je ne dis jamais rien, mais là, ma fille, tu vas m'écouter. Miville, c'est le petit-fils d'un des seigneurs de Bordeaux. C'est un jeune homme de bonne éducation, un bon garçon, généreux, sensible et honnête. En plus, il fait de la musique, comme toi. Quant au docteur, c'est un homme à femmes. C'est inscrit sur son front en lettres de feu. Il a toujours sa flasque à la main, il parle sans arrêt et il n'a pas aussitôt dit bonjour à quelqu'un que déjà il est rendu ailleurs. Un homme à tout le monde et à personne en même temps !

J'en connais un bout sur ce genre d'homme-là. Fais-moi confiance ! À ton âge, il faut que tu penses à te placer les pieds, ma fille. Tu n'auras pas toujours ton père et ta mère en arrière de toi. J'ai fait tout ce que j'ai pu pour t'éviter de connaître des souffrances comme celles que j'ai vécues. J'ai fait tout ce que j'ai pu pour t'aimer et pour que tu sois aimée. Mais on dirait que tu veux absolument aller là où ça fait mal. Eh bien ! C'est toi qui décides. Seulement moi, je ne peux plus faire semblant d'approuver ton attitude et tes manières qui me blessent jusqu'à la moelle. Je ne suis plus capable de fermer les yeux sur tes jeux fous qui vont finir par détruire ta vie et celle de Miville aussi. Un si bon garçon ! Alors, ne compte pas sur moi pour te donner ma bénédiction, ma fille. Jamais !

– Maman ! gronda Carmen, raidie par la fureur. Je veux réussir ma carrière de chanteuse. Je veux être comme Emma Lajeunesse. Moi aussi, je veux aller chanter en Angleterre, en France et en Italie. Je veux être connue au Canada, à New York, à Boston, partout aux États-Unis. Pour ça, il faut que je m'entoure de gens qui sont capables de m'y aider. Ce n'est pas Miville Vertefeuille qui a cette détermination-là. Ce n'est pas lui qui a les moyens de me conduire au sommet.

– Choisis la vie que tu veux, Carmen, marmonna Sarah, les yeux remplis de larmes, mais assumes-en les conséquences. Tu veux grimper au sommet ? Bien. Tu préfères piétiner l'amour des tiens au nom de la gloire ? Bien. Vas-y, au sommet ! Mais si tu choisis d'y aller sans Miville... alors tu choisis d'y aller aussi sans moi !

– Je suis en retard, éructa Carmen, en se retenant pour ne pas ruer la table de coups de pied. Faites à votre tête. Vous aurez aussi mon malheur sur la conscience, insinuat-elle sèchement, plus bouleversée par l'algarade de sa mère qu'elle ne voulait bien le laisser paraître.

Chapitre 31

Métamorphose

La divine réalisation de mademoiselle de Gorgoza soulevait l'admiration des clientes snobinardes du très sélect salon de coiffure Palmer & Son. Tour à tour, les femmes tendaient le cou sous leur étrange casque en forme de pieuvre métallique aux tentacules chauffants et emmêlés au-dessus de leur tête. Des dames de tous âges se tortillaient sur leur fauteuil noir à collet monté, afin d'apercevoir, à travers la fumée pestilentielle qui encensait l'air d'une odeur de cheveux roussis, la tête que toutes rêvaient d'avoir en sortant du prestigieux salon de la rue Sainte-Catherine.

La nouvelle coiffure de Camille, conforme aux derniers canons de la beauté, lui allait à ravir. Ses mèches courtes et ondulées la transformaient complètement. Son regard semblait plus confiant, son sourire, moins enfantin. On reconnaissait ses attributs, mais ils avaient gagné en saveur, en couleur et en intensité. La jeune fille aux allures de garçon manqué s'était tout à coup métamorphosée en une jeune femme séduisante. Sa féminité venait d'éclore comme une danaïde sortant de sa chrysalide. Magdaline se pâmait sur sa transformation tandis que les regards envieux détaillaient Camille de la tête aux pieds.

– C'est vraiment troublant, Camille. On dirait que tu es une nouvelle personne. Une personne que je ne connais pas. Je t'assure !

– Quand même, Magdaline ! C'est encore moi ! Mais... admets que ça me change.

Camille se leva sans parvenir à quitter des yeux la surprenante image que lui renvoyait le miroir. Elle avait l'impression de se retrouver devant une partie de son être qu'elle avait toujours pressentie, mais qu'elle n'avait jamais vue. Le reflet que lui retournait la glace chatouillait son amour-propre et générait en elle un élan inexplicable, comme une poussée de vie capable de balayer ses craintes et de lui inspirer le courage d'oser. De risquer. De s'aventurer dans l'inconnu et de poursuivre ses rêves, au risque d'être blessée, déjouée ou vaincue. Oui. Elle avait maintenant la tête pour ça.

Elle sortit de son sac son petit porte-monnaie en cuir brun patiné, aussi ridé qu'une vieille pomme trop mûre. Elle réunit religieusement la somme exorbitante de douze dollars et quatre-vingt-quinze cents qu'on lui demandait. Elle compta l'argent deux fois plutôt qu'une et le tendit à mademoiselle de Gorgoza. Du regard, elle invita Magdaline à sortir. Son amie fronça les sourcils. Elle tourna volontairement le dos à mademoiselle de Gorgoza et, sans émettre un son, articula de manière exagérée le mot « pourboire ». Camille remarqua alors que mademoiselle de Gorgoza attendait derrière son comptoir, avec un sourire qui sollicitait sans gêne un léger supplément. Camille ouvrit à nouveau son porte-monnaie et en sortit une pièce de vingt-cinq cents. Elle empoigna la main de la coiffeuse, y plaqua fermement la pièce et referma dessus quatre des jolis doigts de la demoiselle à l'air constipé. Peu habituée à cette familiarité paysanne, la coiffeuse rougit d'inconfort jusqu'à la racine de ses cheveux abondamment brillantinés. Visiblement insultée, elle remercia sa cliente du bout des lèvres et gagna l'arrière-boutique avec la vigueur d'un baril de poudre prêt à exploser.

– J'ai parfois l'impression que certaines personnes s'offusquent de tout et de rien, s'imaginant que la colère et le mépris qu'elles répandent autour d'elles les rendent importantes, lâcha Camille, une fois à l'extérieur de la boutique.

– Mon père disait que plus on est petit à l'intérieur, plus on cherche à paraître grand à l'extérieur. Il y a sûrement un peu de vrai là-dedans !

– Tu crois que c'est le cas de ton nouveau pensionnaire ?

– Félix ? Quelle drôle de question ! Tu le trouves prétentieux ?

– Prétentieux... Euh... Sûr de lui, en tout cas.

– C'est un point de vue... Que je ne partage pas, soit dit en passant. Je crois plutôt que certains êtres humains sont écorchés en cours de route. Qu'ils sont profondément blessés et qu'ils adoptent des attitudes compensatoires, sans trop en être conscients. Certains n'y arrivent pas et demeurent ainsi sérieusement amochés pour le reste de leur vie. La plus grande partie d'entre nous, peut-être. D'autres choisissent plutôt de faire face à leurs fantômes et essaient de les chasser, à coups d'espoir et de foi. Ils se droguent de rêves pour rester cramponnés à l'existence. Ils veulent tellement que leur vie soit belle qu'ils produisent, comme par enchantement, un trop-plein de passion et d'enthousiasme. Selon moi, c'est cette exaltation que nous confondons parfois avec l'arrogance ou la suffisance. À mon avis, c'est pourtant bien différent.

— On dirait que tu aimes bien Félix.

— C'est vrai, je l'aime bien. Et toi, qu'en penses-tu ?

— Moi ? Euh... Je ne le connais pas comme tu le connais. Nous nous croisons, à l'occasion. Nous parlons de chevaux et du temps qu'il fait. Il se montre toujours poli, mais... Magdaline, je... Je vais te confier un secret...

— Je te promets d'en prendre soin, Camille.

— Je crois... Je ne sais pas trop comment dire ça... Félix... Je... Il...

— Il te plaît ! C'est ça ?

— J'en ai bien peur, reconnut Camille, rouge de honte et déconfite par son propre aveu.

— Pourquoi dis-tu : « J'en ai bien peur » ? Trouver un homme à son goût n'a rien d'une maladie honteuse.

— Je sais. Je dis ça parce que je ne suis pas son genre, c'est tout.

— Ah ! Et comment sais-tu, pour l'amour du ciel, que tu n'es pas son genre ?

— Je le sais, se buta la jeune femme.

– Très explicite comme réponse ! Si on essayait de regarder les choses d'une manière différente ? Supposons que, jusqu'à aujourd'hui, tu n'étais pas son genre. Je dis bien : « supposons ». J'insiste, car c'est toi qui le prétends. Aujourd'hui, j'ai sous les yeux une toute nouvelle Camille, une Camille radieuse, épanouie et ravissante. Une Camille toujours aussi charmante, intelligente et attachante. Si je la vois, dis-moi pourquoi Félix ne pourrait pas, lui aussi, la voir ? Hein ! Dis-moi pourquoi ?

– Je viens de me dénicher un emploi à la Regent. Je n'ai pas besoin de me miner l'existence avec des histoires de cavalier et de me faire toutes sortes d'illusions qui, de toute façon, vont finir par me faire mal. Il vaut mieux que je m'en tienne à rêver d'une entreprise. C'est plus conforme à mes talents.

– Tu peux avoir un nouvel emploi, rêver d'une entreprise et, en même temps, ouvrir ton cœur au bonheur que procure l'amour d'un compagnon. C'est vrai, tu as la bosse des affaires. Mais, ça vient d'où, cette histoire que tu n'as pas le talent d'aimer et d'être aimée ?

– J'ai grandi avec l'idée que je serais le bâton de vieillesse de mon père. Et regarde où j'en suis aujourd'hui ! Il n'y a rien de moins sûr que de compter sur l'amour. C'est du temps et de l'énergie gaspillés. Il est évident que l'amour ne me réussit pas. Je ne suis pas conçue pour ça, un point c'est tout. J'ai un défaut de fabrication, conclut la jeune femme, sur un ton de dérision.

– Tu m'aimes. Je t'aime aussi. Tu estimes que nous perdons notre temps ? Que ces sentiments ne t'apportent rien ? Je ne te trouve pas belle, moi ? Je te trouve moche, mal foutue, inintéressante de surcroît, et c'est ce qui me rend ta compagnie si agréable ?

– Magdaline ! Ce n'est pas la même chose !

– Tu t'interdis ce qu'il y a de plus précieux au monde. Tu te prives toi-même de bonheurs sans pareils. L'amour, même passager, demeure un cadeau privilégié de la vie. Il contribue à nous rendre plus beaux et meilleurs avec nos semblables. Il nous apprend sur nous-mêmes et nous donne la chance de nous bonifier. Il cause bien certaines éraflures, certains désagréments, j'en conviens. Mais il en vaut le coup. Sans l'amour, Camille, la vie n'est qu'un amas de glace à la dérive. Tu as trop peur de perdre. Tu te braques avant même d'essayer. Pourquoi t'entêtes-tu à croire que ces bonheurs-là ne sont pas pour toi ?

La jeune femme baissa la tête. D'un œil peu amène, elle examina son accoutrement, remontant de ses chaussures à sa chemise. Elle étendit sa jupe et la considéra sous ses aspects défraîchis.

– Tu crois vraiment que Félix pourrait...

– Je le crois vraiment.

– Pas avec ces guenilles, en tout cas. Il est toujours tiré à quatre épingles. Et puis, ça ne va plus du tout avec mes cheveux. Du tout, du tout, du tout ! Non ?

– Si tu le dis.

– Je le dis. Nous avons encore quelques heures devant nous, n'est-ce pas ?

– Exact.

– Crois-tu que nous pouvons arranger ça ?

312

– Je pense que oui.

– Tu as un plan à proposer ?

– Quelle question ! On commence par un arrêt chez Almy's. On te trouve un corset, une robe, des bas de soie, des chaussures et un chapeau joliment garni, mais pas trop, rassure-toi ! proposa Magdaline en riant, sachant que Camille n'aimait guère attirer l'attention par ses vêtements. Si on n'arrive pas à dénicher là ce qu'il te faut, on file en douce chez Goodwin's. Si nécessaire, on court ensuite chez Morgan, puis chez Dupuis Frères.

– Approuvé ! On va de quel côté ?

Chapitre 32

Révélateur

Un halo d'un rouge clandestin découpait deux têtes émerveillées. Des clapotis timides troublaient un silence conspirateur. Les émanations d'œufs pourris que dégageaient les solutions acidulées des trois bacs alignés grisaient les deux hommes, comme une puissante fumée d'opium. Du bout de sa pince brûlée par l'action corrosive des acides, Gonzague remuait avec délicatesse les rectangles de papier impressionné qui nageaient à la surface du révélateur. Il aidait ses images à se révéler dans la pénombre secrète du laboratoire. À ses côtés, Félix observait l'opération. Il s'initiait avec délectation aux rites sacrés de la chambre noire. Il s'amusait de voir les gris clairs, puis les plus foncés, puis enfin les noirs, éclater les uns après les autres sur la blancheur des clichés. Il devinait les lignes et anticipait les formes avec excitation. Il assemblait dans sa tête les clairs et les obscurs et se plaisait à inventer les révélations à venir. Dans une consciente déraison, ses fantasmes les plus fous lui dessinaient des images extraordinaires.

Lorsque les noirs furent saturés, Gonzague repêcha un à un les clichés et les plongea dans le bac voisin.

– Jusqu'ici, ça va, mon grand ? s'inquiéta Gonzague.

– Tout à fait !

– On a presque terminé. Quelques minutes dans le bain d'arrêt, on fixe le tout et on attend patiemment que ça sèche. Tu penses pouvoir te rappeler tout ça ?

– Sans problème.

– Tu serais capable de refaire ça demain ? Tout seul ?

– Oui, monsieur ! D'un bout à l'autre !

Gonzague hocha la tête, entretenant un doute quant à l'assurance imperturbable que démontrait son apprenti. Il préféra taire ses appréhensions et attendre au lendemain pour juger *de visu* les exploits de son élève. Il leva ses lunettes sur son front et se pencha au-dessus du bac afin d'évaluer la qualité des agrandissements. Félix l'imita. Soucieux de l'apprentissage de Félix, Gonzague commenta à voix haute le temps d'exposition, les contrastes et l'équilibre de la composition des photos. Mais son élève ne l'écoutait plus. Un seul détail retenait son attention : le modèle qui posait sur chacun des clichés.

– Ça m'a l'air d'être toute une créature, monsieur Chaperon !

– Pour ça, tu as l'œil, mon ami. Il n'y a aucun doute là-dessus.

– Avez-vous vu la longueur de ses pattes ? Avec des mollets juste assez ronds ! Et une paire de cuisses... Hou là là !

– Ça semble pas mal..., décréta Gonzague, en faisant allusion à la qualité technique des photographies plutôt qu'à la remarque de Félix.

– Pas mal ? s'étrangla celui-ci. Monsieur Chaperon ! Mais qu'est-ce que ça vous prend de plus ? Moi, j'appelle ça parfait, une créature coupée au couteau comme ça.

Gonzague ne réagit pas, déçu de constater que l'intérêt de son élève pour les femmes noyait son attention.

– C'est une créature de par icitte ?

– Non. Cette jeune personne est une cantatrice de Montréal.

– Une chanteuse d'opéra ! Je déteste l'opéra ! Mais j'avoue que je flancherais, au moins un soir, juste pour le plaisir de l'avoir dans mon champ de vision pendant quelques heures.

De plus en plus agacé par les remarques de son apprenti, Gonzague tenta de donner une autre direction à la conversation.

– Viens de l'autre côté. On va aller vérifier les appareils pour ta séance de tout à l'heure. T'en sens-tu toujours capable ?

– Certainement ! Comme je vous l'ai dit, je dois d'abord aller chercher Magdaline à la gare et, après l'avoir reconduite à la maison, je fonce chez monsieur Labelle. Ne soyez pas inquiet. Je vais lui faire des sucrés de beaux portraits de son *merry-go-round* !

– En espérant que le bon Dieu ne mette pas une belle créature dans ta mire pour t'éloigner de la raison...

– N'ayez crainte ! Tout va bien aller !

Chapitre 33

Doux baba doux

Le convoi poursuivait son petit bonhomme de chemin à travers la ville, ronron après ronron. Trois coups de sifflet dolents traînèrent longtemps derrière le wagon de queue. Le train entrait en gare. La locomotive s'arrêta au quai à l'heure prévue ; pas une minute avant, pas une minute après. Depuis un bon moment, Félix attendait sur la plate-forme, planté au garde-à-vous, à l'endroit où descendraient les voyageurs. Il frétillait d'impatience. Il ignorait pourquoi Magdaline était allée à Montréal, mais il était certain que, dès qu'elle débarquerait, son enthousiasme la précipiterait vers lui pour lui raconter son aventure en long et en large. Telle qu'il la connaissait, il savait qu'elle essaierait de tout dire en même temps. Il l'imaginait déjà jongler avec les mots à la cadence fulgurante de ses émois, sans prendre le temps de respirer. L'idée le faisait sourire. Il pouvait très bien la voir, bougeant les bras, les mains et les doigts dans tous les sens, avec l'expression enjouée d'un polichinelle de la *commedia dell'arte* animé par les fils de sa passion et imprégnant chacun de ses mots de son charisme. Félix avait hâte de retrouver sa logeuse.

À la queue leu leu, les voyageurs mettaient pied sur le quai. Félix observait les visages d'un regard distrait, car il savait que Magdaline n'apparaîtrait pas parmi les premiers passagers. Elle détestait la bousculade des foules, aussi Félix présuma-t-il qu'elle ne quitterait son siège que lorsque l'affluence se serait calmée. Tout de même curieux, le jeune homme porta attention à ceux et celles qui s'attroupaient autour de lui. Il remarqua avec intérêt que rares étaient les figures sur lesquelles il pouvait voir cette douceur et cette générosité qui le frappaient encore lorsqu'il regardait Magdaline. Ses observations lui firent comprendre à quel point il avait eu de la chance de la rencontrer. Grâce à elle, il vivait maintenant dans un bien-être paisible dont il n'avait même jamais soupçonné l'existence. Pour la première fois de sa vie, il découvrait la tendresse sincère et désintéressée. De l'affection gratuite ! Il pouvait s'abandonner corps et âme aux plaisirs de cette chaleur humaine, sans avoir à se méfier des pièges, sans craindre d'avoir à rembourser quoi que ce soit.

Le flot des passagers diminuait. Félix jugea le moment opportun pour se rapprocher du wagon. Il aurait parié sa chemise que Magdaline serait la prochaine personne à apparaître dans l'embrasure de la porte. Souhaitant l'accueillir avec toute la galanterie qu'elle méritait, il enleva son vieux chapeau élimé et le plaça sur son cœur. Il regrettait de ne pas avoir cueilli une branche de lilas sur sa route. Il ferait semblant de lui en offrir une et le seul jeu amuserait Magdaline.

Son cœur fit un soubresaut lorsqu'il aperçut un mignon escarpin, de couleur caramel, chercher à tâtons la marche supérieure. Comme le corps attaché à ce charmant petit pied tardait à suivre, Félix resta en faction. Il en profita pour reluquer le dodu fanon de soie aux reflets de miel qui débordait du décolleté audacieux de la chaussure étroite. Il remarqua, sur le rebord de l'empeigne, un délicieux sillon charnu entre le gros orteil et son voisin. Ce détail l'amusa et l'incita à poursuivre ses observations.

Il entreprit alors l'escalade aventureuse des rondeurs des métatarsiens et s'arrêta, le temps d'une courte halte, à la vénusté d'une cheville délicate qui exerçait sur lui une attraction presque inhumaine. Il lui fallut tout le courage du monde pour garder ses mains dans ses poches. Pardi ! Même les extrémités de l'inconnue avaient quelque chose d'irrésistible !

Il ne la toucherait pas. Mais il ne pouvait s'empêcher de regarder, même si sa conscience lui adressait des remontrances. Il ne pouvait pas y avoir de mal à regarder ce que la nature lui montrait, du moins tenta-t-il de s'en convaincre. Félix s'adonna alors à son aventure oculaire sans plus se questionner. Il inclina discrètement la tête, espérant récolter, sous la robe mandarine, quelques images, même floues, du galbe du mollet ou, mieux encore, de l'orée potelée de la cuisse mellifue.

Malheureusement, il n'eut pas le temps de voir grand-chose. La dame avança, les bras chargés de paquets, et s'engagea dans l'escalier à pic. Félix n'eut d'autre choix que de reculer. Sans dire un mot, la belle, tête baissée, guettait les marches, cherchant à minimiser les risques de dégringolade. Félix ne put croiser son regard tant il était bien enfoui sous son drôle de petit chapeau cloche... beaucoup plus modeste qu'à l'habitude. Dans l'espoir d'être aperçu, Félix tendit la main. Aussitôt, une charmante menotte gantée de blanc s'y réfugia. Félix la serra jusqu'à ce qu'il sente sa protégée solidement ancrée au quai. Là, il la débarrassa de quelques-uns de ses nombreux paquets.

– Maintenant, je sais ce que vous êtes allée fabriquer en ville !

– Félix ! Comme je suis heureuse de vous voir ! lança Magdaline d'une voix enjouée qui, contre toute attente, provenait du haut du marchepied.

Déboussolé, Félix leva la tête.

– Magdaline ! marmonna-t-il d'un ton incrédule.

Confondu, il chercha à voir le visage de la jeune personne qui se tenait à ses côtés. Magdaline descendit les rejoindre avec une aisance qui ajoutait à l'embarras de Félix. Les yeux ronds du jeune homme bondissaient d'une femme à l'autre, à la vitesse d'une balle de ping-pong, tentant de résoudre l'énigme. Vraisemblablement, il avait fait erreur sur la personne. Mais, au-delà de cette méprise, l'attitude singulière et détachée de Magdaline devant l'incident le déroutait complètement. Elle aurait dû rire, le taquiner, réagir. Elle aurait dû répliquer, dire quelque chose, n'importe quoi, un mot d'esprit qui aurait au moins fait sourire cette jeune dame qui semblait si ravissante. Mais la situation ne semblait pas préoccuper Magdaline.

– Vous reste-t-il encore une main, mon ami ?

Sans attendre sa réponse, Magdaline lui confia les deux cartons à chapeaux dont les ganses lui sciaient les doigts.

– Enfin, je respire !

Magdaline embrassa avec tendresse les joues de son pensionnaire.

– Eh bien, Félix ! Avez-vous passé une bonne journée ? Racontez-nous vite ! Parce que si Camille et moi commençons à vous raconter nos aventures à Montréal, vous ne pourrez plus placer un mot avant la tombée de la nuit.

– Camille ? répliqua Félix, perplexe, se demandant pourquoi Magdaline faisait tout à coup allusion à ce petit bout de femme à la chevelure luxuriante et aux jolis seins ronds.

L'inconnue redressa la tête et, sous son chapeau cloche, lui décocha un grand sourire. Félix la reconnut. Son cœur connut alors un véritable coup de chaleur.

– Mon Dieu ! C'est quasiment pas possible. Ça ne se peut pas... Mais quel changement !

– C'est bien moi, Félix. Et j'ai peur que vous ne soyez obligé de vous y faire, parce que je ne prévois pas un autre changement avant quelques années, riposta Camille avec humour, la voix apparemment teintée d'une nouvelle assurance, mais avec un soupçon de fragilité à peine audible.

– Ah ! Pour m'y faire, je ne pense pas avoir trop de mal avec ça. Pas le moins du monde, mademoiselle Camille. Mais je vous préviens : moi, j'ai un faible pour les belles femmes. La beauté m'ouvre l'appétit. Et laissez-moi vous dire que je vous trouve pas mal à mon goût, comme ça. Vous êtes bien belle, mademoiselle. Bien, bien belle.

Camille se sentait pétiller comme du champagne qui explose d'une bouteille devenue trop étroite pour contenir son effervescence. Elle osait enfin croire qu'elle avait droit, elle aussi, au charme du grand Calvé. Quel velours ! Heureusement, cette douce blandice ne la grisa pas au point de manquer le clin d'œil dépourvu de subtilité que Magdaline lui adressa de derrière l'épaule de Félix. Ce signe complice confirma son sentiment : ce ciel de juin, jaspé d'indigo et de corail, s'annonçait plutôt bien.

– Et si nous y allions, mesdames ? Après vous avoir déposées, je dois filer chez le père Labelle pour prendre des portraits de son *merry-go-round*. Mais j'espère qu'à mon retour, vous allez tout me raconter de votre virée en ville.

— C'est promis ! riposta Magdaline qui, toujours derrière Félix, grimaçait et gesticulait en imitant, de manière caricaturale, un photographe en action, oscillant vigoureusement l'index entre son pensionnaire et Camille.

Camille comprit l'allusion et n'hésita pas une seconde à sauter sur l'occasion.

— Nous avons une surprise pour vous.

— Une surprise pour moi ?

— Pour habiller votre tête ! Parce que votre truc, là, il n'est plus de saison et il n'est pas très bien assorti à votre tenue.

Félix éclata de rire.

— C'est vous qui me parlez du mauvais agencement de mes vêtements ! Elle est bien bonne ! Et mon truc, comme vous l'appelez, je ne le porte pas par coquetterie, mais parce qu'il a une valeur sentimentale inestimable.

— Qu'importe le chapeau, Félix ! Vous en ferez ce que vous voulez, convint Magdaline avec empressement, en se remettant à tracer des cadres dans les airs pour inciter Camille à en venir au but.

— Vous savez, Félix... La photographie, ça me fascine. J'aimerais bien, un jour, que quelqu'un me montre à prendre des portraits. J'aimerais savoir comment les images apparaissent en dessous de ce mystérieux voile noir. Mon chien aussi, je pense..., conclut-elle en ricanant.

Camille vit Magdaline froncer les sourcils. Visiblement, son amie désapprouvait cette allusion à Wizz, allusion, de toute évidence, plutôt déplacée. Camille sourit et s'empressa de corriger le tir.

— Pour mon chien, il s'agissait d'une blague. Mais, farce à part, il me semble que je serais bonne dans la photographie. J'aurais l'œil, je pense.

— Pourquoi ne m'accompagnez-vous pas chez monsieur Labelle ? Vous pourriez m'aider à installer le matériel et, ensuite, je vous montrerais comment faire. C'est l'occasion idéale pour découvrir si vous avez l'œil pour la photographie autant que vous avez la main pour l'égoïne et le marteau.

Sans aucune discrétion, Magdaline leva les bras au ciel en signe de victoire. Camille se mordilla bien fort les lèvres pour empêcher son sourire de retrousser les bords de son chapeau.

— Ça semble être une bonne idée, dit Camille, subitement gagnée par la nervosité.

Mon Dieu, qu'avait-elle fait ? Quelle audace ! Qu'allait-il penser d'elle ?

— L'affaire est réglée, alors ! Magdaline, vous nous accompagnez ? Ce serait amusant d'y aller tous les trois ensemble. Ça donnerait à Bella, si jamais elle est là, des munitions pour alimenter ses potins. Je suis curieux de voir ce qu'elle pourrait inventer...

— Les commères potinent parce qu'il y a des oreilles pour écouter leurs ragots, le tança Magdaline, faussement sévère. Et je ne pense pas que monsieur Labelle ait le cœur à inviter sa fille pour faire des photos de son *merry-go-round*, après l'histoire du printemps dernier.

– Quelle histoire ? releva le jeune homme, désireux d'en connaître toujours davantage sur son voisinage.

– Camille va se faire un plaisir de vous raconter tout ça, n'est-ce pas, Camille ? Quant à moi, j'ai une lettre très importante à écrire. Alors, vous voudrez bien m'excuser, nous reprendrons notre sortie à trois une autre fois, conclut Magdaline, trop heureuse à l'idée que Camille et Félix aient l'occasion de passer un moment ensemble, sans chaperon.

– Comme vous voulez. Maintenant, dépêchons ! Je ne veux pas faire attendre monsieur Labelle. Des plans pour que sa charmante Bella aille raconter à monsieur Chaperon que je ne suis pas un employé fiable !

– Arrêtez, sinon je vais demander au curé de vous laver la langue avec du savon ! Offrez donc votre bras à Camille, plutôt que de gaspiller votre salive à médire.

– Hé ! J'ai deux bras, Magdaline. Venez !

Chapitre 34

Un plomb dans l'aile

Le *merry-go-round* de monsieur Labelle achevait sa période d'hibernation. Dans moins de deux semaines, il reprendrait du collier pour un deuxième été. Petits et grands viendraient en grand nombre et dépenseraient quinze cents pour s'offrir une chevauchée sur un cheval de bois échevelé. Aimé Labelle, l'heureux propriétaire, se préparait pour l'événement annuel. Depuis quelques semaines déjà, le sexagénaire soignait son écurie onirique avec l'attention et l'orgueil d'un collectionneur d'art qui bichonne avec amour ses pièces les plus précieuses.

Cette année, Aimé Labelle avait décidé d'aller au-delà de l'entretien saisonnier et d'apporter à son manège quelques améliorations qui lui semblaient essentielles. En tout premier lieu, il avait tenu à rembourrer les banquettes des chariots ailés de son carrousel, pour le plus grand confort de ses utilisateurs. Comme Bella avait refusé de lui donner un coup de main, il avait fait appel aux talents et à la générosité de Magdaline, qui l'avait aidé à habiller les sièges d'une généreuse bourre de paille et à les recouvrir ensuite d'un velours moelleux, aux reflets grenat d'un côté et rubis de l'autre. Les résultats dépassaient non seulement les attentes, mais aussi les dépenses prévues. Aimé était conscient que les profits supplémentaires ne vaudraient pas son investissement. Cependant, ce détail comptable ne le préoccupait guère, car il estimait que les intérêts affectifs qui en découleraient justifiaient largement cette mise de fonds.

Monsieur Labelle rêvait d'exploiter un manège depuis que sa sœur l'avait invité chez elle, à Coney Island, dans l'État de New York, à l'été 1919. Pendant son séjour, son beau-frère l'avait amené à l'atelier Illions, où il travaillait comme mécanicien et monteur de moteurs de carrousels. Aimé avait été fasciné tout autant par ces engins féeriques que par l'effet qu'ils produisaient dans les parcs où on les installait. Il avait décidé qu'un jour, il rapporterait un *merry-go-round* à Saint-Jérôme. Aimé avait bercé son rêve pendant six ans. Il avait finalement convaincu le notaire Parent de le laisser installer son *merry-go-round* sur son terrain vacant, juste devant l'espace réservé au rond à patiner pendant l'hiver. Ainsi, de décembre à mars, monsieur Labelle taillait encore des blocs de glace sur la rivière gelée, pour garder les glacières des Jérômiens bien au frais. Mais l'été, il avait cessé de voler au secours des moteurs de manufacture fatigués par l'usure. Dorénavant, l'exploitation de son manège, son travail de tailleur de glace et la pension que lui versait Bella lui suffisaient pour vivre. À son âge, il n'avait plus besoin de grand-chose, sinon de l'impression de pouvoir encore contribuer au bonheur des autres. Avec son carrousel, il avait ce sentiment merveilleux d'être pour les enfants du canton une espèce de Merlin l'Enchanteur.

À son grand étonnement, l'été où il l'avait installé, les jeunes gens avaient manifesté autant d'intérêt pour son carrousel que les petits. Les rares jours où la pluie ne les avait pas confinés à l'étanchéité de leur toit, Aimé les avait vus courir vers lui par dizaines et, curieusement, toujours en couples. À la différence des enfants, ils ne craquaient pas pour les chevaux de bois : seuls les chariots les intéressaient. Les fameux chariots ailés ! Comme il n'y avait que deux chariots, les jeunes gens devaient souvent attendre de longues minutes en ligne avant de pouvoir jouir du plaisir d'une balade. Ils s'y résignaient avec bonne humeur. Ils s'attroupaient derrière la barrière et supportaient patiemment l'attente. Il était bien arrivé que certains d'entre eux, plus malins, aient trouvé un moyen un peu tordu d'écourter leur attente de quelques tours. Mais Aimé Labelle n'avait jamais toléré de manières aussi discourtoises chez lui. Aussi s'était-il toujours fait un devoir de corriger illico ceux qui faisaient preuve d'un culot impoli.

Au moment d'ouvrir le cordon pour donner aux jeunes l'accès au manège, l'autorité de monsieur Labelle se faisait plus circonspecte. En vérité, la fougue avec laquelle ils s'élançaient sur le plancher en mouvement effrayait littéralement Aimé. Le vieil homme préférait se trouver n'importe où ailleurs que dans leurs jambes, quand il les voyait bondir et se disputer les chariots avec détermination. Leur engouement constituait un véritable phénomène. Rapidement, tout le monde en ville se mit à en parler. Certaines langues mal pendues, dont celle de sa fille Bella, allèrent même jusqu'à répandre le bruit que le père Labelle opérait un bordel à ciel ouvert et que ses activités compromettaient sérieusement la vertu de la jeunesse jérômienne.

Ces chariots du *merry-go-round* qui faisaient tant jaser avaient en fait l'allure de douillets habitacles, flanqués de gigantesques ailes d'épinette sculptées de courbes et de vallons. Ces ailes étaient plus hautes qu'un homme et plus larges que le chef de police Guyon. Il n'y avait donc rien d'étonnant à ce que ceux qui allaient s'enfouir entre ces deux organes volants aux dimensions titanesques se sentent comme dans une bulle, coupés du reste du monde.

Et, en vérité, ils l'étaient : une fois qu'ils y étaient installés, personne ne pouvait plus les voir. Seul monsieur Labelle, perché sur son promontoire d'où il surveillait le bon fonctionnement du manège, pouvait savoir à quoi les amoureux occupaient leurs mains et leurs bouches derrière ces immenses paravents.

Au dire de monsieur Labelle, il n'y avait rien à reprocher à ces jeunes. Rien dans leur conduite ne méritait admonestation ou condamnation. Leur comportement n'était pas déplacé. Au contraire ! Ils étaient beaux dans ces chars ailés. Trop beaux, d'ailleurs, pour qu'il permette à quiconque, même à Bella, de s'employer à réprimer leurs inoffensives démonstrations de tendresse et de romantisme dont il était le témoin privilégié. C'est pourquoi Aimé avait choisi de se ranger du côté des jeunes lorsque l'agitation populaire s'était fait sentir et que des parents s'étaient précipités au presbytère pour demander au curé de faire disparaître au plus vite la « machine du diable à Labelle ».

Dans les circonstances, le vieil homme avait opté pour une guerre sage qui, fort heureusement, n'avait duré que le temps du muguet. Il avait vu neiger au cours de sa longue existence, Aimé Labelle ! Il savait que, parfois, il valait mieux user d'astuce que de rage pour remporter une bataille. Ainsi, en bon roublard qu'il savait être en cas de nécessité, il s'était lancé dans une habile opération de charme, d'abord auprès du curé et ensuite auprès de parents influents qu'il savait favorables à ses vues. Son stratagème avait porté ses fruits. Au fil des semaines, l'agitation s'était calmée, d'autant plus que le curé Bergevin avait pris le parti d'Aimé Labelle.

Ce dimanche matin-là, tous les paroissiens avaient religieusement écouté le sermon. Personne ne s'était endormi. On pouvait presque entendre les maringouins voler en

330

rase-mottes autour des oreilles les plus appétissantes. Les mots de l'homme d'Église avaient jailli avec passion, percutant de plein fouet ceux qui contestaient la bonne foi d'Aimé Labelle. Après la messe, personne n'avait osé commenter le sermon du curé. Tous semblaient avoir accepté de se plier à sa volonté et de s'en remettre à la vigilance et à la dévotion du bon monsieur Labelle pour veiller sur la vertu de la jeunesse jérômienne. En ce quatrième dimanche de juin, les derniers bigots avaient été confondus et Bella condamnée au silence. Le chaos était définitivement réglé.

Ainsi, de la Saint-Jean-Baptiste à l'Action de grâce, monsieur Labelle avait goûté en paix aux privilèges que lui conférait son statut officiel d'ange gardien du *merry-go-round*. Il avait écouté le cœur des jeunes tambouriner de joie dans ses voitures ailées. En effet, il jurait que, de son promontoire, il parvenait à entendre les palpitations des amoureux avant que l'air de *Silver Moon* ne s'échappe de l'orgue de Barbarie et ne les enterre sous ses puissants éclats. Comme Aimé était un peu dur d'oreille, son histoire faisait sourire le voisinage. Pourtant, aussi invraisemblable que son récit puisse paraître, Aimé les entendait bel et bien, ces cœurs qui battaient à tout rompre ; non seulement il comprenait les mots qui s'en échappaient, mais aussi ceux qui transcendaient leurs esprits.

Monsieur Labelle n'avait rien d'un cinglé. Il n'était ni plus futé ni plus doué que quiconque en ville. Il avait simplement une sensibilité hors du commun, qu'il devait à son affection pour ces grands enfants. Il aimait les jeunes et il aimait percevoir les palpitations de leur vie. Il prenait donc le temps de s'arrêter, de regarder, d'écouter, et il attendait patiemment que les sons s'infusent dans ses veines et lui racontent toutes ces histoires auxquelles, malheureusement, la plupart des gens ne prêtaient guère attention. Il avait consacré tellement de temps à ce jeu qu'avant même que la saison des foins ne soit venue, il arrivait à pressentir, grâce à un seul regard, les joies ou les peines qu'allaient connaître les adeptes du « rituel du carrousel », une fois à bord de ses chars ailés.

Aimé Labelle se plaisait bien dans ses nouvelles fonctions d'ange gardien de la vertu de la jeunesse. Cette responsabilité lui donnait le sentiment d'être important et de servir encore à quelque chose, lui qui avait cru, en regardant Bella vieillir, qu'il ne lui restait qu'à attendre la mort. Grâce à son manège, il avait l'impression que le bon Dieu lui avait confié une ultime mission sur terre. Ce coup du destin l'avait rajeuni de vingt ans et lui avait redonné une raison d'exister. À cause de ces inestimables dividendes, monsieur Labelle avait entrepris de s'investir corps et âme dans sa nouvelle mission, en plus d'y investir son bas de laine.

Aimé n'avait qu'une fille, sa chère Bella, alors qu'il aurait souhaité en avoir une douzaine. Il voulait que les jeunes se souviennent de lui et il tenait absolument à laisser un héritage, quel qu'il soit, aux générations suivantes. Manifestement, sa fille ne faisait pas partie de cet héritage. Aussi avait-il longtemps cherché la forme qu'il voulait donner à son legs, sans avoir cependant la moindre idée de la nature des souvenirs qu'il voulait inscrire à l'histoire. Son métier de tenancier de carrousel lui procurait maintenant tous les ingrédients nécessaires pour concrétiser ses aspirations et enfin calmer ses angoisses existentielles. Aimé avait eu l'idée de faire prendre de belles grandes photographies de ses installations et d'y raconter, à l'endos, les souvenirs qu'il voulait léguer à la mémoire collective. Il comptait les utiliser pour parler des histoires d'amour qu'il avait vu naître, mais aussi pour rappeler à toutes les communautés du pays l'importance des citoyens voués aux entreprises philanthropiques comme celle de la protection de l'amour.

En attendant l'arrivée du nouveau bras droit de son ami Gonzague, monsieur Labelle complétait l'inspection de son manège avec la sollicitude d'un maître d'école qui prépare ses enfants à la visite du directeur. Somme toute, sa revue eut pour effet de mousser son orgueil : Aimé avait réussi à redonner à la dorure des attelages des quarante-deux bêtes du manège tout son éclat d'origine. Il avait ciré les quarante pieds de circonférence du parquet de bois rougi, jusqu'à ce qu'il brille comme un miroir. Il avait astiqué les soixante-six tuyaux de cuivre de l'orgue mécanique avec autant de soin que s'ils avaient été des médailles saintes. Enfin, il avait enrubanné de rouge et de blanc chacun des poteaux de métal sur lesquels les chevaux flottaient entre ciel et terre. Quelques touches de rose opéra manquaient encore à la guérite d'entrée, et le moteur allait certainement tourner plus rondement après une bonne mise au point ; mais cela pouvait attendre encore quelques jours. Satisfait de son travail, Aimé alla ranger ses outils. En descendant du plateau tournant, il remarqua un détail qui, jusque-là, lui avait échappé. Il sortit sa montre de sa poche et conclut qu'il disposait d'assez de temps pour régler le problème.

À cause de son ouïe défaillante, monsieur Labelle n'entendit pas Félix et Camille qui, une quinzaine de minutes plus tard, vinrent se poster derrière lui. Le vieil homme avait le nez collé sur les naseaux dilatés d'un de ses ongulés de bois et la main enfouie dans sa gueule. Surpris de le trouver dans cette position, le photographe et son apprentie restaient figés sur place. D'où ils se tenaient, il leur était impossible de voir qu'Aimé s'affairait à retoucher l'émail des longues dents de la bête, entre lesquelles des dépôts graisseux, noirs et disgracieux, s'étaient insinués. Armé d'une brosse étroite et d'un minuscule godet de peinture blanche, le bienheureux repeignait le sourire de l'animal, dent après dent, avec une patience dont seul un ange pouvait faire preuve. Félix et Camille s'avancèrent sur la pointe des pieds pour mieux saisir le véritable motif de ce tête-à-tête insolite.

– Attention, monsieur Labelle, il va vous mordre ! claironna Félix lorsqu'il comprit que le brave homme jouait au blanchisseur de dents.

Celui-ci sursauta, s'aspergeant du contenu tout entier de son godet. Il agrippa vitement la guenille qui pendouillait de sa poche arrière et s'empressa d'éponger la tache blanche qui dégoulinait sur sa chemise, lui donnant tout à coup un air affreusement défraîchi. Pourtant, cette chemise ne comptait qu'une dizaine d'années d'usure !

– Ça m'apprendra à être sur les dents pour un sourire de gueule de bois ! ricana nerveusement monsieur Labelle en riant de sa maladresse. De quoi ai-je l'air, maintenant ? D'un vieux fou ! Tout simplement d'un vieux fou !

– Encore heureux que vous ne teniez pas le gallon au complet ! lâcha Camille, cherchant à le réconforter.

– Ne vous inquiétez pas, mademoiselle McCready ! Je n'aurais pas été plus grognon si j'en avais eu sur mon complet, lui répondit monsieur Labelle.

Le vieil homme leva la tête et, de son index, remonta sur son nez ses petites lunettes rondes, dont les verres étaient maintenant pailletés de points blancs. Il est vrai que les mots des autres dérapaient de plus en plus souvent dans ses oreilles. Fort heureusement, le ton de voix trouvait encore le chemin de son cœur. Si les paroles de Camille lui avaient échappé, l'intonation de la jeune femme laissait deviner sa bienveillance. Il voulut lui signifier sa reconnaissance. Pour ce faire, il retira ses lunettes et s'approcha d'elle. Il remarqua alors son allure tout à fait inhabituelle et le choc de cette vision fit dérailler sa pensée.

– Voulez-vous me dire ce qui vous est arrivé ? Vous êtes donc bien belle, aujourd'hui !

Camille et Félix pouffèrent de rire. La nature exceptionnelle de monsieur Labelle en faisait un homme irrésistible.

– Ah ! Ne me répondez pas ! Ça ne me regarde pas ! En tout cas, vous êtes bien belle. Bien, bien belle. J'espère juste que vous n'êtes pas arrangée comme ça parce que vous avez lâché le bois pour les portraits. Ça me ferait bien de la peine, vous savez. Et à votre père aussi, j'en suis sûr. Bon, j'ai assez parlé. Je vais aller me dégommer, avant de me retrouver empesé comme un surplis des grands jours. Pendant ce temps-là, vous allez pouvoir installer votre attirail en paix. Oh ! Avant que j'oublie... Que voulez-vous, à mon âge, ça m'arrive de plus en plus souvent de sauter quelques coches. Hi ! Hi ! Qu'est-ce que je voulais vous dire, déjà ? Ah oui ! J'ai fait le tour de la parenté et des voisins pour leur dire de s'endimancher et de s'amener ici vers sept heures moins quart, sept heures. Je voulais que vous ayez du beau monde à asseoir sur mes chevaux. Pour les portraits ! Ah oui ! Le moteur ! J'allais oublier le moteur ! Si jamais vous voulez le voir tourner... Pas le moteur, bien sûr ! Il n'y aurait pas grand-chose à voir. Mais le *merry-go-round* ! Il est là, dans la cabane ! Pas le *merry-go-round*... le moteur ! Le moteur est dans la cabane. Vous avez juste à lui donner un bon coup de crinque et il va partir. Je reviens dans une minute. À moins que je ne me mette à sauter encore quelques coches en m'en allant ou en revenant... Hi ! Hi !

En l'absence de monsieur Labelle, Félix et Camille installèrent le trépied et la caméra. Les rires et les histoires coulaient doucement entre eux, dissipant leurs appréhensions mutuelles comme un zéphyr qui réchauffe une maison tiédie par une nuit prématurément fraîche. Leurs jeux d'esprit et leurs calembours étaient façonnés d'un humour semblable et brodés à partir de peines étrangement voisines. Des peines inconscientes, à l'un comme à l'autre, mais des peines qui avaient laissé derrière elles une douleur imperceptible et pourtant bien réelle. Des peines cisaillées par le besoin de laisser sa marque, par la volonté de prouver sa valeur, par la nécessité de se sentir indispensable. Des peines qui, pour Camille, s'étaient alourdies, avec le temps, du poids de responsabilités qui ne lui appartenaient pas, et des peines qui, pour Félix, trouvaient à s'assouvir dans un état de légèreté et d'irresponsabilité.

Camille s'apercevait que l'existence semblait facile et agréable en compagnie du jeune homme. Avec lui, elle n'avait pas à être responsable. Elle se rappela que la veille encore, elle cherchait à le haïr ; cette pensée la fit sourire. Elle avait voulu mépriser Félix parce qu'au fond d'elle-même elle savait, depuis l'instant où il était apparu devant elle, qu'il lui serait trop facile de l'aimer. Elle avait tenté d'entretenir du ressentiment à son endroit, espérant faire de sa haine un bouclier protecteur contre les meurtrissures du rejet. À présent, devant ses entourloupettes séduisantes, devant ses clins d'œil enjôleurs, devant ses égards touchants et ses frôlements aimants comme doublés de fil d'ange, devant cet homme qui lui ravissait les doigts, les mains, les bras, le visage, la taille et les hanches, là, de tout son être, elle se rendait.

Autant de considération de la part d'une jolie jeune femme gonflait Félix de fierté. Comme un coq fier de parader son camail, le jeune homme étalait la magnificence de sa personne dans un ramage singulier, et sa parade semblait porter les fruits escomptés. Avec l'agilité d'un saltimbanque, Félix enseignait à son apprentie le fonctionnement détaillé de chacune des pièces d'équipement. Ses facéties transformaient l'apprentissage en un jeu charmant qui s'acheva trop prématurément au goût de Camille. Malgré les grimaces de Félix, Camille avait retenu sans peine chacune des instructions. Elle avait enregistré chaque mot, avait noté chaque accent, chaque virgule et chaque respiration qui, pour son plus grand bonheur, laissait à Félix juste le temps nécessaire pour faire prendre un peu d'air à ses belles dents blanches. Aussi, quand il invita Camille à lui faire la démonstration de ce qu'elle avait retenu, elle se sentit confiante, mais terriblement déçue que la leçon soit déjà achevée.

La jeune femme répéta les manœuvres avec une application religieuse. Sa prestation, d'une assurance remarquable, sidéra son maître. Elle aurait été borgne que l'étonnement de Félix n'aurait pas pu lui échapper... Devant ce succès, Camille décida de pousser sa chance un peu plus loin. Avec un toupet à déplumer les ailes d'épinette, elle exprima son désir de prendre son premier portrait toute seule. Elle désigna de l'index une des bêtes du carrousel et enjoignit Félix d'aller s'asseoir sur sa croupe pour lui servir de modèle. Elle allait se féliciter de son aplomb quand le visage de Félix s'étira en un étrange sourire de demeuré. Le jeune homme disparut subitement sous le voile noir de la caméra.

La proposition de Camille avait allumé l'imagination de son compagnon, comme une lampée d'huile sur un feu de paille. Le carré de popeline sur la tête, Félix, en proie à l'effervescence, devisait de façon incompréhensible. Comme un danseur de tango passionné, il entraîna ensuite son trépied jusqu'au manège et le positionna sur la plate-forme, devant un des deux chars ailés. D'un bond, il revint près de Camille, saisit le fourre-tout qui contenait les plaques de bromure d'argent et le cala dans les bras de son apprentie.

– Allez-y, Camille !

– Aller où ? Je n'ai rien compris à votre charabia !

– Quelle audace, petite dame ! Comparer mes mots à du charabia ! Mais je suis bon joueur et je vous pardonne cet affront. À la condition, cependant, que vous couriez à toutes jambes jusqu'au chariot. Plus vite que ça ! Je vous rejoins dans un moment.

Félix courut vers la cabane qui abritait le moteur. Camille ne comprenait toujours rien au plan de Félix, mais elle obéit et mit le cap vers le carrousel avec l'allure d'une plumule de colvert portée par une brise d'air chaud. Elle s'installa dans le chariot ailé. Elle s'y sentit étrangement bien. Elle avait l'impression de s'embarquer pour un voyage vers le Nouveau Monde. Elle avait soudainement les ailes dont elle avait si souvent rêvé. Le bonheur existait donc ! Le plateau se mit à tourner lentement. Elle ferma les yeux, s'imaginant qu'elle s'envolait haut dans le ciel, vers une vie nouvelle, une vie où rien ni personne ne pourrait plus jamais amputer ses rêves. Une vie où seul les sceptiques se retrouvaient empêtrés dans leurs désillusions.

Félix surgit soudainement à ses côtés.

– Hé, petite demoiselle ! Vous ne verrez pas grand-chose, si vous restez assise là, les yeux fermés !

Il releva le voile noir qui couvrait l'appareil et colla ses yeux au viseur.

– Wow ! Quelle image ! Je vous explique : nous allons essayer de photographier le mouvement ! Nous allons décomposer l'image et figer le temps. Nous serons les premiers à réussir cet exploit !

– Je veux voir ! Laissez-moi voir, insista Camille, excitée par le projet.

Félix s'appuya contre le devant du chariot. Il tendit son bras dans les airs, invitant Camille à s'insinuer dans l'espace ainsi créé. Camille s'avança avec prudence et tenta de regarder dans le viseur.

– Je ne vois rien. Comment faites-vous ? Je ne vois que des lignes qui bougent.

– Rappelez-vous, Camille : l'image est inversée. Concentrez-vous et regardez bien !

– Ah ! Là, je vois ! Oui, oui, je vois ! Je vois !

– Soyez gentille, maintenant, faites-moi une petite place ! Moi aussi, je veux voir ! Nous vivons un moment historique, Camille !

Félix colla sa joue sur celle de Camille. De sa main gauche, il ajusta le foyer de l'image. Il dut laisser tomber le voile noir derrière leurs têtes pour libérer sa main droite et atteindre le déclencheur.

– Vous avez chargé l'appareil, Camille ?

Les sens tourneboulés par la proximité de Félix, elle murmura sans le regarder :

– M'oui...

– Ah ! Ça m'excite ! jubila Félix. Pas vous ?

Camille sentit des sueurs froides lui glacer les reins mais ne trouva rien d'intelligent à répondre.

– Vous rendez-vous compte ? Nous allons capturer le mouvement. C'est un moment important dans la vie d'un homme !

Camille pensait que l'importance attribuée par chacun aux moments était bien relative. Elle priait de toutes ses forces pour que Félix actionne le déclencheur au plus vite, car s'il tardait, elle craignait que son cœur ne s'arrête. Elle avait chaud et froid en même temps. La tête lui tournait et elle sentait ses jambes ramollir comme des tiges de pissenlits oubliées au fond d'une poche de tablier.

– Vous la prenez, cette photo ? s'impatienta Camille, d'une voix nerveuse.

Félix remarqua le changement de ton. Il remonta le voile noir, juste assez pour qu'un soupçon de lumière l'informe sur les états d'âme de sa compagne.

– On dirait que notre expérience ne vous amuse plus vraiment. Je me trompe ?

– Oui. Euh... Non.

Camille sentait le regard de Félix étudier chaque courbe, chaque creux, chaque pli, chaque tache de rousseur de son visage.

– Que se passe-t-il ? insista-t-il.

Tiraillée entre la peur et l'envie, Camille demeura en panne de mots, l'œil rivé au viseur. Le jeune homme glissa sa main sous le visage de Camille, qui tremblait comme une jeune bernache touchée d'un plomb dans l'aile. Avec une extrême douceur, il appuya d'abord son pouce, puis son index de chaque côté de sa bouche, espérant ainsi faire glisser son menton jusqu'au creux de sa paume sans l'effaroucher. Lorsqu'il sentit au bout de ses doigts la chaleur de ses pommettes qui s'intensifiait, il fit pivoter vers lui, lentement, très lentement, sa tendre figure, avec autant de soin que s'il manipulait une porcelaine de Limoges. Il remarqua que les derniers rayons du soleil se reflétaient dans ses yeux et mouillaient son regard de reflets orangés attendrissants. Il scruta longuement ses yeux plus bleus qu'un lac teinté au bleu de méthylène et il eut envie d'y plonger nu, sans penser au danger. Il se ravisa. Par pudeur. Par respect pour la fragilité, pour la naïveté et pour la pureté. Par peur, aussi. La peur de cette force dont il savait ne toucher qu'une infime partie. La peur de cette détermination acharnée, de cette intelligence redoutable et de cette volonté toute-puissante qui à la fois l'excitait et lui donnait froid dans le dos. La peur de s'engager...

Félix allait retirer sa main, mais Camille l'emprisonna dans la sienne. Le sourire qu'elle lui offrit, mêlant l'innocence à une sensualité prometteuse, lui chavira les sens. Il rapprocha son visage du sien et posa délicatement ses lèvres sur les siennes. La réponse fut immédiate. Une folle passion venait de s'embraser. Elle déferlait en vagues bouillonnantes et secouait, sans inhibition, chaque parcelle d'un désir partagé difficile à contrôler. Soudainement, une joyeuse pétarade d'étincelles jaillit du cabanon qui abritait le moteur. L'engin toussota une gamme impressionnante de pif, de paf et de pouf. La mélodie de *Silver Moon* ralentit. Le plateau tournant du manège s'arrêta sec. Félix rattrapa de justesse la caméra lancée en chute libre et s'écrasa sur Camille, qui avait déjà fait un atterrissage forcé sur la banquette.

Du parterre, Aimé Labelle avait assisté au spectacle. À celui-là et à l'autre aussi, celui qui se dissimulait derrière les apparences et que personne d'autre que lui n'aurait remarqué.

— Il n'y a pas de casse, j'espère ?

— Ne vous inquiétez pas, monsieur Labelle. Rien de brisé, pas de mort, pas de blessé, le rassura Félix encore assis sur les genoux de Camille, la caméra entre les bras.

— Si vous restez là, par contre, les dégâts risquent de s'aggraver !

Le jeune homme retomba aussitôt sur ses pattes et s'élança nerveusement à la rencontre du vieil homme, sans se soucier de l'état de Camille, trop troublé qu'il était par le feu qu'elle avait injecté dans ses veines.

— J'ai nettoyé mes lunettes. J'y vois clair comme un tout jeune homme maintenant, lança monsieur Labelle avec un sourire qui lui retroussait les moustaches jusque sous les yeux.

— Vous avez sûrement vu le feu sortir du toit de la cabane, alors ?

— Merci ! Ça me fait bien plaisir que vous ayez pu faire un vœu pour moi avant la panne. Mais là, je vous parlais de ma vue... Pour vous dire que vous avez le menton barbouillé de rouge, et pas qu'un peu.

Félix sortit son mouchoir de sa poche et l'agita avec énergie. Lorsqu'il fut complètement déplié et qu'il eut la taille d'un drapeau, il y plongea son visage.

– Du rouge ! De la peinture, probablement, marmonnat-il, gêné.

– Pffff ! De la peinture, grommela monsieur Labelle sans être entendu. Rouge ! Et je n'ai utilisé que du blanc. Ah, les jeunes ! Pendant que vous vous débarbouillez, monsieur Calvé, je vais aller voir mademoiselle McCready. Après un choc comme celui-là, il se pourrait bien qu'elle ait besoin du réconfort d'une vieille main comme la mienne pour reprendre son envol. Vous, vous devriez lui offrir un coin de votre nappe à nez avant de la rendre inutilisable. À tout hasard ! Vu les circonstances, il me semble que ça serait galant de votre part. Hi ! Hi !

Monsieur Labelle rejoignit Camille, habité par un sentiment désagréable. Il craignait que le grand Calvé ne lui ait sérieusement abîmé les ailes...

Partie 5

Cavalcade
De fin juin à semptembre 1924

Chapitre 35

Délivrance

La sirène de la Regent Knitting hurlait le moment tant attendu de la délivrance. Les voix métalliques des métiers à tisser se taisaient enfin après dix longues heures de tapage abrutissant. Les moteurs essoufflés transpiraient leur trop-plein de chaleur et la fumée d'huile brûlée qui s'en dégageait se mêlait à l'odeur âcre de la sueur des travailleuses. Les tisserandes avaient déserté l'étage tandis que les automates régurgitaient encore les relents de leurs efforts. Les femmes avaient disparu plus vite que des comètes en cavale, sans se soucier de saluer la patronne.

Toute la bonne volonté dont Camille avait fait preuve au cours des dernières semaines n'avait pas apaisé l'hostilité des travailleuses. De toute évidence, elles l'avaient condamnée sans appel dès le premier jour. L'étiquette de matrone qu'on lui avait accolée la marquait comme une brûlure au fer rouge : impossible de s'en débarrasser. Camille avait beau fouiller son répertoire de bonnes paroles et user d'une délicatesse inimaginable, ses essais restaient vains. Elle n'avait pas réussi à gagner la confiance de ses employées, qui continuaient à interpréter ses marques de gentillesse comme des tactiques de patronne dont le seul intérêt était l'augmentation de leur rendement.

La situation allait de mal en pis. Les ouvrières s'acharnaient à trouver de nouvelles occasions pour exacerber leur cynisme à l'égard de Camille. En réalité, elles n'avaient rien à lui reprocher, sinon ses fonctions de contremaîtresse. Malheureusement pour elles, ces dernières consistaient à les faire travailler. Les femmes de l'usine en voulaient à Camille, tant pour ce qu'elle était que ce qu'elle représentait. Tantôt, c'était à son jeune âge qu'elles s'en prenaient. Tantôt, à ses cheveux trop courts. Tantôt à ses vêtements coupés à la mode de la ville, à son attitude exagérément optimiste, à son énergie intarissable ou à sa détermination qui ne se démentait jamais. Tous les prétextes étaient bons pour la critiquer. Il y avait bien eu, à l'arrivée de Camille, quelques maquisardes qui avaient résisté, contre vents et marées, à cette vague de malveillance gratuite. Mais l'inexpérience de Camille n'avait pas mis longtemps à éclater au vu et au su de toutes. À partir de ce moment-là, les dissidentes s'étaient ralliées au courant dominant. Toutes les ouvrières s'étaient rassemblées, à la manière des oies sauvages qui s'articulent en formation pour combattre la résistance de l'air, pour s'engager dans une lutte froide et sans pitié qu'elles semblaient prêtes à mener jusqu'à la victoire finale.

Ce climat minait le moral de Camille. Devant ce mépris injustifié, il lui était de plus en plus difficile de contenir sa colère et d'agir comme si cette ambiance malsaine ne l'affectait pas. Sa flamme s'éteignait. Elle devenait susceptible, exigeante et irritable. Plus le mal s'insinuait dans ses entrailles, plus les femmes trouvaient matière à aiguiser leurs médisances et plus le mal pénétrait en profondeur. Les journées de travail s'enlisaient dans un cercle infernal et absurde, où l'ourdissage d'une haine mutuelle se tramait chaque jour de façon plus serrée.

La compassion de Camille avait fait place à une animosité ouverte. Sa conception du travail était à des lieues de celle des ouvrières. Ces femmes n'aimaient pas travailler tandis que, pour elle, le travail c'était la vie. Elle avait un besoin viscéral de travailler. Et de travailler fort. Elle était donc totalement déroutée par cette nécessité absolue que manifestaient les travailleuses d'être constamment menacées par l'autorité pour garder l'esprit à l'ouvrage. Elle ne comprenait pas pourquoi elles cherchaient à fuir leur tâche comme la peste.

Dès que Camille relâchait sa surveillance, la majorité des travailleuses agissaient comme de jeunes enfants. Elles se mettaient à papoter en cachette, à ricaner sans raison ou à se lancer de la charpie qu'elles façonnaient en petites boulettes à la manière de projectiles. Leur imagination fonctionnait à plein régime pour le seul plaisir de se soustraire au travail pendant quelques minutes. Défier l'autorité leur semblait une activité valorisante. Infiniment plus, d'ailleurs, que la satisfaction du travail bien fait.

À l'usine, ni la fierté ni l'amour-propre, et encore moins l'amour de ses semblables, n'avaient d'impact sur la production. Le travail perdait ses lettres de noblesse et se voyait réduit à une corvée triste, avilissante et sans signification à laquelle toutes rêvaient d'échapper. Camille étouffait dans cet endroit lamentable. L'idée de se délier de ses engagements lui trottait de plus en plus sérieusement dans la tête.

Un long moment après la fin du quart des ouvrières, Camille troqua son tablier pour sa gabardine et quitta à son tour l'étage désert. Elle avait hâte de respirer un peu d'air frais. Elle accéléra le pas pour éviter de se retrouver face à face avec Andy Marcoux. Elle connaissait déjà par cœur le discours de son patron. Elle ne pouvait déjà plus le souffrir, et la seule idée d'avoir à subir sa crétinerie, ne serait-ce que quelques minutes, lui donnait la nausée. Elle descendit l'escalier et quitta à toute vitesse l'enceinte de l'usine. Sans regarder autour d'elle, elle fonça à pleine vapeur en direction du quai d'embarquement de la gondole, de l'autre côté du pont de fer.

Depuis un bon moment déjà, Magdaline faisait le pied de grue devant la porte de l'usine. Un courant d'air subit lui rasa les pieds et la sortit de ses rêveries. Elle aperçut la silhouette d'une femme de petite taille qui disparaissait sur le pont, ne laissant derrière elle que les contours flous d'un manteau cobalt. Magdaline observa la traînée bleue jusqu'à ce qu'elle ralentisse de l'autre côté du pont et attaque la périlleuse descente du raccourci menant derrière le restaurant Arbour. Alors, elle n'eut plus de doutes : c'était bien Camille. Elle seule pouvait zigzaguer ainsi sur une pente aussi abrupte avec l'agilité d'un écureuil et la hardiesse d'un explorateur.

Assise au bout du quai, pieds nus, Camille pataugeait dans les froides vaguelettes. Çà et là, des notes de *Jabadaw* échappaient à sa tristesse, faisant écho à l'ariette des hirondelles. Quelques branches du saule pleureur dansaient sous le poids des oiseaux qui venaient, partaient et dessinaient sur l'eau des jeux d'ombres kaléidoscopiques avec lesquels Camille jonglait. Elle ne remarqua pas l'arrivée de Magdaline, qui se débarrassa de ses salomés et de ses bas et s'avança jusqu'au bout du quai. Elle se blottit contre son amie, ferma les yeux et, plissant le nez, plongea d'un élan courageux ses pieds dans l'eau glacée. Camille ne broncha pas. Les yeux fixés sur ses orteils, elle demeura fermée comme une huître.

– Bonjour, chuchota Magdaline.

– Bonjour, bredouilla Camille, par souci de politesse plus que par envie.

– Ça fait longtemps que je ne t'ai pas vue, il me semble.

– Depuis notre voyage à Montréal. Un mois... Peut-être un peu plus..., répondit Camille d'une voix atone.

– C'est vrai que j'ai passé presque trois semaines à Boston, mais je suis rentrée depuis une dizaine de jours, maintenant. Je ne te vois plus. Chaque jour, j'espère t'entendre frapper à ma porte pour avoir le plaisir de partager une bonne tasse de thé et une petite jasette entre amies. Mais non. J'arrive même de la Regent. Je suis allée t'attendre à la porte, dans l'espoir de t'attraper au vol, mais tu es sortie si vite que tu étais déjà sur le pont quand je t'ai reconnue.

Camille ne dit rien.

– Comment ça va à la Regent ?

– Ça va... pas plus qu'il ne le faut.

Après un long silence, Magdaline revint à la charge.

– Tu ne m'as jamais reparlé de ta leçon de photographie avec Félix. Tu te rappelles ? Le soir de notre retour de Montréal.

Camille pensa qu'il était bien inutile que Magdaline lui fournisse autant de précisions sur l'événement. Évidemment qu'elle se rappelait. Évidemment !

– C'est déjà loin, tout ça. Une vieille histoire. Sans plus. Il n'y a vraiment rien d'intéressant à raconter.

Magdaline sortit ses pieds de l'eau et les enfouit sous sa jupe pour les réchauffer. Elle prit une grande respiration, comme s'il lui fallait inspirer une force de l'extérieur pour poursuivre la discussion.

– Camille... Si je te disais qu'aujourd'hui, c'est à mon tour d'avoir besoin d'une amie ?

Camille retira prestement ses pieds de l'onde et se recroquevilla. Elle leva les yeux et en offrit enfin la chaleur à son amie.

– Je te présente toutes mes excuses, Magdaline. Chaque fois que j'ai eu besoin de toi, tu as toujours été là. Et voilà que je n'entends rien de tes états d'âme, je ne vois rien d'autre que ma peine. Je ne veux pas te raconter maintenant. Je ne peux pas. Mais sache que mon humeur n'a rien à voir avec toi. Rien ne va dans ma vie. Je dois partir de chez Rose et m'éloigner de mon père, mais je ne trouve pas d'endroit où aller. Ce que je désire me file entre les doigts. J'ai peur, j'ai mal et j'en tiens rigueur au monde entier. C'est tout. J'ai besoin de mettre de l'ordre dans ma tête avant d'en parler. Tu comprends ? Si je le faisais maintenant, il n'y aurait que du venin qui sortirait de ma bouche. Du venin qui risquerait d'éclabousser mon entourage à tout jamais. Je blesserais peut-être des gens que j'aime et je le regretterais.

Magdaline acquiesça d'un mouvement de tête. Camille se sentit soulagée.

– Maintenant... Dis-moi, Magdaline. Toi... Comment vas-tu ?

– Bof..., répondit Magdaline, les yeux fixés sur ses genoux.

Camille se rendit compte que Magdaline la taquinait en adoptant une attitude semblable à celle qu'elle avait eue quelques instants plus tôt. Dans un même mouvement, elles se tournèrent l'une vers l'autre ; leurs regards se retrouvèrent au premier clignement de paupières. Magdaline eut un sourire coquin et Camille s'amusa de la boutade. Elles éclatèrent d'un rire franchement complice. Lovées l'une contre l'autre, elles savourèrent avec insouciance les bienfaits d'une rigolade irraisonnée.

– Magdaline ! Comme c'est bon de te retrouver enfin. Tu m'as manqué.

– L'amitié est un véritable délice. Pourquoi diable, nous, les femmes, croyons-nous que seul le grand amour peut nous mener au bonheur ? Pourquoi ?

Camille s'éloigna de son amie, stupéfiée par ce qu'elle venait d'entendre.

– Je rêve, ma parole ! Toutes les femmes ? Pas toi, en tout cas !

– Hélas... Personne n'est parfait ici-bas. Moi aussi, j'ai mes moments de faiblesse.

Cette phrase déclencha à nouveau une généreuse cascade de rires. Camille se tenait le ventre à deux mains et les larmes coulaient sur ses joues. Magdaline avait peine à retrouver son souffle entre les spasmes d'hilarité qui lui secouaient les épaules.

– Mon Dieu que ça fait du bien ! hoqueta Camille en replaçant le chapeau à plumes de malards, de macreuses et de halbrans que portait son amie et qui lorgnait dangereusement du côté des eaux glacées.

– Je ne connais pas de meilleur remède pour les maux du cœur et de l'esprit, approuva Magdaline en serrant la jeune femme sur sa poitrine.

– Dis-moi, pourquoi as-tu disparu si longtemps à Boston ?

– Pour une affaire de cœur, figure-toi. Crois-le ou non, pour une affaire de cœur.

Camille se rembrunit.

– Tu ne vas pas m'annoncer que tu t'apprêtes à épouser un Bostonnais et que tu vas le suivre aux États, tout de même !

– Non, rassure-toi.

– Ouf ! lança Camille, soulagée.

Tout à coup, l'idée la traversa que ce qui la soulageait constituait peut-être une partie de la peine de Magdaline. Elle regretta sa réaction égoïste.

– Je suis désolée ! se rétracta-t-elle vivement.

– Pas besoin de t'excuser. La passion au quotidien, ce n'est pas pour la vie terrestre, j'en ai bien peur. Quand on s'entête à la faire durer, cette passion, quand on l'étire, on la tue. C'est comme si on mettait en cage une bête fougueuse et magnifique qui se nourrit d'imprévisible et de grands espaces. Je crains que les amours impossibles ne doivent demeurer impossibles. Le provisoire, c'est leur habitat, leur condition de survie. En cherchant à les immortaliser, on les éteint. On les étouffe. On s'étouffe soi-même, aussi. La société a ses règles. L'amour a les siennes. Et ces règles ne sont pas nécessairement compatibles.

Camille fixait une ramille d'aiguilles de pin ballottée par le courant de la rivière, entraînée d'un remous à l'autre, pendant que les mots de Magdaline sillonnaient en douce sa raison.

— Comment fait-on pour se retrouver là où on n'a jamais voulu être ? Comment fait-on pour oublier un rêve et s'accrocher ensuite à un autre ? Comment peut-on aimer quand aimer ne cesse de faire mal ? Comment peut-on être passionnée en sachant que rien n'est éternel ? Qu'est-ce qui peut être si fort, plus fort que l'amour ? L'amour n'est-il pas censé être invincible ? L'amour n'est-il pas fait pour être éternel ? Je ne comprends rien à la vie, Magdaline. C'est si compliqué.

— Tu as raison, Camille. La vie est complexe. L'amour aussi. Les sentiments se chevauchent, s'attirent, se repoussent. La passion, l'amour, le désir et même la haine sont à la fois si étroitement liés et si loin les uns des autres... Les nuances entre ces sentiments sont minces. Souvent, ils sont difficiles à distinguer. Les humains aussi sont complexes et différents. Avec le temps, les gens changent, comme les sentiments. Aucune vérité n'est absolue. Chacun doit trouver sa propre vérité et le courage de la remettre constamment en question. Chacun doit accepter que le temps, le bonheur et le malheur transforment inévitablement cette vérité. C'est ça, la vie. Certains trouvent à la vivre sans trop de mal, tandis que d'autres luttent contre leurs démons et ceux des autres en encaissant le poids de ce qu'ils interprètent à tort comme des échecs.

– J'ai toujours cru que tu l'avais trouvée, ta vérité.

– Sincèrement, Camille, à certains moments, j'ai l'impression que cette vérité est claire et qu'elle m'habite. Puis, tout à coup, quelque chose..., quelqu'un, devrais-je avoir l'honnêteté de dire ! Quelqu'un surgit ou resurgit dans ma vie, et voilà que ma vérité bascule. Je perds pied et je recommence à jongler avec mes sentiments.

– C'est ce qui se produit en ce moment ?

– C'est ce qui s'est produit à Boston, oui. Mais j'ai décidé de ne plus jongler. Maintenant, je dois réapprivoiser la paix.

– Ce quelqu'un qui est apparu ou réapparu dans ta vie, je le connais ?

Camille tremblait. Elle avait hésité avant de poser la question. La réponse l'effrayait. Elle craignait d'entendre un nom qui lui serrait la gorge, un nom qu'elle chérissait en secret, même si, pour l'instant, elle ne voyait aucun lien entre ce nom et Boston.

– Il s'appelle Edward. Edward Sutherland.

Camille faillit pleurer de soulagement.

– Edward Sutherland..., répéta-t-elle, un sourire dans la voix.

– En décembre, Edward est venu me demander de l'épouser. J'ai d'abord dit non, mais Edward souhaitait que je prenne le temps d'y réfléchir. J'ai réfléchi. Pendant de longues semaines. L'ambivalence m'a hantée. Finalement, je me suis décidée à aller à Boston pour dire à Edward que je ne l'épouserais jamais. Crois-moi, Camille, cette histoire me rend triste à en mourir. J'aurais tellement envie de te raconter toute l'aventure. Ça me ferait du bien. Tu voudrais bien que je te la raconte ?

– Oh ! Magdaline ! J'en meurs d'envie. Depuis le moment où nous avons emménagé chez Rose... Depuis que je t'ai vue, avec ta robe orange et ton étrange chapeau vert, garnir ton balcon de pots de géraniums écarlates, je rêve que tu me racontes ta vie. Toute ta vie ! Ce serait un beau cadeau que tu me ferais là !

– Mes orteils sont congelés, Camille. Si je t'invitais à souper ? On enfilerait de gros bas de laine et on continuerait notre conversation à la maison, en mangeant un gigantesque bol de soupe à l'orge, avec du pain frais boulangé hier. Qu'en dis-tu ?

Étrangement, l'idée ne sembla pas emballer Camille. Comme elle n'avait pas revu Félix depuis la fameuse séance de photo chez monsieur Labelle, elle appréhendait une rencontre. Pour rien au monde elle n'aurait voulu qu'il croie qu'elle cherchait à le revoir.

Devant la réaction inattendue de Camille, Magdaline réitéra son offre. Elle ne comprenait pas qu'après avoir montré tant d'excitation à l'idée de partager leurs histoires de vie, Camille hésite ainsi.

– Qu'est-ce qui t'arrive, tout à coup ? Nous avons plusieurs semaines de jasette à rattraper et un million de choses à nous raconter. En plus, nous aurons la maison pour nous toutes seules. Félix m'a prévenue qu'il rentrerait tard, ce soir.

Camille venait d'entendre l'argument convaincant.

– Eh bien ! Qu'attendons-nous pour y aller ? soupira Camille, enfin libérée de ce poids. Dépêchons-nous, mon ventre crie famine.

– Vite ! J'ai faim, moi aussi ! Viens !

Chapitre 36

Enfilade fortuite

Pourquoi endurer l'insoutenable ? Pour l'amour de Dieu, pour gagner son ciel ou parce que l'absurde est à la fois le seul remède au désarroi et l'unique vérité que l'existence ne puisse jamais réfuter ? Camille n'aimait pas son travail à la Regent Knitting. Elle ne s'y était pas faite et elle ne s'y ferait jamais. Ce matin, elle avait cavalièrement franchi la porte d'Andy Marcoux pour lui dire qu'elle en avait assez de ce monde fou des machines, tout juste bon à transformer l'énergie humaine en milliers de verges de tissu vendues au nom du progrès. Elle n'en pouvait plus de faire partie d'une chaîne d'activités où le sens réel du travail échappait à chacun, où les gestes répétitifs, les blessures physiques, les offenses à l'intelligence et à la sensibilité détachaient l'humain, jour après jour, de la valeur de sa contribution à la société. L'existence ne pouvait pas avoir de sens si chacun exécutait sa tâche en ignorant tout des processus antérieurs et ultérieurs à sa collaboration, sous prétexte que, de toute façon, il ne pouvait rien y changer, qu'il n'avait pas le choix et qu'il était piégé là à jamais. Pour Camille, c'en était fini de la Regent Knitting.

Depuis des mois, elle se torturait l'esprit, s'interrogeant sur la voie à prendre. Elle pesait les pour et les contre de chaque solution. Les réponses baignaient dans le flou, alors que l'urgence d'agir s'intensifiait. À la maison, la bonhomie d'Ernest tournait lentement au souci, tandis que l'opiniâtreté de Rose s'embrasait en pugnacité. La cohabitation avec sa tante devenait chaque jour plus tendue et plus difficile. Rose savourait un plaisir toujours renouvelé à provoquer les occasions susceptibles de lui procurer des victoires de toutes sortes. Elle n'était pas foncièrement méchante, mais son insécurité la poussait à tout vouloir de ce que Camille possédait. Rose s'approprierait tout de la Camille d'Ernest, de celle qui continuait à lui ravir son pouvoir absolu. Ainsi et seulement ainsi, son homme lui appartiendrait, en toute exclusivité, comme la vie de son père lui avait appartenu pendant les quinze dernières années de son existence.

Rose luttait avec acharnement pour s'attacher aux doigts les ficelles, visibles et invisibles, de la vie de son époux. Son combat portait ses fruits, d'ailleurs. Elle avait finalement réussi à s'approprier la gestion des commandes et la tenue de livres d'Ernest, non sans arrogance. Rose accourait maintenant dans l'atelier chaque fois qu'Ernest appelait Camille pour un coup de main, arguant que si on le lui montrait, elle apprendrait et pourrait très bien, elle aussi, assumer ces tâches de bricolage et de menuiserie. Comme si cela ne lui suffisait pas, Rose avait insisté auprès d'Ernest pour que son aînée remette à la famille la moitié de ses gages hebdomadaires, invoquant qu'avec son travail à la Regent, Camille n'accomplissait plus autant de travaux à la maison et que, dorénavant, elle devait contribuer autrement.

De toute évidence, l'évolution de la situation familiale embarrassait Ernest, qui faisait tout pour éviter que les heurts ne se multiplient. Il se trouvait fréquemment des courses oubliées à faire soudainement, des broutilles négligées dont il devait s'occuper de toute urgence et plus de clients à rencontrer pour, disait-il, préciser les commandes.

Ernest s'organisait pour être seul, à l'extérieur ou à la maison. Il disait souvent manquer d'air. En dehors de cette récente propension à s'absenter, il avait développé une étrange manie : il se pressait le bras sous la poitrine, à tout bout de champ, pour évacuer la pression de l'impuissance qui lui comprimait l'âme. Entre Rose l'assaillante et Ernest le déserteur, Camille n'avait plus de place, plus de rôle, et la nécessité d'agir rapidement la tenaillait.

Camille cherchait en vain des modèles pour la guider dans ses choix. Elle décortiquait l'existence des êtres qui l'entouraient, en quête de repères. Mais quand elle s'attardait au parcours de ses sœurs, une angoisse encore plus grande l'envahissait. Yvonne, la deuxième de la famille, avait quitté la maison à dix-sept ans pour entrer en religion. À peu près au même âge, Dolorès, Bibiane et Viviane avaient convolé en justes noces pour fonder une famille. Camille ne se sentait pas l'âme d'une religieuse et n'avait guère eu de soupirants qui lui auraient permis de croire que son destin la poussait au mariage et à la maternité. Mis à part cet étrange, et ô combien savoureux moment dans le chariot ailé du *merry-go-round*, épisode qu'elle regrettait d'ailleurs et qui lui faisait encore mal, son cœur n'avait chaviré pour personne et, à sa connaissance, aucun jeune homme n'avait jamais soupiré pour elle. En somme, la vie de ses sœurs avait trop peu de dénominateurs communs avec la sienne et, de ce fait, ne l'inspirait guère. Camille s'apercevait bien qu'attendre sagement l'appel de Dieu ou la bague d'un fiancé charmant signifiait passer le reste de ses jours chez Rose. Cette éventualité était tout simplement à exclure. Alors, que faire ?

Camille n'avait pas encore contacté son oncle pour l'informer qu'elle refusait la barre de Tiernan and Son. Elle était profondément indécise. D'une part, elle ne voulait pas retourner vivre à Montréal, pas plus qu'elle ne voulait de patron au-dessus de sa tête, même si ce patron était infiniment bon et qu'il s'appelait Douglas Tiernan. D'autre part, elle reconnaissait que ce choix comportait des avantages. Son expérience à la Regent Knitting lui avait appris combien se bâtir seule, privée des fondations déjà établies par ses prédécesseurs, pouvait s'avérer une entreprise difficile. Par ailleurs, son voyage à Montréal en compagnie de Magdaline lui avait fait entrevoir les tendances économiques actuelles dont elle pourrait profiter, elle aussi, tout en restant à Saint-Jérôme.

Camille avait été très impressionnée par tout cet argent qui tournait autour de l'expansion des grands magasins à rayons ainsi que de l'industrie du prêt-à-porter. Tant de femmes semblaient maintenant rechercher une robe, une jupe ou une blouse déjà taillées qu'elles pouvaient emporter aussitôt payées. La Regent Knitting ne produisait pas des centaines de milliers de verges de tissu chaque année pour habiller les chérubins de Rubens ! Depuis ce périple à Montréal, l'idée faisait son chemin de transposer à Saint-Jérôme ces nouvelles habitudes de vie montréalaises et de fonder un petit Dupuis Frères bien à elle. Elle s'imaginait très bien, dans son magasin, au milieu de chapeaux, de robes, de manteaux, de draps, de tringles et de rideaux, dirigeant ses employés, tenant ses comptes et régissant sa prospérité. Mais comment faire de ce dessein un projet réalisable qui lui permettrait, à court terme, de s'éloigner de Rose ? Camille n'en savait encore rien.

Ce lundi s'annonçait gris et le crachin des premiers jours de juin n'incitait guère à flâner au village. Toutefois, Camille n'avait pas du tout envie de rentrer à la maison. Non seulement elle aurait à expliquer son départ de la Regent, mais sa présence permanente provoquerait inévitablement une réorganisation du travail, ce qui n'allait en rien adoucir le comportement de Rose. Camille déploya les baleines de son grand parapluie noir. Un coup de noroît s'engouffra dans l'étoffe tendue et chercha à renverser l'armature. Camille rabattit la coupole de toile sur sa tête et, rentrant les épaules, souda le manche de bois à sa poitrine. En dépit de la température maussade, elle choisit de s'engager sur la rue Sainte-Julie et de faire le détour par la rue principale plutôt que de suivre son itinéraire habituel par la rue Labelle. Elle passa à toute vitesse devant l'échoppe de Gonzague Chaperon et pressa le pas jusqu'à la Banque de Montréal. Les rafales se calmèrent et Camille balança le grand dôme noir derrière ses épaules pour mieux voir autour d'elle. Le village était désert. Il n'y avait ni bicyclettes, ni chevaux aux environs. Que deux ou trois voitures à moteur garées aux abords de la rue Saint-Georges et quelques piétons qui apparaissaient et disparaissaient aussitôt. Il y eut bien madame Jennings, qui sortit tout à coup du marché central et qui s'abrita sous le feuillage vert tendre d'un colossal érable gardant la façade, son paquet sur la tête. Elle prit tout juste le temps de saluer Camille et de lui dire combien elle était toujours contente de la rallonge de maison que son père et elle lui avaient construite l'été dernier.

Camille poursuivit sa route dans le silence des gouttelettes d'eau qui dégoulinaient des auvents enroulés sur eux-mêmes pour mieux bouder la pluie. Elle remonta le côté est de l'artère principale. Elle marchait d'un pas presque nonchalant, sans croiser quiconque, lorgnant les vitrines, s'amusant à regarder meubles, cercueils, chaussures, cacao, spaghettis, livres et tabac, rêvant à son Dupuis Frères jérômien. Un homme jaillit comme un diable de la pharmacie. Il semblait si préoccupé qu'il ne remarqua pas que la pluie avait cessé. Camille ne le vit pas, trop absorbée à surveiller monsieur Litner qui décorait la vitrine de son magasin, de l'autre côté de la rue. L'homme sortant de la pharmacie enfonça son feutre élimé sur son nez et remonta le col de sa veste sur ses oreilles, tâchant de faire taire ces mots qui n'en finissaient plus de marteler son esprit : ulcère, hémorragie, huit hommes sur dix en meurent.

Camille hésita avant de traverser. L'homme chancela avant de prendre la direction de la côte Saint-Georges. La jeune femme se décida finalement. Elle entrerait dans le magasin et offrirait ses services à monsieur Litner, qui saurait tout lui apprendre de la tenue d'un commerce. L'homme effectua une brusque volte-face et fonça droit devant lui, sans voir la pointe effilée qui dépassait de la coupole de toile tendue et sur laquelle il faillit s'empaler.

– Ayoye donc, sacrament ! jura Félix, plus surpris que fâché, faisant bêtement voler le parapluie du revers de la main dans un réflexe protecteur.

Sans s'être regardés, Camille et Félix se ruèrent à la poursuite du parapluie, qui roulait en direction de la rue. Félix rattrapa l'objet et le tendit à la jeune femme qu'il reconnut en levant enfin les yeux.

– Camille ! Pardonnez-moi. Je ne regardais pas où j'allais. J'avais la tête ailleurs. Ça va, vous ? Je ne vous ai pas blessée, j'espère, bafouilla-t-il, visiblement mal à l'aise et cherchant désespérément un endroit où se réfugier pour cacher son embarras.

– Non, assena Camille d'une voix cinglante, en reprenant sèchement son parapluie. Ni lui ni moi n'avons l'étoffe abîmée, rassurez-vous. Vous ne l'avez pas eu, vous ne m'avez pas eue et vous ne m'aurez pas, non plus. Jamais. Et vous ? La pique ne vous a pas transpercé la gorge, à ce que je vois, le nargua-t-elle. Quel dommage ! Votre silence aurait pu trouver là une belle excuse. Quoique devenir muet ne donne ni le respect, ni le savoir-vivre.

Le jeune homme tenta de l'attirer à lui pour la calmer.

— Bas les pattes, Félix ! On n'a pas gardé les cochons ensemble, il me semble, le repoussa Camille, soudainement incapable d'endiguer sa colère et sa douleur, à sa plus grande honte.

— Arrêtez, je vous en prie, chuchota Félix en la tirant par la main. Venez.

Félix l'entraîna dans le passage étroit qui séparait le magasin Thibault du marché central, là où personne ne pourrait les voir.

— Où allez-vous ? Mes chaussures neuves ! protesta Camille. Elles vont être pleines de terre.

— S'il vous plaît, Camille, suivez-moi.

Tout au fond du passage, Félix sortit de sa poche son énorme mouchoir blanc, l'étendit par terre et encouragea Camille à poser ses pieds dessus.

— Pour vos chaussures neuves.

Félix appuya le dos de la jeune femme sur le mur et la tint fermement par les épaules.

— Écoutez-moi, Camille. Je vous présente mes excuses. Je regrette de tout mon cœur, de toutes mes forces, de toute mon âme. Je n'aurais jamais dû vous embrasser, Camille.

Pas parce que je n'ai pas trouvé ça agréable, mon Dieu, non !
Mais je le reconnais, j'ai dépassé les limites. J'ai fait quelque
chose de mal, de défendu.

– Oui, Félix, vous avez...

– Taisez-vous, laissez-moi finir, la coupa-t-il d'une voix
qui trahissait son trouble. De toute ma vie, jamais je n'ai passé
un aussi beau moment que ce soir-là, au *merry-go-round*. De
toute ma vie, jamais je n'ai connu une femme comme vous,
à la fois désirable, belle, drôle et intelligente. J'avais tellement envie de vous embrasser, Camille, mais en le faisant,
je vous ai manqué de respect. Je sais cela. Je vous demande
pardon. Je n'aurais pas dû. D'abord, parce que c'est immo-
ral, ensuite parce que, après ce baiser, je ne pouvais m'engager à rien, je ne pouvais pas vous faire de promesses
d'avenir. Je ne vous mérite pas, Camille. Vous comprenez ça ?

– Voyons ! s'indigna-t-elle.

– Vous êtes trop belle et trop bien pour moi, Camille
McCready. Beaucoup trop bien. Vous ne me connaissez pas.
Vous ne savez pas qui je suis. Je n'ai rien à vous offrir, moi.
Rien du tout. Je ne savais pas comment vous dire ça, après ce
soir-là. J'ai préféré vous éviter, parce que je pensais que ça
vous ferait moins mal. Je me suis dit que, tôt ou tard, un beau
soupirant cognerait à votre porte et qu'avec le temps, vous
en viendriez à rire de moi et de cette histoire-là. Je ne voulais
pas vous faire plus de mal que je vous en avais déjà fait, parce
que je vous... Parce que vous êtes si précieuse, Camille. Vous
êtes tellement belle et merveilleuse, conclut-il, le souffle court.

– Mais qu'est-ce que vous dites là ? Trop bien pour vous...
Moi, Camille McCready, trop bien pour vous, Félix Calvé.
Trouvez autre chose, voulez-vous ? se rebiffa la jeune femme.

Elle voulait paraître impassible mais, en fait, elle était désarçonnée par les propos de Félix. Elle hésitait entre fuir à toutes jambes et s'évanouir dans la chaleur de ses bras.

– Je ne peux pas trouver autre chose, parce qu'il n'y a pas autre chose, murmura-t-il, si près de son visage, caressant les joues de Camille dont la colère fondait comme neige au soleil. Je rêve de ce baiser, chaque jour, chaque nuit, chaque heure. C'était si doux, si chaud, si bon. Je recommencerais... encore et encore. Je vous voudrais tout entière à moi. Je... S'il te plaît, Camille, ne m'en veux pas. Dis-moi que tu me pardonnes, je t'en supplie.

– Bon..., concéda Camille, pantelante, intimidée par le tutoiement soudain, tiraillée entre le désir et la raison. Peut-être pourrions-nous alors...

– Chut, ma toute belle. Il y a des choses importantes dont je dois m'occuper maintenant ainsi qu'au cours des prochaines semaines. De toute façon, l'endroit n'est pas idéal pour entreprendre une conversation digne de ce nom. Retourne à ta vie, Camille, et oublie-moi. Si je sors d'ici avec toi et que quelqu'un nous aperçoit, ça serait mauvais pour ta réputation. Sauve-toi vite, maintenant. J'ai encore beaucoup à faire.

– Félix ! Ce que vous dites n'a aucun sens, se récria Camille, dont le corps se tendait vers cet homme pour qui elle éprouvait un désir irrésistible.

De son pouce, le jeune homme suivit avec douceur l'arête fine du nez de Camille. Puis il caressa l'ovale de son visage à la peau d'ange. Il posa ses lèvres chaudes sur son front bombé et le goûta longuement. Puis, très tendre, il lova cet être magique entre ses longs bras.

– Va vite, Camille, avant que quelqu'un nous voie ici. Va et sois heureuse.

Camille quitta son îlot de batiste blanche, l'âme en émoi, ne sachant comment agir autrement. Tête basse, elle longea le corridor étroit jusqu'à la rue Saint-Georges.

– Tu mérites tellement mieux que moi, répéta Félix, la regardant tristement s'éloigner. Des anges comme toi ne marient pas des pauvres diables comme moi, marmonna-t-il, tirant sa flasque de la poche de sa veste. Je n'aurais jamais dû t'embrasser. Idiot !

Terré derrière l'édifice du marché central, Félix éclusa la moitié du flacon de Southern Comfort et se délecta de la chaleur que lui prodiguait l'alcool en s'insinuant dans son corps malheureux. Camille s'arrêta un moment sur le trottoir. Elle retira l'un de ses gants et enleva la terre qui maculait le pourtour de ses semelles. Puis, elle sortit un petit mouchoir de soie de sa poche et s'essuya les mains. Du bout des doigts, elle effleura son front, là où Félix avait déposé un baiser, cherchant à garder sur ses doigts l'arôme persistant de cet homme qui la bouleversait mais dont le comportement la déroutait. Camille remit son gant. La pluie n'avait pas repris, mais elle céda à l'envie d'ouvrir son parapluie.

Monsieur Litner l'aperçut. Avec des signes de main taquins et un sourire moqueur, le commerçant ventru lui fit remarquer que la pluie avait cessé et que son parapluie ne lui servait à rien. Camille approuva d'un demi-sourire. Ce moment était peut-être opportun pour aller lui offrir ses services, pensa-t-elle. D'un pas lourd, elle traversa la rue.

De l'impasse étroite entre le magasin Thibault et le marché central, un homme au feutre élimé et relevé sur son large front apparut. Il jeta un coup d'œil en direction du grand dôme de toile noire qui dépassait derrière un manteau pervenche, comme une carapace sur le dos d'une cistude. Il enfonça son chapeau sur son nez et releva son col sur ses oreilles. L'homme mit le cap en direction de la rue Sainte-Julie, répétant en son for intérieur : ulcères... hémorragie... huit hommes sur dix en meurent.

Chapitre 37

Sir Boswell

Le flash retentit, déchirant la quiétude de cette fin d'après-midi d'un paf tonitruant. Sir Boswell n'avait pas l'habitude des caméras. Aujourd'hui, il inaugurait sa vie publique. Aussi confondit-il ce bruit effrayant avec la détonation d'une arme à feu et il fonça sur la piste sans que ses propriétaires puissent le retenir. Sa réaction prit tout le monde au dépourvu. Henry Ward, Montagu Hershey et Félix Calvé, plantés au milieu de la piste comme des poireaux prêts à cueillir, observèrent avec stupéfaction le jeune coureur louvet qui semblait parti pour de bon. Sir Boswell compléta son tour de piste à un train d'enfer et vint s'arrêter paisiblement là où il s'était emballé, en face de la cabane des juges. Avec l'allure innocente d'un toutou qui revient d'une balade triviale, il fourra sa grosse tête entre celles de Ward et d'Hershey, comme s'il voulait naturellement se replacer pour la photo. Ward regarda Hershey. Ses yeux s'écarquillèrent et il hocha la tête. Hershey sourit et frotta le bout de son nez de son étrange index en forme de spatule concave.

Félix savait que les deux hommes venaient d'échanger un message important, mais il ne pouvait pas en décoder le sens exact. Son intuition lui soufflait que, comme lui, les deux hommes étaient probablement impressionnés par la performance inusitée du cheval. L'œil aguerri de Félix, bien que néophyte en matière de courses de chevaux, avait repéré en Sir Boswell l'étoffe d'un champion. Ces deux hommes avaient certainement vu la même chose que lui.

– Messieurs, il va falloir qu'on reprenne ça ! Tout ce que vous allez voir sur ce portrait, c'est une grosse tache noire et floue, sans queue ni tête !

– Pas de problème, ti-gars ! acquiesça Henry Ward, avec un fort accent américain.

Ward traduisit les propos du photographe à Montagu Hershey. Félix examinait la situation. Son petit doigt lui disait qu'une bonne affaire s'offrait à lui et qu'il devait agir pour ne pas la rater. Il tâcha d'étirer les préparatifs de la prise de photo, afin d'avoir un peu de temps pour sonder son intuition. Hershey paraissait plus sympathique que Ward, mais il choisit quand même de s'adresser à ce dernier, parce qu'il craignait qu'Hershey ne comprenne pas un traître mot.

– Vous êtes le propriétaire, monsieur ?

– En partie ! Disons que c'est comme si le devant était à moi et le derrière à Hershey, répondit-il avec une fierté grosse comme un dirigeable, sans esquisser l'ombre d'un sourire.

– Je ne suis pas sûr que vous ayez choisi la meilleure partie ! lança Félix à la blague, espérant dérider Ward. Vous êtes du coin ?

– Oui. D'un peu plus haut que Saint-Jérôme, à Saint-Hippolyte. Hershey vient des *States*. Savage, Minnesota. Anciennement Hamilton.

– Hé ! Ce n'est pas la porte d'à côté ! Il me semble qu'il part de loin pour venir faire trotter son cheval au rond de course Poulin, à Saint-Jérôme !

– *Dont' worry* ! Il n'est pas venu à cheval !

– Ça aurait peut-être été plus dur pour lui que pour sa monture ! À regarder ce cheval-là courir, je ne suis même pas certain que pareil voyage l'aurait fatigué ! Mais, sérieusement, le cheval... Il arrive de Saint-Hippolyte ou du Minnesota ?

– Sérieusement, Boswell est venu au monde aux *States*, mais pour le moment, je le garde chez moi, à Saint-Hippolyte.

– Il vient d'une lignée de chevaux de course ou c'est vous qui avez décidé d'en faire un trotteur ?

– Ça te dit quelque chose, Dan Patch ?

Félix fouilla sa mémoire.

– Marion Willis Savage ? ajouta Ward, certain que la précision apportée n'empêcherait pas le jeune homme de rester baba...

– Savage, non. Mais Patch... Dan Patch... Ça ne serait pas l'étalon noir qu'on voit sur l'étiquette du liniment Gombault ?

– *Right on, boy* ! s'étonna Ward, content de constater que le jeunot n'était pas si ignorant en matière de cheval. C'est aussi Dan Patch l'automobile, Dan Patch le tabac, Dan Patch les poêles, les machines à laver et les wagons ! Tu piges ?

– Ouais ! Mais qu'est-ce que ça vient faire avec votre cheval ?

– Sir Boswell est le *grandson* de Dan Patch ! C'est le poulain de Wilkesberry, qui a été mis au monde par Zelica, une des juments de la lignée de Dan Patch. C'est à Boswell, Indianapolis, que Zelica a mis bas. D'où son nom, Sir Boswell.

– Toute une histoire !

– C'est juste une partie de l'histoire, ti-gars ! Le père de Montagu, c'est Harry Hershey. Il travaillait pour Marion Willis Savage, le dernier propriétaire de Dan Patch. Hershey a été l'entraîneur et le conducteur de Dan Patch !

– C'est tout un *pedigree*, ça ! Pour le cheval comme pour l'homme !

– *Yes, Sir ! This horse will be a champion ! I'm telling you !* C'est lui qui va réussir à battre le fameux 1 : 55 de Dan Patch !

– Le « 1 : 55 » ?

– Il y a à peu près quatorze ans de ça..., au Minnesota State Fair, Dan Patch a couru le mille en une minute et cinquante-cinq secondes. Un record jamais vu dans l'histoire des courses. Jamais battu, non plus !

– Y a une piastre à faire, à essayer de battre des records ?

– Une piastre ? En quinze ans, Dan Patch a rapporté à ses propriétaires plus de cent mille piastres.

– Une centaine de mille piastres ! Ouais... Ce n'est certainement pas à Saint-Jérôme que votre Sir Boswell va faire le millième de ça !

– Ici, non. Pas officiellement. On vient d'abord pour le casser. Mais n'empêche... On va mettre une couple de cents dans nos poches ! *Off the record, of course !*

Félix jubilait. L'histoire de Dan Patch l'impressionnait et réveillait en lui de vieux rêves empoussiérés. Jamais Félix ne se serait imaginé qu'un cheval pouvait rapporter autant d'argent, et en si peu de temps. Jamais il n'aurait cru possible de gagner un magot pareil, même pendant sa vie entière. Son imagination trottait plus vite encore que Dan Patch. Ces hommes étaient des porteurs de bonne nouvelle. Dire qu'il avait discuté en long et en large avec Gonzague pour faire les photos à l'intérieur de l'écurie, avec Black Beauty et monsieur Poulin, plutôt que celles de Sir Boswell et de ses deux propriétaires. Son patron ne voulait rien savoir de photographier deux Anglais. De plus, la lumière filtrée de l'écurie l'inspirait davantage que l'éclairage lavé de la piste. Félix, quant à lui, trouvait l'intérieur plus favorable pour enfiler une petite gorgée de Southern Comfort à la dérobée. Ces temps-ci, il en avait grand besoin...

Heureusement qu'il avait la tête dure, ce Gonzague ! Félix s'était soumis à ses directives, quoique de mauvaise grâce. Maintenant, il avait envie de courir jusqu'à la grange pour le remercier à genoux. Après tout, il y avait peut-être un bon Dieu pour lui aussi. Félix se voyait déjà propriétaire d'une bête comme Sir Boswell. Il s'imaginait en train de poser pour la postérité à côté de son champion, des centaines et des centaines de billets verts décorant le ruban de son canotier. Quelques détails restaient encore à peaufiner, mais la vie de richissime homme d'affaires lui ouvrait grand les bras... du moins pour le temps qu'il lui restait à vivre.

– Ça coûte cher, un cheval comme Sir Boswell ?

— Quand Dan Patch a commencé à courir, son propriétaire l'a vendu pour vingt mille dollars. Américains, *of course* ! Une dizaine de mois plus tard, son nouveau propriétaire l'a cédé pour soixante mille dollars, américains toujours ! C'était en 1902. Ça te donne une idée ?

— Ouais... Mais avant que Dan Patch commence à courir, il a été acheté pour combien ?

— Son premier propriétaire n'avait rien à voir avec les courses. Il voulait une *team* pour sa *wagon*. Il a acheté une jument, pour à peu près deux cents piastres, et un étalon pour un peu moins. Il les a accouplés et Dan Patch est arrivé.

— Hum... Acheter un cheval qui ne vient pas d'une lignée de chevaux de course dans l'espoir d'en faire un champion trotteur, c'est un gros risque à prendre, non ?

— *Well*, oui et non ! Ce n'est pas moins risqué d'acheter un cheval avec un *pedigree* long comme ça, tu sais. En vingt-cinq ans, pas un cheval de la lignée de Dan Patch n'a été capable de lui arriver au jarret, seulement. Un cheval, ça s'achète par instinct. Un champion, ça se sent de loin. *Pedigree* ou pas !

Félix avait obtenu la réponse à toutes ses questions, à une exception près. Manquaient encore quelques précisions quant à la manière de s'emplir les poches de centaines de dollars *off the record* sans d'abord avoir été récompensé d'une bourse. La question était délicate. Il fallait trouver une façon astucieuse de fouiller l'histoire sans risquer de mettre les pieds dans le plat et sans provoquer de réactions explosives chez ses clients.

— Vos dividendes *off the record*, vous les faites avec des mises qui partent à combien ?

Félix serra les dents, espérant que l'hypothèse que ces dividendes provenaient de paris engagés s'avérerait exacte.

– *Boy* ! siffla Ward, surpris par son audace.

Ward flatta le chanfrein blanc de Sir Boswell tout en chiquant la motte de tabac qui lui gonflait la joue gauche comme un abcès. Non seulement s'interrogeait-il sur le sérieux de la question de ce si jeune homme, mais il se demandait aussi s'il pouvait lui faire confiance.

– Écoute, ti-gars ! Si tu as une couple de piastres à mettre sur la course... *Piece of cake* ! Dimanche après-midi, il va y avoir ici quinze cents personnes, à peu près. Tu n'auras certainement pas de difficulté à trouver quelques gars inté-ressés à parier sur la course.

– Ouais... admettons que j'aie plus qu'une couple de piastres à mettre ?

Ward considéra longuement le jeune photographe. Il caressait son cheval, glissant sa main sur sa robe, de la ganache à l'encolure. Il s'arrêta et regarda nerveusement autour de lui.

– Disons que si tu as cent piastres à perdre, ti-gars... Disons ! Viens me voir dimanche, dans l'écurie, avec tes *bills* bien pliés dans une enveloppe. *Then, we'll talk about it.*

Félix salua Ward d'un coup de chapeau, ravalant un sourire triomphant.

– Bon, je suis prêt pour la photo, lança Félix, un frémis-sement d'émotion dans la voix.

– *Then, go !* répliqua Ward avant de cracher sa chique, qui aspergea l'épaule du photographe en la survolant.

Tout excité, Félix ne remarqua pas le projectile et poursuivit sa mise au point.

– Celle-là sera la bonne ! Tout le monde à sa place ! La même que tantôt. Toi, Sir Boswell, tu rives tes quatre sabots au sol, juste là, tu ne bouges plus d'un poil et tu regardes ici ce que j'ai pour toi. Ah, ah ! Mais je te la donne juste après le pouf. Alors, souris, mon grand.

Félix sortit de sa poche la pomme qu'il avait apportée comme collation. Il alla la passer sous le nez du cheval et revint se placer derrière sa caméra, en brandissant le fruit à côté de la Nettel. Il enfouit sa tête sous le voile noir, se promettant bien que, un jour, ce serait lui qui poserait en vainqueur à côté d'un champion.

Chapitre 38

Vue d'en haut

— C'est généreux de ta part d'avoir accepté mes excuses, Miville. Je me suis sentie tellement odieuse d'avoir agi comme je l'ai fait. J'ai eu peur que tu ne me pardonnes jamais, chuchota Carmen, la tête appuyée contre l'épaule de son cavalier et la main calée sous son bras.

Le décor élégant du belvédère du mont Royal enchantait Carmen. L'altitude l'étourdissait et l'atmosphère mondaine de ce lieu fréquenté par la bourgeoisie montréalaise flattait son penchant mégalo. Elle adorait se retrouver parmi les beaux, les riches et les forts de ce monde qui, de cet endroit, dominaient la ville en toute quiétude. Ici, les grandes dames paradaient vêtues de leurs plus récentes toilettes, tête haute, avec aisance. Leurs extravagances ne gênaient personne. Ici, le zéphyr d'été émoussait les fragrances hors de prix, de jasmin, de vanille et de cannelle, qui s'exhalaient outrageusement de la nuque des belles sans que personne s'en scandalise. Les galants rangeaient volontiers leur esprit comptable sous leur canotier pour s'enivrer, l'esprit tranquille, de ces effluves au coût exorbitant. Ces conformistes aisés semblaient très heureux, comme si la vie, ici, se déroulait enfin selon l'ordre normal des choses : les tout-puissants en haut et les autres en bas, petits, soumis, tout à fait saisissables. Ainsi, Carmen avait voulu faire du belvédère du mont Royal le théâtre de ce qu'elle considérait comme la performance de sa vie.

La surprenante colère de Sarah l'avait fait réfléchir. Comme sa mère ne s'exprimait que rarement, ses mots avaient eu, sur Carmen, l'effet d'un ouragan. La jeune femme en avait été déstabilisée au point où elle avait dû s'astreindre à quelques minutes d'introspection pour réfléchir au bien-fondé de cette véhémente désapprobation. La conclusion n'avait pas été longue à venir : sur certains points, elle donnait raison à sa mère, mais avec quelques réserves. Entre autres, Carmen rejetait cette mentalité de « petites gens » qu'entretenait bizarrement sa mère ; selon elle, tous se retrouvent, tôt ou tard, devant l'absolue nécessité de faire des choix. Sarah répétait comme un leitmotiv usé que, dans la vie, on ne peut pas tout avoir. Carmen, quant à elle, ne voulait pas faire de choix. Elle voulait tout. Rien de moins. Et tout de suite. Elle n'entendait faire aucune concession là-dessus. Elle voulait la renommée, la carrière, les voyages, la séduction. Elle voulait aussi un mari, de préférence célèbre, prospère, responsable et capable d'assumer les coûts maté-riels et émotifs de ses excentricités. Mais elle voulait aussi une mère. Sa mère. Avec toute la sécurité émotive que cela pouvait lui apporter. Elle désirait tout ça, sans compromis. Rien ni personne n'allait l'amener à renoncer à la moindre parcelle de son bonheur. Jamais.

En contrepartie, Carmen acceptait cette autre idée de sa mère, selon laquelle tout ne tombe pas du ciel instantané-ment et que, pour arriver au sommet, il faut de la persévé-rance et de la patience pour monter une marche à la fois. Le principe seyait à ses entendements, aussi avait-elle décidé de parfaire sa nouvelle façon d'agir. Pour commencer, Carmen s'était tracé une sorte d'itinéraire de vie, de manière à arriver à bon port sans perdre le cap. La première étape de son plan consistait à régler, une fois pour toutes, la question du mari. Elle convint donc, non sans difficulté, qu'elle devait mettre une croix sur ses espoirs concernant le docteur du Mesnil. Leurs courtes fréquentations lui avaient démontré qu'un homme de sa trempe ne la marierait jamais. Là-dessus, elle donnait raison à sa mère. Du Mesnil aimait trop faire du charme et voler de branche en branche pour se résigner à la monotonie de l'acquis. De plus, la véhémence du beau docteur laissait parfois transpirer une curieuse brutalité qui, bien qu'attirante, lui donnait la chair de poule. Du Mesnil était un homme étrange et fort probablement dangereux. Carmen admettait que Sarah avait raison : Miville s'avérait, de loin, le meilleur parti. En tant qu'époux, évidemment ! Il lui fallait donc engager des efforts de ce côté-là.

La jeune femme avait donc entrepris de réparer ses torts envers Miville pour l'amener en douceur à son dessein, et cela, sans qu'il lui vienne à l'esprit de mettre en doute sa bonne foi. Elle avait son plan. Elle avait longuement réfléchi à la question. Chaque détail de son coup de théâtre avait été mûri et la mise en scène, plus d'une fois rodée dans sa tête. Les décors, les costumes, l'ambiance, le parfum, le ton, l'intention, les répliques... Rien ne lui avait échappé. Elle savait son rôle par cœur et elle avait même prévu différents scénarios, au cas où Miville réagirait différemment de ce qu'elle avait pressenti. Son plan était sans faille et ne pouvait la conduire qu'à ses fins. Il n'y avait pas de doute là-dessus.

Carmen connaissait l'affection particulière de sa mère à l'égard de Miville et, bien que son cavalier ne lui en ait jamais parlé ouvertement, elle savait ce sentiment réciproque. Ainsi, l'idée lui était venue de faire de cet attachement commun son premier cheval de bataille.

– Tu sais, Miville, quand j'ai annoncé à ma mère que j'allais faire une promenade avec toi sur le mont Royal, elle a souri. Ma mère t'adore. Elle t'aime comme un fils.

Comme Carmen l'avait anticipé, ses mots avaient flatté Miville. Il ne la regardait pas. Ses yeux balayaient l'horizon. Derrière cette apparente indifférence, cependant, Carmen voyait la satisfaction lui chatouiller le regard et lui plisser les joues.

– Ta mère m'a beaucoup manqué. C'est une femme exceptionnelle, généreuse, dévouée et aimante. Elle est la mère que beaucoup souhaiteraient avoir, crois-moi. Tous les enfants n'ont pas ta chance, Carmen.

« Ma chance ! s'indigna-t-elle, en silence, se forçant à contenir sa réaction. Il veut rire ! »

– C'est vrai, tous n'ont pas cette chance, répondit-elle enfin. Ma mère m'a fait promettre de t'inviter pour le thé, en fin d'après-midi. Elle tient à prendre elle-même de tes nouvelles. Elle s'est beaucoup inquiétée de toi, ajouta-t-elle, un filet de miel poisseux teintant sa voix.

– Quelle attention charmante ! Ça me fera plaisir d'arrêter la saluer, tout à l'heure.

Jusque-là, le plan de Carmen se déroulait tel que prévu. Ne voulant pas bousculer les choses, elle fixa l'horizon à son tour et compta jusqu'à cent avant de poursuivre. Ce répit rendrait sa prochaine réplique plus naturelle et plus spontanée.

– Moi aussi, j'ai beaucoup pensé à toi, Miville. Tu m'as terriblement manqué, tu sais.

Carmen eut quelques sueurs froides. Miville ne réagissait pas alors que, selon ses prévisions, il aurait dû abonder dans son sens. Elle entreprit donc de lui extirper les mots qu'elle voulait entendre.

– Et moi... Je t'ai manqué, Miville ?

Le temps que l'intéressé mit à répondre lui parut durer un siècle.

– Hum... Oui. Pendant les premiers jours. Les premières semaines, en fait. Jusqu'à ce que je me décide à en parler au père Aquin.

– Ah ! Et qu'est-ce qu'il t'a dit pour me... rayer de tes souvenirs ?

– Il m'a écouté. Il m'a conseillé de m'en remettre à Dieu et de prier pour trouver la sérénité d'accepter cette situation sur laquelle je n'avais aucun pouvoir, de toute évidence. Les sentiments ne se commandent pas, m'a-t-il dit. Ça ne sert à rien de vouloir les forcer. Et...

Carmen faillit perdre le contrôle d'elle-même. Elle avait envie d'exploser de rage. Qu'il était mou, Miville ! Qu'il était conciliant ! C'était navrant. Il était incapable de se tenir debout et de se battre pour ses idéaux. Il pliait, s'écrasait comme les faibles, sous prétexte d'obéir à la volonté de Dieu. Il se résignait au malheur par manque de conviction. Elle avait devant elle un homme sans colonne vertébrale, courbant du côté où le vent le pousse. Heureusement, elle put retrouver sa maîtrise et résista à l'envie meurtrière de le blesser.

– ... Le père Aquin m'a aidé à garder la foi, poursuivait Miville. Il m'a répété que Dieu seul sait ce qui est bon pour moi et qu'il se chargeait d'aiguiller ma route pour qu'elle me mène là où je dois aller. Il m'a dit de Lui faire confiance et j'ai décidé de Lui faire confiance. J'ai prié pour que le Seigneur me donne la sérénité d'accepter cette route qu'il me traçait. À partir de ce moment, ma peine est devenue moins douloureuse, plus facile à vivre.

« Je vais m'en charger, moi, d'aiguiller ta route, pensa Carmen. Je vais te la montrer, ta direction. Tu vas voir ça ! »

Carmen prit une grande respiration et attaqua, jouant de son charme.

– Je sais que tu m'aimes, Miville. Je le sens, ici, dit-elle en pressant son poing sur son sein.

– Je t'ai aimée, Carmen. Beaucoup. Plus que tu ne pourras jamais l'imaginer. Si seulement tu savais. Je t'ai aimée... passionnément !

« D'une passion esquimaude, figée comme du beurre en hiver », rumina-t-elle.

– Mais depuis les derniers événements, je crois que mes sentiments ont changé...

– Changé ? Qu'est-ce que tu dis là ? Quand on aime, Miville, on aime toute la vie. On ne change pas l'amour !

– Si les sentiments sont partagés, peut-être.

– Tu crois que je ne t'aime pas ? Tu crois que cette même passion ne m'habite pas ?

– Carmen... C'est toi qui as mis un terme à notre relation... Même si, je l'avoue, j'en avais eu moi-même l'intention.

— Ah... ? s'étonna Carmen, non sans un certain pincement à l'orgueil. Ah... Mais ce n'était pas parce que je ne t'aime pas. Pas du tout. Bien au contraire. Notre relation devenait sérieuse. Et j'ai eu peur, Miville ! Peur de moi. Tu comprends ? J'avais besoin de recul. J'avais besoin de vérifier l'authenticité de mes sentiments à ton égard, avant de m'engager pour vrai. J'avais besoin d'y voir clair. Besoin de savoir ce que j'attendais de la vie. Une carrière de chanteuse ? Ou un mari et une famille ? Tu comprends, Miville ?

— Jamais je ne t'ai entendue dire que tu espérais autre chose que de devenir une cantatrice célèbre. Jamais !

— Je parlais comme ça parce que, à ce moment-là, j'avais tout. La sécurité, l'amour d'une mère, un amoureux, une famille... Puis, je me suis rendu compte qu'il arrive un moment, dans la vie, où il faut choisir. Je voulais faire les bons choix. Loin de toi, j'ai compris que, sans ton amour, aucune musique ne sort de mes entrailles. Sans ton amour, ma vie goûte fade. Sans toi, Miville, mon existence ressemble à une mort insensée. J'ai besoin de toi, Miville. Besoin de ton amour. Je t'aime !

Étonné, le jeune homme abandonna sa contemplation de l'horizon. Il regarda Carmen et la trouva belle. Quelques rais de soleil traversaient le large rebord en guipure de sa capeline qui couvrait ses yeux absinthe d'un masque de dentelle aux contours imprécis. Ses lèvres charnues, dont les renflements étaient soulignés d'un rouge rose tendre et velouté, lui rappelèrent le goût délicieux du péché. Il sentit son sexe se gonfler de désir.

Carmen laissa le bras de son cavalier et se pencha sur la balustrade. Le col croisé de sa robe couleur d'iris s'entrouvrit. Par le bâillement de son décolleté, Miville vit un sein.

Sa blancheur s'apparentait à celle des roses, et sa rondeur, à celle d'un fruit aux vertus aphrodisiaques, dans lequel on veut mordre à pleines dents. Il eut envie d'étreindre Carmen. De sauter de joie. De l'embrasser. Mais il avait peur. Peur de ce revirement soudain.

– J'ai eu l'impression que je n'étais pas assez bien pour toi. Que je ne serais jamais à la hauteur, à tes yeux.

– Oh ! Miville ! s'écria Carmen, faussement indignée. Tu es tout pour moi ! Tout ! Si, parfois, mes agissements t'ont permis de croire qu'il en était autrement, je te prie de m'en excuser. Sincèrement. Je reconnais avoir mal agi. Je reconnais mes maladresses. Je reconnais t'avoir blessé. Mais c'était malgré moi. Je t'assure. Pardonne-moi, je t'en supplie. Ne me condamne pas. Ne gâche pas nos vies à cause d'une erreur stupide.

Du revers de la main, Carmen effleura la joue de Miville. Elle approcha son visage du sien et lui offrit sa bouche entrouverte. Même s'il avait été de fer, il n'aurait pas pu résister à l'invite. Il l'embrassa tendrement et la serra contre lui, cherchant à travers les plis de sa robe un refuge pour son sexe indécent.

« S'il était un homme, pensa Carmen, un vrai..., il me proposerait une randonnée dans les sous-bois, loin des regards curieux. Il glisserait ses mains sous ma robe. Il explorerait mon corps, de la nuque aux orteils, comme une terre inconnue que l'on se presse de découvrir. Il s'attarderait aux reliefs nouveaux et les fouillerait de fond en comble jusqu'à en posséder chaque détail. Il s'accorderait certaines libertés et laisserait ses mains, sa bouche et son sexe lui enseigner les rudiments du plaisir. Mais il n'en fera rien. »

Carmen s'éloigna. Elle saisit la main de son compagnon et y blottit sa joue.

– Miville... Je veux vivre à tes côtés jusqu'à ce que la mort nous sépare. Tu m'entends ?

– Oh ! Carmen !

Ce n'était pas cette exclamation du cœur que Carmen souhaitait entendre. Elle cherchait une déclaration. Mieux, un engagement. Elle gardait tout de même l'espoir d'être sur la bonne voie. Quelques efforts encore et le morceau viendrait. Du moins, elle le croyait.

– Toi, tu voudrais vivre à mes côtés jusqu'à ce que la mort nous sépare ?

– Mon Dieu... Je crois... Je devrais...

Carmen plaqua son corps sur celui de Miville, bien décidée à chasser le doute de son esprit. Elle glissa ses mains sous sa redingote et plongea ses pouces sous la ceinture de son pantalon. Elle se hissa langoureusement sur la pointe des pieds, frottant ses cuisses sur les siennes. Elle frôla son torse de sa poitrine de manière à ce que la manche de sa robe glisse et dégage complètement son épaule. Elle s'étira comme une chatte en chaleur et frotta son sexe sur le membre raidi du jeune homme, dans un mouvement de va-et-vient alangui. Elle pressa énergiquement le bassin de Miville contre le sien et écarta légèrement les jambes pour qu'il niche son sexe entre ses cuisses.

– Mon Dieu... Carmen ! Nous... nous allons attirer les regards..., bégaya Miville, troublé par le désir.

Mais Carmen redoublait d'ardeur.

— D'ici, personne ne peut nous voir, le rassura-t-elle, tout en se disant, dans son for intérieur : « Pauvre Miville ! Tu crois vraiment que j'ai choisi par hasard cet endroit retiré ? »

— Nous devrions aller rejoindre Sarah pour le thé, gémit Miville, rouge d'envie.

— Pas avant que je ne t'aie entendu dire que rien ne nous séparera jamais plus, sinon la mort, mon amour, marmonna-t-elle en lui léchant une oreille de sa langue habile.

— Rien ne nous séparera jamais plus... À moins que tu ne changes encore d'idée...

— Jamais, Miville. Jamais ! Je serai ta femme pour toujours. Et toi, mon mari pour la vie, insista-t-elle en roulant des hanches.

— Oui, Carmen. Oh oui ! Si tu veux. Mais calmons-nous un peu. Je t'en supplie. Calmons-nous, mon Dieu ! Sinon, nous allons commettre une folie ! balbutia Miville, frissonnant des pieds à la tête.

Carmen reposa lentement ses talons sur le sol. Elle remonta ses mains derrière la nuque de Miville et amena sa bouche jusqu'à la sienne. Elle l'embrassa longuement, savamment, tout en se félicitant d'avoir réussi son coup. Elle avait obtenu suffisamment pour passer à l'étape suivante.

Chapitre 39
À vau-l'eau

Ce dimanche de fin de juin avait une odeur de paix. Contrairement à ses habitudes, Magdaline n'avait pas traîné à l'église, ce matin. Elle avait vitement salué ses amis du chœur de chant, était descendue à la hâte jusqu'à la sacristie pour lancer un bref bonjour au curé Bergevin. Ensuite, elle avait repris sans tarder le chemin de la maison. Elle avait déposé quelques morceaux de foie de poulet grillé dans le bol de Bayou qui miaulait désespérément famine, avant de monter en coup de vent à la chambre de Félix pour s'assurer qu'il dormait encore. Cette nuit encore, le pauvre garçon avait fait un terrible cauchemar. Il hurlait des mots étranges, des mots qu'elle n'avait pas compris. Tantôt en français, tantôt en anglais peut-être, il parlait, croyait-elle, de mal, de lit, de glace ou de vice. Elle ne savait trop. La détresse de Félix était effroyable ; ses gémissements d'horreur avaient réveillé Magdaline. Elle s'était précipitée à son chevet et l'avait trouvé, comme cela lui arrivait de plus en plus fréquemment, assis sur le bord de son lit, plié de douleur, la tête dans la cuvette de porcelaine, vomissant le sang à pleine bouche.

Au retour de la messe, Magdaline s'était empressée d'aller voir Félix. Lorsqu'il avait vu son visage inquiet apparaître dans l'entrebâillement de la porte, il l'avait aussitôt rassurée.

Il prétendait aller mieux. Il avait encore la mine bien pâlotte, mais il avait revêtu ses habits du dimanche et lissé ses cheveux à l'eau. Il s'était rasé et sentait bon l'eau de Floride. Il l'avait remerciée de sa visite et lui avait répété de ne pas s'inquiéter : il ne s'agissait que de problèmes de digestion sans gravité. D'ailleurs, il se sentait déjà comme neuf. Devant son flegme, Magdaline avait dû convenir qu'elle ne pouvait rien faire de plus. Elle lui avait souhaité une agréable journée et avait regagné sa chambre. Elle avait vite enfilé l'étrange tenue qu'elle s'était confectionnée durant la semaine. Elle avait sorti d'un carton un large chapeau champêtre qui ressemblait à une talle de pivoines roses poussant dans un champ de carottes, et l'avait calé sur sa tête. Elle avait agrippé son sac aux allures de volatile de basse-cour et avait gaiement trottiné jusqu'en bas de la côte Saint Georges, poussée par l'excitation mais, plus encore, par la raideur de la pente.

Camille l'attendait, assise sur une marche derrière le restaurant Arbour, les billets à la main. Elle avait déjà payé les passages de peur de devoir remettre leur balade à cause d'une trop grande affluence. Manifestement, la gondole d'Adélard Labelle, le frère d'Aimé Labelle, jouissait d'une popularité modérée à cette heure du jour. Cinq minutes avant le départ, six personnes seulement attendaient sur le quai d'embarquement. L'après-midi, par contre, les gens formaient une longue file d'attente. Tant mieux pour elles, car ni l'une ni l'autre n'appréciait le brouhaha des foules.

Magdaline apparut derrière le bureau de poste, à bout de souffle. Elle plissa les yeux pour se protéger du soleil qui l'aveuglait et chercha Camille parmi les personnes rassemblées sur le quai. Ne l'apercevant pas, elle pencha la tête vers l'arrière pour dégager de son champ de vision les fanes aux ombres d'épinard qui pleuraient de son chapeau comme du chiendent à balai. Grâce à ce défrichage, elle put mieux scruter le paysage. Camille l'avait repérée dès son arrivée, comme tous les gens des alentours, d'ailleurs. Avec son originalité, sa manière d'être tout à fait unique et sa passion rebelle que rien ni personne ne pouvait endiguer, Magdaline l'amusait. Observer cette boule d'énergie afficher sa différence sans se mortifier de sa nature si singulière réconciliait Camille avec la vie, qu'elle trouvait plutôt difficile, ces derniers temps.

– Tu es là ! s'exclama Magdaline en ouvrant les bras, comme un ange qui accueille les bienheureux au ciel, contente d'avoir enfin retrouvé son amie. Je savais que tu serais là !

Camille alla à sa rencontre.

– Tu es prête, on dirait, lança-t-elle en passant en revue la tenue de Magdaline.

– Ça te plaît ? J'ai dessiné ça spécialement pour notre promenade en gondole. Le chapeau, la robe et même le sac !

Magdaline avait conçu un accoutrement pour le moins' original. D'abord, une jupe pantalon semblable à ces larges culottes à la Bénard, portées par les femmes qui osaient emprunter à la mode masculine son aisance vestimentaire. Puis, un ample chemisier assorti, à manches bouffantes et aux poignets mousquetaire, plissé à la taille par un large ceinturon de daim ambré dont les franges n'étaient pas sans rappeler les fanes de son chapeau mi-jardin, mi-potager. Par souci d'harmonie avec les couleurs environnantes, Magdaline avait taillé sa création dans un léger voile de mousseline, imprimé de feuilles gigantesques dont les formes variées se confondaient dans une harmonie lumineuse, dominée par le kaki, l'orange, l'ocre et le jonquille.

– On dirait une tenue de camouflage inspirée de la Grande Guerre ! pouffa Camille.

– Chouette ! C'est exactement l'effet recherché ! Je voulais des vêtements qui n'effraient ni les oiseaux, ni les canards, ni les papillons ! Comme ça, j'ai l'air d'un... végétal anodin ! Je vais pouvoir me fondre dans la nature et attirer à moi les geais bleus, les chardonnerets, les mésanges, les cardinaux, les demoiselles et tous les papillons du ciel.

Camille esquissa un sourire dubitatif.

– Et ton sac déguisé en... jars potelé avec un bec aux narines dilatées... C'est pour attirer quel genre de bestioles ?

– Oh ! Mon sac ! Regarde comme c'est astucieux, ajouta-t-elle en pointant du doigt le moteur de la gondole recouvert d'une silhouette de cygne en tôle blanche, très semblable aux lignes de son sac. Je l'ai habillé comme le moteur du bateau !

– Bonne idée ! souffla Camille, un brin ironique, sans saisir le but de l'opération. Ils seront moins gênés de faire la balade à deux, si je comprends bien ?

– Attends, je n'ai pas fini ! répliqua Magdaline devant l'air interloqué de Camille.

Elle glissa son sac sous son bras et l'inclina vers l'avant, à la manière d'une gourde de peau dont on souhaite vider le contenu. Elle en pinça le bec entre ses doigts et des graines de tournesol, de pavot, de colza et de chardon s'en échappèrent.

– C'est le pique-nique des oiseaux ! triompha Magdaline, fière de son invention.

– Vous venez, mesdames ? Nous sommes prêts à partir, les héla monsieur Labelle qui, du quai, larguait les amarres.

– Nous arrivons ! riposta Magdaline en lançant au ciel sa poignée de graines.

Seulement trois des sept bancs de la gondole étaient occupés. Tous les passagers à bord s'étaient entassés à la proue de l'embarcation ; Magdaline et Camille choisirent d'emblée le côté opposé. Le bateau mit le cap à la vitesse de l'escargot en direction des rapides de la Dominion Rubber. L'embarcation glissa doucement derrière le bureau de poste. Là où le lit de la rivière se rétrécissait et où les berges étaient encore intouchées par la civilisation, le bateau ralentit. Le silence régnait à bord, comme si la gondole s'engouffrait dans un marigot mystérieux. Les ouaouarons, bien assis sur les grandes feuilles des nénuphars jaunes, semblaient revendiquer aux visiteurs le monopole de leur territoire. Juchées à travers les luxuriantes parures des érables, des chênes et des pins, les mésanges, les hirondelles et les tourterelles tristes se moquaient de l'humeur bougonne de ces batraciens inhospitaliers. De temps à autre, quelques dorés fanfarons sortaient leur tête de l'eau pour gober d'un trait les mouches, les cocons et les larves qui flottaient à la surface avec une trop grande désinvolture. Çà et là, des branches de saules pleureurs se rejoignaient d'une rive à l'autre et formaient une tonnelle verte, tachetée de grappes mousseuses et couleur paille, qui forçait les plaisanciers à baisser la tête au passage. Les voyageurs promenaient leur regard d'une berge à l'autre, savourant dans un silence presque sacré la beauté du décor. La rivière s'élargit et laissa derrière elle cette intimité chaleureuse. À l'approche des rapides de la manufacture de caoutchouc, les eaux se remirent à frissonner et la recrudescence du courant ballotta l'embarcation. Les passagers s'éveillaient nonchalamment de leur émerveillement et, peu à peu, reprenaient leur bavardage du départ.

– Camille !

– Oui..., répondit l'interpellée en se tournant vers son amie.

– Merci.

– Merci pour quoi ?

– Si tu savais comme j'ai le cœur plus léger depuis la semaine dernière. Ça m'a fait un bien énorme de te raconter l'histoire d'Edward. Je me sens beaucoup mieux. En paix avec ma décision.

Magdaline serra la main de Camille qui immobilisa son regard sur ces doigts blancs, longs et tendres qui enveloppaient les siens.

– Je n'y suis pour rien, Magdaline. Je n'ai rien fait, rien dit de particulier. J'ai écouté, c'est tout.

– C'est tout, comme tu le dis. Tu m'as tout simplement écoutée. Sans juger. Sans critiquer. C'est un cadeau inestimable !

– Magdaline..., murmura timidement Camille, après un long silence.

Magdaline répondit d'une simple expiration presque mélodieuse.

– Dis-moi... Pourquoi, un jour, on se sent attiré par quelqu'un au point où on ne peut pas résister à l'envie de l'embrasser... et le lendemain, on fuit littéralement cette même personne ? On l'évite. On ne lui dit même plus bonjour. Et tout à coup, un mois plus tard, avec la voix remplie d'amour, on lui dit qu'on ne la mérite pas.

Magdaline entendit toute la peine derrière cette question.

– Tu as embrassé quelqu'un et, maintenant, tu ne veux plus le voir ? Tu lui as dit qu'il était trop bien pour toi ? demanda Magdaline avec compassion.

– Magdaline ! s'indigna Camille, comme si cette seule perspective la scandalisait. Les filles bien n'embrassent pas les garçons, voyons !

– Ah... Pardon. Alors... Quelqu'un t'a...

– Oui, admit Camille sans donner le temps à Magdaline de compléter sa phrase. Oui ! renchérit-elle. Et je trouve ça... fâchant, odieux, triste... Je trouve que ça n'a aucun sens.

La douleur de Camille glaça le cœur de Magdaline. Elle prit la main de son amie et la déposa sur sa cuisse. Elle caressa ses petits doigts avec tendresse. Une larme grosse comme l'orage roula le long du nez de Camille et alla s'abîmer lourdement entre les plis de sa jupe. Magdaline effleura sa joue, asséchant quelques-unes de ces larmes qui n'en finissaient plus de couler de ses yeux noyés par la peine. Camille se mit à trembler. Ses lèvres frissonnaient. Ses épaules tressautaient, combattant de plus en plus difficilement le flot de tristesse qui l'envahissait. Les sanglots éclatèrent. Magdaline l'attira à elle et blottit sa tête contre sa poitrine.

– Je le savais, aussi. Je le savais. Je te l'avais dit, Magdaline.

Magdaline comprit alors de qui Camille parlait.

– Je suis trop laide pour lui...

– Mais non. S'il t'avait trouvée laide, il ne t'aurait pas embrassée. Il ne t'aurait pas dit qu'il te trouve trop bien pour lui.

– C'est ma faute ! Moi et mes idées ! Mes rêves de fou ! Je choisis toujours ce qui n'a pas de bon sens. Je suis sotte ! Une poule pas de tête ! Une tête de linotte ! C'est tout ce que je suis.

– Chut... Camille, ne dis pas ça. Ce n'est pas ta faute ! Tu dois me croire.

Magdaline l'enveloppa de ses bras et la serra très fort.

– Tu es belle. La plus belle jeune femme que je connaisse. Belle, intelligente, sensible et sensée. N'en doute jamais. Tout ça n'a rien à voir avec toi. Crois-moi.

– Alors, ça dépend de qui... ? de quoi... ? Dis-moi ? sanglota Camille.

– Je ne sais pas. Mais la dernière chose que tu dois faire, c'est tourner cette histoire contre toi. Tu m'entends ?

Magdaline berça longuement Camille qui pleurait de tout son être.

– C'est Félix qui..., osa Magdaline lorsque la jeune femme sembla quelque peu apaisée.

Celle-ci répondit par un hochement de tête et la cascade de larmes reprit de plus belle.

– Camille ! Camille, écoute-moi ! Il doit y avoir autre chose... Je ne sais pas... Il a peut-être eu peur.

– Peur ! Peur de quoi ?

– Peur... de l'engagement. Des responsabilités. De promesses qu'il pourrait, pour une raison ou une autre, ne pas être en mesure de tenir. Peur de s'attacher. Peur de révéler un visage différent de celui qu'il veut bien montrer. Peur !

Camille releva la tête et répéta, perplexe :

– Peur...

– Félix ne m'a jamais parlé de toi, ni de cette histoire, ni même de lui. Jamais, non plus, il ne m'a fait de confidences concernant ses ambitions sentimentales. Alors, ce que je m'apprête à te dire n'est que le fruit de mes réflexions et de mes intuitions. Tu comprends ? Ce n'est que mon interprétation des événements, à partir de mon expérience de vie personnelle. À partir de mes peines, de mes espoirs déçus, de mes peurs... D'accord ? C'est ce que mon cœur raconte et pas nécessairement ce que le cœur de Félix dit.

Camille gémit tout en se redressant, intéressée malgré elle par les propos de Magdaline.

– Je ne sais pas ce que Félix ressent pour toi. Mais ce que j'ai vu dans ses yeux, l'après-midi où nous sommes revenues de Montréal, je t'assure que ça n'avait rien d'indifférent. Ça, j'en mettrais ma main au feu. Par ailleurs, je crois qu'il vit actuellement de grandes incertitudes. Je crois comprendre qu'il cherche à se tailler une position respectable, à s'installer. J'ai l'impression qu'il ne sait pas où, ni comment. Il cherche des relations. Une voie, peut-être... Quelque chose me dit que son goût pour l'argent est plus important que son attrait pour la photographie et qu'il remet en question son choix de travailler comme photographe. De plus, je crois que ce beau grand garçon a des ennuis de santé. Peut-être bien de sérieux ennuis de santé.

– Des ennuis de santé ? Félix est malade ? Qu'est-ce qu'il a ? s'énerva Camille.

– Je ne saurais pas le dire exactement, Camille. Mais il arrive régulièrement que, la nuit, je le trouve assis sur le bord de son lit, en train de vomir du sang. J'ai cru un moment qu'il souffrait de tuberculose. Maintenant, je n'en suis plus certaine. Il ne tousse pas comme un tuberculeux et, certains matins, il a bonne mine. Son état connaît tantôt des hauts, tantôt des bas. Je ne sais pas...

– Il faut qu'il aille voir le docteur ! s'écria Camille, inspirée par son gros bon sens.

– Tu penses bien que je le lui ai suggéré. Et plutôt deux fois qu'une !

– Il n'y va pas ? Mais pourquoi ?

– Je ne sais pas, Camille. Je ne sais pas. Je ne crois pas que ce soit une question d'argent... Mais j'avoue que je ne comprends pas.

La jeune femme se ressaisit. Elle sortit son mouchoir enfoui dans sa manche et se moucha énergiquement.

– Je vais l'aider, Magdaline. Il faut l'aider. Dieu m'a probablement mise sur sa route pour cela. Je le sais, maintenant. Je vais l'aider !

– Je crois que la plus grande aide que tu pourrais lui apporter, c'est d'abord de faire la paix avec toi-même, en cessant de t'en vouloir. Et en ne lui en voulant plus, à lui. Ensuite, tu dois continuer ta route. C'est ce qu'il t'a demandé, non ? Avec la grâce de Dieu, laisse le courant porter ton destin... Et laisse-le porter le sien.

– Allons, Magdaline ! Il faut faire plus que ça. Il faut agir ! Intervenir ! C'est sérieux. Il y va de sa vie, peut-être.

– Peut-être. Mais c'est *sa* vie. *Sa* vie, Camille.

– Mais si on ne fait rien, quelqu'un d'autre va s'en charger ! Une autre femme, quelque part... Une femme qui va vouloir prendre soin de lui ! C'est de ça dont il a besoin. Que l'on s'occupe de lui...

– Je suis certaine qu'il connaît l'affection que tu lui portes, tout comme il ne doute pas de mon amitié. S'il avait besoin que quelqu'un prenne soin de lui, je crois qu'il le demanderait.

– Magdaline ! s'exclama Camille, comme si elle tombait des nues. C'est un homme ! Jamais il ne va demander à une femme de prendre soin de lui. Il a son orgueil d'homme. Ça ne lui prend pas n'importe quelle femme... Il lui faut une épouse ! Une femme à lui !

– Permets-moi d'être en désaccord, Camille. Félix est un grand garçon, capable de savoir de quoi il a besoin. En ce moment, je ne crois pas qu'il ait besoin d'une épouse.

– Que fais-tu de la charité chrétienne ? Il me semble que le bon Dieu ne nous a pas dit de rester là, les bras croisés, à regarder tranquillement mourir ceux qu'on aime. Je ne peux pas faire ça. Je ne pourrais même pas faire ça avec Wizz ! Et ce n'est qu'un chien !

– Justement ! Un chien ne peut pas décider pour lui-même. Un humain, oui... Tu vois le courant ? Dans quelle direction l'eau coule-t-elle ?

– Elle descend. Elle va vers la Regent..., s'impatienta Camille.

– Si tu sautes à l'eau, maintenant, et que tu essaies de nager vers les chutes Wilson... Qu'est-ce qui va t'arriver ?

– Je n'y arriverais probablement pas. Je m'épuiserais avant. Le courant me ramènerait et me pousserait probablement sur les rochers. Je risquerais de m'assommer. De me blesser. J'avalerais sûrement quelques bons bouillons. Peut-être même que je me noierais.

– Je pense qu'en ce moment, la vie de Félix est un peu comme cette rivière. Si tu sautes à l'eau..., si tu sautes dans sa vie maintenant, tu vas te retrouver à contre-courant. Mon cœur me dit que l'aventure ne donnerait rien qui vaille, en tout cas pour l'instant...

– Je ne sais pas..., maugréa la jeune femme, convaincue d'avoir raison. Excuse-moi, Magdaline, mais je croyais que tu étais une femme généreuse. Une femme de cœur.

La peine de Camille avait fait place au doute et à l'hésitation. Son amie n'osa rien ajouter. Elle regrettait déjà de ne pas avoir simplement écouté, sans rien dire, comme Camille l'avait fait pour elle, quelques jours auparavant.

À bâbord, Magdaline enneigeait l'horizon de bourrasques de graines tandis qu'à tribord, Camille guettait les remous. Toutes deux étouffaient d'inconfort. La conversation resta ainsi inachevée, ni l'une ni l'autre ne trouvant les mots pour remonter ce courant contrariant.

Sous le pont de la Dominion Rubber, le bateau fit demi-tour et rentra en ronronnant. Gonzague avait installé sa Nettel sur le quai et, dans son viseur, guettait l'arrivée de la gondole. Sous le bec du canard de tôle qui abritait le moteur, il remarqua un étrange bosquet de pivoines piquées à travers une forêt échevelée de feuilles de carottes qui poussaient étrangement sur la tête d'une dame. Seule Magdaline pouvait se dissimuler sous pareille garniture. Ravi du hasard de cette rencontre, il courut offrir sa main aux deux dames pour les aider à reprendre pied sur la terre ferme. Il salua Camille et, taquin, lui dit qu'il était heureux de la croiser sans son chien collé aux talons, pour une fois. Camille sourit poliment. Gonzague s'approcha de sa vieille amie et lui donna une accolade chaleureuse. Lorsqu'il libéra Magdaline, la jeune femme avait disparu.

Chapitre 40

Hors piste

L'histoire du cheval de Montagu Hershey et d'Henry Ward avait fait le tour de la ville comme une traînée de poudre. Les estrades étaient remplies à craquer. Ceux qui n'avaient pas pu s'offrir l'entrée à vingt-cinq cents s'étaient massés le long de la clôture qui bordait la piste, du côté de la route. D'autres, plus téméraires, avaient défié la surveillance de monsieur Poulin et avaient réussi à se faufiler en douce sur le terrain, par la butte de la voie ferrée. Trompettes et tambours animaient une foule déjà bien agitée. Autour de l'écurie, les entraîneurs fébriles frictionnaient les pattes de leurs chevaux et les jockeys vérifiaient et vérifiaient encore chaque pièce de leur sulky.

Le lendemain de la session de photographie, Félix avait téléphoné à Douglas Tiernan. L'affaire était urgente. Ils n'avaient que deux jours devant eux pour accepter ou non le marché de Ward. L'Irlandais n'eut pas besoin d'un délai si long pour décider de s'allier à son jeune ami : l'aventure que lui proposait Calvé l'avait séduit sur-le-champ. Même s'il ne connaissait strictement rien aux courses de chevaux, il voyait là une occasion de tester son instinct de joueur. Trop d'indices lui donnaient à croire que son intuition ne pouvait pas le tromper. D'abord, il y avait le nom du cheval.

Une bête baptisée Sir Boswell ne pouvait pas surgir dans sa vie par le simple fruit du hasard, lui qui avait choisi *boswell*, entre des milliers de mots, pour signer son langage. Il devait y avoir un message à décoder dans cette rencontre fortuite entre un homme et un cheval unis par ce même mot fétiche. Sir Boswell devait lui être envoyé par le Ciel pour faire sa bonne fortune. Il le sentait jusqu'au bout de ses orteils. Son destin était appelé à croiser celui de ce jeune étalon, cela ne faisait aucun doute.

Si le nom du cheval lui avait mis la puce à l'oreille, l'histoire abracadabrante que lui avait racontée Félix au sujet de Dan Patch, ce renommé géniteur de Sir Boswell, l'avait tout autant inspiré. Pareil récit ferait dresser les oreilles du plus demeuré des néophytes et le doux fumet de billets verts qui s'en dégageait pouvait faire flancher le plus honnête des hommes. Or, Douglas, en être humain tout à fait normal, à sang à peine plus chaud et à chair à peine plus faible que la moyenne des hommes, ne pouvait pas réagir différemment dans de telles circonstances. Douglas était fermement convaincu de renifler les arômes d'une affaire en or.

À l'heure où tous les chrétiens de Saint-Jérôme papotaient sur le perron de l'église à la sortie de la grand-messe, Douglas avait rejoint Félix devant l'écurie de Poulin, sa petite enveloppe brune bien en sécurité dans la poche intérieure de sa veste. Félix avait caché la sienne dans le liséré de cuir qui ceinturait l'intérieur de son chapeau. Dans la voiture, à l'abri des regards, les hommes avaient échangé leurs plis en catimini et en avaient discrètement vérifié le contenu. En tout, six cents beaux dollars ! Deux cents dollars chacun pour la mise, et cent dollars chacun sur la tête du premier poulain de Sir Boswell, cet imminent champion du monde des trotteurs.

Félix plia soigneusement tous les billets dans une des deux enveloppes et la fourra sous son chapeau élimé. Les hommes descendirent de la voiture. S'assurant que personne ne les voyait, ils marchèrent en direction de l'écurie, d'un pas qu'ils souhaitaient le plus naturel possible, mais sans relâcher leur surveillance. Après avoir passé la porte, ils durent s'arrêter. Le contraste brutal entre le soleil éclatant et la pénombre qui régnait à l'intérieur les avait plongés dans le noir total. Ils attendirent que les formes et les couleurs se révèlent à nouveau et traversèrent le bâtiment principal avec la même vigilance. Au bout du couloir, ils bifurquèrent vers l'annexe est et pressèrent le pas jusqu'au box inoccupé du défunt Golden Arrow, le tout dernier sur la gauche. Dans l'ombre, entre le mur et un amoncellement ébouriffé de balles de foin qui touchait presque les sapines du plafond, Ward et Hershey les attendaient en silence. Félix s'avança, souleva son chapeau et tendit l'épaisse enveloppe à Ward. Les hommes échangèrent quelques mots à voix basse. Les mains se serrèrent. L'affaire était scellée. Pas de questions, pas de noms, pas de papiers. L'honneur et la bonne foi suffisaient à garantir le marché.

La fanfare s'arrêta pour entonner une marche solennelle. Les trois juges de la course, armés de leurs chronomètre, jumelles, crayon et carnet, apparurent entre les estrades. Tête haute, comme des desperados nantis du pouvoir des justes, ils traversèrent lentement la piste et s'immobilisèrent devant la fanfare qui gardait l'entrée du pavillon. Pour ces messieurs, ils déployèrent sans parcimonie leur attirail complet d'urbanités, avant d'aller s'installer à leur position respective, prêts pour le départ. Sans s'arrêter de jouer, les musiciens s'éloignèrent de la cabane des juges, dans un pas parfaitement cadencé malgré la terre humide qui se cramponnait à leurs chaussures blanches à chacune de leurs foulées. Dans leur uniforme satiné vert et or, ils paradaient avec fierté, en aspergeant généreusement de fange et de fumier le fessier de celui qui les précédait. Ils disparurent peu à peu derrière l'extrémité ouest des gradins, puis l'éclatante Ford T noire à flancs blancs, à laquelle était attachée la barrière de départ, s'approcha en grande pompe jusqu'au centre de la piste.

Ward et Hershey, trop énervés pour rester assis pendant la course, avaient offert leurs sièges à Félix et à Douglas. Les joyeux larrons ne s'étaient pas fait prier. Ils avaient couru s'installer dans la toute première rangée des gradins, juste derrière la ligne de départ. Ils regrettaient de ne pas avoir prévu plus de carburant. Ils avaient déjà vidé leur flasque de whisky et de Southern Comfort et le liquide doré n'avait guère calmé leur anxiété grandissante. Ils n'en finissaient plus d'éponger, de leur mouchoir en batiste blanche et soigneusement plié en quatre, les sueurs froides qui perlaient sur leur front. Leurs rires s'étaient taris. Dans un mutisme angoissé, ils fixaient la barrière. Dans les circonstances, les préambules d'ouverture leur paraissaient beaucoup trop longs et commençaient même à les agacer. L'attente les étouffait. Ils dénouèrent leur cravate pour laisser entrer dans leurs poumons une bouffée d'air frais. Enfin, l'animateur de la course les tranquillisa un peu lorsqu'il cria, dans son cornet acoustique qui déformait les sons, le nom du premier participant de la course.

Lorsque le sixième et dernier participant en lice fit son apparition sur la piste, la foule se leva et l'applaudit à tout rompre. Tous scandaient, en chœur, le nom du favori. Sir Boswell, le nez dans le vent et la queue pointant en direction de son conducteur, Blacky McHenry, trottina fièrement vers la barrière avec la prestance d'un champion-né. L'heure était déjà aux réjouissances. Tous avaient espoir que Sir Boswell coure le mille en moins de temps que le fameux « 1 : 55 » inscrit dans les annales, le 8 septembre 1906, par Dan Patch. L'assistance le voulait. Elle l'exigeait.

Douglas croisa ses doigts et marmonna :

– Vas-y, Boswell ! Gagne-la pour moi, *boswell* !

De l'index, Félix poussa son feutre vers l'arrière. Puis il croisa les doigts et enfonça ses bras sous ses côtes, tâchant ainsi de soulager les brûlures qui lui ravageaient l'abdomen.

Le juge en chef fixa le conducteur de la Ford T droit dans les yeux. Il leva son bras bien haut dans les airs. Ses doigts serraient un long mouchoir blanc qui résistait stoïquement aux bourrasques du vent. D'un mouvement résolu, il abaissa vivement le bras, donnant ainsi le signal du départ. La Ford T chargea à plein moteur et se rangea sans attendre sur l'accotement de la piste. Aussitôt libérés de l'entrave de la barrière, les chevaux foncèrent dans un nuage de poussière. Au premier quart de mille, talonné de près par *Sunny Star*, Sir Boswell réussit à remonter en première place, mais Greyhound et Candeur égyptienne les rejoignirent avant le premier virage. Blacky McHenry, le conducteur de Sir Boswell, décida de passer la courbe avant de réagir. Il lui paraissait plus sage de laisser ses adversaires le talonner de près pour leur donner un tout petit espoir. Une fois en ligne droite, McHenry claqua sèchement sa cravache sur la croupe de Sir Boswell. Du coup, le cheval releva la queue, braqua haut et droit ses naseaux dans le vent et fila à une allure surréaliste. En quelques secondes seulement, le cheval prit une avance considérable : lorsqu'il entama le second virage, ses plus sérieux adversaires avalaient sa poussière à presque un quart de mille derrière lui.

La foule euphorique se leva et se mit à scander le nom de la magnifique bête qui leur en mettait plein la vue :

– Sir Boswell ! Sir Boswell ! Sir Boswell !

Douglas appelait la victoire en frappant l'air de petits coups bien vigoureux de son poing droit, et Félix, qui repoussait sans cesse son chapeau vers l'arrière, tapait la balustrade sur laquelle il s'était arc-bouté. Tout à coup, un aéroplane en détresse apparut derrière la butte de la voie ferrée. Une épaisse fumée indigo s'échappait de l'unique moteur de l'appareil jaune et vermillon qui ressemblait à s'y méprendre au Fokker DR-I du célèbre baron von Richthofen. L'engin perdait dangereusement de l'altitude. En frôlant la butte, la queue s'enferra aux rails du chemin de fer et l'avion se mit à hoqueter. Ses ailes vacillaient de bas en haut, à la manière d'un colvert touché qui livre son dernier combat pour ne pas finir en confit sur la table d'un bourgeois. Puis, il piqua du nez.

Les regards des spectateurs étaient tournés vers ce fauteur de troubles qui venait mettre en péril leur petit bonheur. La peur les avait tous rendus muets. Ils préféraient ne pas s'imaginer la suite des événements. Abasourdis par l'horreur du spectacle, ils ne pouvaient que regarder, sans bouger, les flammes orange et bleu jaillir du moteur et lécher avidement les ailes de l'appareil qui se précipitait vers la piste.

Les roues de l'aéroplane accrochèrent la corniche de la cabane des juges et arrachèrent, au passage, la presque totalité de la toiture. Assez naïf pour croire qu'il pourrait échapper à la folie de ce monstre volant, Sir Boswell se cramponnait toujours à la victoire. À quelques mètres du presque champion, l'avion toucha le sol. Mais sa trop grande vitesse le fit rebondir et ses roues heurtèrent de plein fouet le flanc de la bête. Sir Boswell tomba lourdement sur la piste. Le sulky se détacha et culbuta jusqu'au fossé, propulsant Blacky McHenry dans les airs. Le conducteur fit plusieurs tonneaux et atterrit, inconscient, les bras en croix, dans un bosquet de cenelliers. L'aéroplane s'immobilisa enfin dans le champ voisin, à quelques arpents du rond de course. Le pilote eut tout juste le temps de s'extraire de son habitacle avant que l'engin n'explose.

La panique se répandit dans la foule plus vite qu'un signal électrique. Les gens criaient, pleuraient et couraient dans tous les sens. Monsieur Poulin envoya un jeune garçon sonner l'alarme des pompiers. Il arracha ensuite le cornet acoustique des mains de l'annonceur et demanda l'aide d'un médecin ou de gardes-malades. Des volontaires se précipitèrent au secours de Blacky McHenry tandis que d'autres, équipés de tous les seaux qu'ils avaient pu trouver, formaient une chaîne entre le ruisseau et l'aéroplane en feu.

Ward et Hershey étaient aux côtés de Sir Boswell. Sous les regards pétrifiés des badauds, ils pleuraient la mort de leur champion. À genoux dans la mare de sang, Ward ferma doucement les paupières du cheval. Hershey, quant à lui, s'étendit de tout son long contre son protégé, espérant percevoir, sous sa main, un miraculeux battement de cœur.

Debout derrière la balustrade, Douglas avait assisté à la tragédie sans réagir. Perdre une somme d'argent aussi considérable en quelques minutes lui avait donné un dur coup, pas de doute là-dessus ! Mais il s'en remettrait. C'est l'horreur de ce spectacle imprévu qui lui tordait les boyaux et lui asséchait la gorge. La peur, le désespoir, la souffrance, la mort... La mort, partout ! Il ne restait que l'impuissance devant la fatalité. Cela lui rappelait les siens, l'Irlande, le mildiou, la famine, la maladie, la détresse et ceux qui ne reviendraient jamais. Cette scène dantesque le ramenait à sa propre impuissance. Sa triste et misérable impuissance devant le destin. Il valait mieux partir. Changer de décor. Vite. Ici, il ne pouvait être qu'impuissant.

– J'ai soif, le grand ! lança-t-il à Félix, se tournant vers lui pour l'inviter à s'en aller au plus vite.

Écrasé sur le banc, le jeune homme vomissait le sang dans son mouchoir. Son visage cireux était crispé par la douleur ; son corps, tout à coup si fragile, tremblotait comme si une fièvre violente s'était soudainement emparée de lui. Douglas n'en croyait pas ses yeux. Décidément, l'odeur de la mort le traquait...

– *Boswell* ! Accroche-toi après moi, mon grand, on s'en va d'ici. Viens ! On va aller te faire soigner ! dit-il, en fourrant sa tête sous le long bras de Félix pour le soulever de son siège.

Douglas fit de son mieux pour remettre Félix sur ses pieds, mais ce dernier était si faible qu'il retombait sur le banc à chaque tentative. L'impuissance gagnait du terrain et la colère montait au nez de Doug.

– Hé, toi, mon garçon ! jeta-t-il à un blondinet à peine sorti de l'adolescence mais déjà bâti comme un gars de chantier, qui tournait en rond, deux rangées de bancs plus haut. Viens par ici ! Viens vite, je te dis !

Le jeune garçon regarda sa bande d'amis s'éloigner, hésita, puis se décida à répondre.

– Monsieur ?

– Va de l'autre côté, vite. Passe son bras autour de ton cou. Il faut qu'on le sorte d'ici de toute urgence !

Atterré par la rudesse de Douglas, mais plus encore par le flot de sang qui dégoulinait le long des doigts de Félix jusqu'à l'intérieur de ses manches, le garçon resta immobile.

– Grouille-toi, *boswell* ! Parce que, vrai comme je suis là, tu n'auras pas le temps de compter jusqu'à trois que tu n'auras plus une *boswell* de dent dans la bouche ! Attelle-toi, mon petit, et vite !

Le jeune homme sidéré s'exécuta sur-le-champ.

Chapitre 41

L'annonce

Juillet s'annonçait mal. Depuis le début du mois, il pleuvait chaque jour à torrents. Mais Ernest gardait tout de même espoir. Il lui semblait plus que probable qu'après sept jours consécutifs de temps maussade, le ciel finisse par s'éclaircir, au moins pour une fin de semaine ! C'était l'argument qu'il avait servi à son cousin et qui l'avait finalement convaincu de ne pas reporter leur pique-nique. Selon lui, tout se déroulerait comme prévu. Le sort de leur fête de famille dépendait maintenant du bon vouloir de la providence. Les Tiernan et les McCready se rejoindraient au domaine de Piedmont et y pendraient la crémaillère « gouttes que gouttes », comme l'avait dit Ernest, satisfait de la décision qui avait été prise. Par malheur, le ciel frileux était demeuré sombre et bien couvert dans son manteau cotonneux de nuages bouffis d'averses. Le soleil avait l'air décidé à bouder la fête.

Rose avait insisté pour que Sarah et elle patientent jusqu'au samedi midi avant de trancher la question du repas. À l'heure où le soleil atteignait son zénith, il n'avait toujours pas daigné se pointer le bout du nez. La température s'obstinant à rester de mauvais poil, les deux femmes jugèrent plus sage de prévoir le repas à l'intérieur. Rose suggéra de monter une grande table dans la véranda des Tiernan. Sarah approuva et lui laissa l'affaire en main, préférant retourner au calme et à la solitude de sa besogne culinaire. Trop heureuse de se voir seule en charge de la situation, Rose enclencha sans attendre les opérations.

Elle appela Annette et Emma pour la seconder dans sa tâche. Toutefois, la présence des filles n'allégeait en rien ses responsabilités ; elle l'irritait même au point où elle devait se retenir pour ne pas sortir de ses gonds. Ses nièces se chamaillaient, se tiraient les cheveux, se provoquaient à coups de cuillère et couraient autour de la table comme deux fillettes de cinq ans. Rose avait beau les sermonner, leur serrer les bras au passage et même les menacer de les envoyer sous la pluie pour qu'elles se refroidissent les esprits, rien n'y faisait. L'influence du mauvais temps l'emportait sur son autorité. La grisaille du jour s'immisçait dans les humeurs de chacun.

Ernest se disait qu'il avait peut-être eu tort d'insister et qu'il aurait mieux valu remettre l'événement. La maison de son cousin lui paraissait trop petite pour abriter tant d'inquiétude et d'agitation. Rien ne tournait rond. Chacun se comportait comme s'il avait souhaité être ailleurs et comme si la présence des autres l'indisposait.

De la cuisine au salon, du salon à la véranda et de la véranda à la cuisine, Carmen battait sa pâte à gâteau depuis si longtemps qu'elle allait bientôt la faire tourner en rusticage. Elle chantait à tue-tête, comme si elle était seule au monde. Ses vibratos excessifs faisaient frémir les globes des lampes et elle semblait confondre ces tremblements timorés avec les applaudissements d'un public de salon en délire. Ses airs, tristes à faire pleurer, déchiraient la paix des autres comme des griffes qui lacèrent une peau fragile. La maisonnée entière grimaçait. Tous rêvaient en secret de lui faire avaler un noyau d'olive ou de lui faire respirer une bonne bouffée de moutarde sèche aux vertus sternutatoires, de manière à lui imposer quelques instants de repos forcé.

Quant à Miville, il n'avait pas prononcé un traître mot depuis son arrivée. Comprimé dans un espace ridicule entre le comptoir et la glacière, il hachait des feuilles de pissenlit, de cresson et d'escarole avec une patience de moine, et cela, depuis le début de l'après-midi. Il en avait rempli un bol aussi gros qu'une marmite. Sarah avait tout fait pour l'arrêter. Elle lui avait dit que Mac et Doug se moqueraient de son hachis de feuillage et que ni l'un ni l'autre n'avaleraient cette verdure. D'après eux, l'herbe poussait pour nourrir les vaches, pas les hommes. Mais Miville avait décidé d'en faire à sa tête. Sarah s'en voulait d'être intervenue. Elle pensait qu'elle l'avait vexé et se mordait les doigts de sa maladresse. Depuis des heures, elle se répétait qu'elle n'était qu'une bonne à rien. Elle s'était même condamnée à faire pénitence dans ses chaudrons. Coincée dans ses inhibitions comme un bernard-l'hermite dans sa coquille, elle vaquait à ses tâches, suffoquant de peine et remâchant sa haine contre elle-même.

Comme si les humeurs singulières de Carmen, de Miville et de Sarah ne pimentaient pas suffisamment la journée, Douglas et Camille faisaient la tête. Ernest en avait la nausée de les voir bondir d'une fenêtre à l'autre comme des bêtes affolées cherchant une issue à leur prison. Douglas maugréait. Les motifs de ses jérémiades semblaient inépuisables : son cigare s'éteignait sans arrêt ; le feu brûlait mal ; la cheminée boucanait ; le bois était trop vert ; le renfort de

415

sa chaussure lui blessait le talon ; les coussins du sofa, trop humides, allaient lui donner les hémorroïdes ; la grosse branche du pin allait céder et s'écraser sur le toit de la maison... Tout était matière à reproches et à mécontentement. Quant à Camille, elle mijotait Dieu seul savait quoi, sans pouvoir s'arrêter de bouger, sans pouvoir contenir son besoin de fuir. Elle trouvait sans cesse quelque chose à faire, à arranger, à ramasser, à replacer, à aller chercher, refusant évidemment l'aide de quiconque.

La fête prenait des allures d'enterrement où les vivants endeuillés ignoraient ce qu'on avait mis en terre. Ils jouaient à broyer du noir, fiers de leur austérité méritoire, comme des ascètes qui font pénitence. Dire qu'Ernest avait prévu faire de cette fin de semaine l'occasion d'un rapprochement de famille... Comme elle l'inquiétait, sa Camille ! Il n'en pouvait plus de la voir aussi loin. L'humeur de sa fille, depuis les dernières semaines, avait ravivé son sentiment de culpabilité. Elle avait l'air si triste, si absente. Il aurait voulu pouvoir lui parler. Il en avait assez de la regarder se débattre, de rester passif et de compter les jours, les semaines, les mois, en attendant un miracle. Il ne voulait plus se résigner à laisser le temps faire son œuvre. Il refusait de voir sa fille souffrir. Sa douleur était un sacrifice absurde et stérile, et sa tristesse des dernières semaines lui fendait le cœur. La poitrine lui faisait mal.

– Camille, attends ! l'interpella Ernest quand il la vit sortir, accoutrée comme un pêcheur de morue, un seau dans chaque main. Laisse passer l'ondée et j'irai avec toi. À deux, ça sera plus facile.

La porte s'était refermée avant les derniers mots. Camille n'avait rien entendu de la proposition de son père. Elle était déjà dans le sentier qui menait au ruisseau. Le nez collé à la vitre embuée, Ernest encaissait une autre défaite.

– *Boswell !* Veux-tu bien me dire ce qu'elle a de travers, cette enfant-là ? Depuis quelque temps, on dirait que c'est quelqu'un d'autre, maugréa Douglas qui, par-dessus l'épaule de son cousin, avait été témoin de la rebuffade.

– On aura tout vu ! se hérissa Ernest. À ta place, mon vieux, je me regarderais le doigt avant de le pointer en direction des autres. T'es-tu vu l'air, toi ?

– Mac ! Je ne peux pas être rien que sur une patte et avoir envie de faire le fou tout le temps.

– C'est pourtant toujours comme ça que tu as vécu ! Je ne vois pas pourquoi, tout à coup, il te prend l'idée de vouloir changer ça.

– Mac... *Come on !* On ne va pas se chicaner ! *I've got enough of shit, these days...* Qu'est-ce que tu veux que je te dise ? Tout me tombe sur les nerfs !

Ernest s'arrêta pour savourer ce moment d'accalmie, le tout premier de cette journée franchement merdique.

– Je comprends ça, Doug. Je comprends ça..., compatit Ernest.

– Ça t'est déjà arrivé de te demander pourquoi, tout à coup, un est malade et pas l'autre ? Pourquoi un a la vie facile et son voisin en arrache comme un forcené ? Pourquoi un enfant meurt et un vit... Pourquoi un de tes amis meurt dans la fleur de l'âge, tandis que toi tu sembles parti pour vivre passé cent ans ?

– Sûr... Tu sais, Doug, rares sont les jours où je ne pense pas à Hermione. Ma belle Hermione qui m'a donné ces beaux enfants-là. Elle est partie trop vite. Trente-deux ans.

C'est trop jeune. Mais... Qu'est-ce que tu veux qu'on y fasse ? Il paraît qu'ici-bas, c'est pas nous qui décidons. C'est le bon Dieu qui règle ça. Nous, on suit. Du mieux qu'on peut.

– Et quand on est plus capable de suivre... Qu'est-ce qu'on fait ?

– Doug... Qu'est-ce qui t'arrive, mon vieux ? Je ne t'ai jamais entendu parler comme ça. Qu'est-ce qui te mine, pour l'amour ?

Doug savait qu'il pouvait tout dire à Mac. Il savait que son cousin ne se moquerait pas, ne le jugerait pas. Pourtant, il hésitait. Il éprouvait lui-même une terrible gêne à admettre que la mort d'un cheval l'avait à ce point troublé. Il se trouvait ridicule d'être incapable de se débarrasser de cette sensation horrible du sang de ce Calvé, incarnat et chaud, qui lui brûlait encore les mains. Il se trouvait faible, dégoûtant même, d'avoir si lâchement abandonné son ami dans le cabinet du docteur Fournier, simplement parce qu'il n'aurait pas supporté de voir mourir quelqu'un qu'il aimait bien. Comment parler de tout ça à Mac ? Comment lui dire qu'il y avait pire encore ? Comment avouer qu'il avait manqué de courage au point de ne pas prendre des nouvelles de Félix, juste au cas où elles auraient été mauvaises ? Comment décrire avec des mots cette envie de savoir et, en même temps, ce besoin de ne pas savoir, sans passer pour un imbécile ? Comment faire pour raconter à quelqu'un, même à un ami très cher, tout ce que l'on n'ose pas se raconter à soi-même ?

– Ça te dit quelque chose, un beau grand gaillard, bien long et bien mince... Une bonne tête... Un ancien draveur de la Rouge, descendu à Saint-Jérôme il y a une couple de mois... Un dénommé Ca...

De la véranda, Rose appela les hommes :

— Ernest ! Douglas ! Venez manger !

— On arrive, Rose, répondit Ernest. Qu'est-ce que tu disais, Doug ? Un dénommé comment ?

— Ah ! Je ne m'en souviens plus... J'ai oublié son nom. Laisse tomber. Viens, ça va nous faire du bien de nous mettre quelque chose sous la dent. De toute façon, ce n'était pas important...

— Pour nous faire du bien, sûr que ça va nous faire du bien. Mais je ne pense pas que ça va régler ce qui te turlupine, par exemple !

— Il n'y en a pas deux comme toi, mon Mac, soupira Douglas sur un ton presque nostalgique.

— Encore heureux. Viens manger avant qu'on se mette tous les deux à brailler.

Les hommes rejoignirent les femmes et les enfants qui attendaient, debout derrière leur chaise, comme le voulait l'étiquette. Ernest et Douglas s'installèrent à chacune des extrémités de la table et invitèrent tout le monde à s'asseoir. C'est Douglas qui attira l'attention sur la chaise à sa droite, restée vacante.

— Camille n'est pas revenue de la source. On aurait dû l'attendre, déplora-t-il.

— Non ! répliqua sèchement Rose. Le souper va refroidir et ça sera infect. Tant pis pour elle. Elle finira peut-être par apprendre qu'elle ne peut pas toujours faire à sa tête.

– Bon ! l'arrêta Ernest, en priant son cousin du regard de ne pas poursuivre la discussion. Tout le monde a faim, moi le premier. Donc, on mange. Camille n'en fera pas de cas. Bon appétit !

– Bon appétit ! marmonna chacun avant de faire passer les plats autour de la table.

Sarah fouillait dans le bol de feuilles de pissenlit, de chicorée et d'escarole comme si elle y cherchait son pardon, quand Carmen posa sa main glacée sur la sienne avant de se lever.

– Comme nous sommes tous là... J'aimerais, si vous me le permettez, vous annoncer une grande nouvelle. Une très, très grande nouvelle..., se gargarisa Carmen, en glissant sa main gauche sur celle de Miville.

– Nous ne sommes pas tous là, la reprit sèchement Douglas.

Trop heureuse que sa cousine ne soit pas là pour lui voler la vedette, Carmen enchaîna avec la ferme intention d'ignorer à la fois l'absente et la remarque :

– Une bonne nouvelle, c'est comme un bon repas, il ne faut pas la laisser refroidir ! Tant pis pour les absents, n'est-ce pas, ma tante ? lança-t-elle, perfide, certaine de trouver un appui du côté de Rose.

Ernest posa sa main sur le genou de sa femme, l'enjoignant de résister à cette trop belle occasion de marquer un autre point contre Camille. Puis, du même regard, il implora son cousin de céder au désir de sa fille.

– Bon, bon ! Vas-y, *boswell* ! Ne la laisse pas refroidir, ta nouvelle.

Douglas baissa la tête dans son assiette et marmonna sans que personne entende :

– Crache-la, qu'on mange !

Fière comme une femelle jacana en parade nuptiale, Carmen arbora un sourire glorieux. D'une voix posée et presque sereine, elle claironna, comme le cri d'une victoire :

– J'ai l'immense bonheur de vous annoncer que Miville et moi, nous allons nous marier ! En septembre de l'an prochain, nous serons unis pour la vie...

Le futur marié s'étouffa. Sa dernière bouchée de verdure s'était coincée à l'entrée de sa trachée. Il semblait dans une posture fort délicate, si bien qu'Ernest, n'écoutant que son courage, bondit à son secours. Pendant qu'il lui tapait dans le dos, Annette et Emma sautaient de joie et jouaient les nouveaux mariés en fredonnant la *Marche nuptiale* de Mendelssohn. Affolée par les pastilles rubicondes qui se propageaient sur le visage de Miville à la vitesse de taches de porto sur une nappe blanche, Rose courut vite lui chercher un verre d'eau. Dissimulant un sourire guilleret derrière sa main, Douglas tapait du pied sous la table. Le spectacle le distrayait. Sarah, toujours agrippée à la gigantesque cuvette d'herbage, se demandait encore s'il valait mieux réagir ou continuer à brouter. Rose revint à la table. Elle versa aussitôt entre les lèvres serrées du jeune homme en mal d'air une généreuse lampée d'eau, qui dégoulina le long du liséré de son joli cardigan épinette. Devant la gravité du problème, elle repoussa brusquement Ernest et prit les choses en main. Elle tira les deux bras de Miville si haut dans les airs qu'elle faillit lui disloquer les épaules.

Outrée par ce tohu-bohu qui gagnait en désordre et qui n'était causé, au fond, que par la sensibilité exagérée de son fiancé, Carmen courut se réfugier dans sa chambre. Elle devait retrouver un peu de sang-froid pour éviter de mettre ses plans en péril. Miville avala finalement sa surprise et revint à un état presque normal. Les bras encore suspendus aux mains de Rose, il fixait Douglas d'un œil larmoyant. Il cherchait vaillamment à retrouver sa voix qui, dès qu'elle sentait la tension de sa luette, retournait aussitôt se terrer au fond de sa gorge.

Camille choisit ce moment pour entrer dans la véranda, trempée comme une soupe, portant ses deux seaux à bout de bras. L'étrange allure des convives ainsi que l'atmosphère chargée d'électricité la clouèrent sur place.

— Qu'est-ce qui se passe ? se risqua-t-elle.

— Tu dégouttes sur le plancher, grogna Rose. Seigneur, miséricorde, donnez-lui donc un peu de bon sens, à celle-là ! s'indigna-t-elle, la voix chevrotante de mépris.

Douglas se leva, heureux comme un roi, et débarrassa sa nièce de ses chaudières remplies d'eau. Il lui enleva joyeusement son chapeau de pluie et déboutonna son imperméable.

— Enlève ça vite avant d'attraper ton coup de mort, ricana Douglas.

— Mais qu'est-ce qui se passe, mon oncle ? lui chuchota-t-elle à l'oreille.

– Il se passe que monsieur Vertefeuille, ici présent, vient de faire sa grande demande, sans le savoir, et que j'ai accepté avec joie, *boswell* !

– Hein... ? glapit Camille, incrédule. Et vous vous mariez quand ? demanda-t-elle à Miville, dans un sourire interloqué.

En dépit de tous ses efforts, aucun son ne sortit de la bouche de Miville. Annette et Emma se pendirent aux bras de leur grande sœur et l'entraînèrent dans le couloir, en s'époumonant sur des airs de noces. Douglas se joignit au cortège en folâtrant. Comme si c'était une traîne de mariée, il souleva le pan arrière de l'imperméable de Camille et il se mit à chanter lui aussi.

– Tes bottes, Camille ! Les filles, ça suffit ! C'est l'heure de manger, pas de s'amuser ! s'égosillait Rose. Oh ! Petit Jésus !

Partie 6

Après la mascarade
Entre février et juin 1925

Chapitre 42

Mardi gras

Plumes, paillettes, marabout, fourrure, peluche et satinette aux mille couleurs flottaient sur la glace rendue incandescente par la lumière bleutée des lampadaires au gaz propane qui dentelaient le pourtour de la patinoire. Depuis quelques hivers déjà, le notaire Parent aménageait une partie de ses terrains en un immense rond à patiner. Avec l'aide des ingénieurs Beaulne et Léonard, il avait même fait construire un aqueduc de plus de deux cents pieds afin d'entretenir la glace selon les règles de l'art du grattage et de l'arrosage quotidien. À quinze cents par soir, ou deux dollars pour l'hiver, l'endroit était vite devenu un rendez-vous couru, et plus encore lors d'événements populaires comme celui de ce soir.

En cette veille du mercredi des Cendres, monsieur Chaussé, le cordonnier du village, avait organisé une mascarade dansante. C'était Rodolphe, le fils cadet de monsieur Parent, qui s'occupait de la musique. Il avait installé le gramophone dans la « cabane des hommes », là où les garçons et les messieurs chaussaient leurs patins. Ingénieux comme il était, il avait réussi à câbler jusqu'à l'extérieur deux gros haut-parleurs, qu'il avait fixés aux branches des grands pins qui protégeaient la glace des aquilons mordants. Depuis la fin de l'après-midi, il faisait tourner soixante-dix-huit tours après soixante-dix-huit tours. À travers le carreau de son habitation de fortune, il prenait plaisir à constater l'effet miraculeux que produisaient les airs de valse sur le pas des patineurs.

Magdaline avait convaincu Félix de l'accompagner. Prendre un peu d'air frais, bouger et s'amuser une heure ou deux n'allait pas lui faire de tort après ces longs mois de réclusion forcée. Depuis juin dernier, Félix avait mené une vie monastique : pas de parties de cartes, pas de courses de chevaux, pas d'alcool et beaucoup de repos. Le jeune homme donnait toujours un coup de main à Gonzague, de temps à autre, mais du côté de la *barber shop* seulement. Étant donné sa santé précaire, il avait renoncé à la photographie, en tout cas pour le moment. Il avait l'impression que les vapeurs des acides lui irritaient l'estomac et qu'elles étaient à l'origine des migraines qui lui martelaient fréquemment l'humeur. De plus, comme ses forces avaient considérablement diminué, il ne se sentait plus capable de trimbaler seul les équipements lourds et encombrants jusque chez les clients. Félix s'en tenait donc à couper les cheveux et à faire la barbe, les jeudis, vendredis et samedis. Le reste du temps, il dormait. L'arrangement convenait tout à fait à Gonzague. L'artiste rendait grâce au destin, lui qui rêvait depuis longtemps de se consacrer exclusivement à ses images plutôt que de faire semblant, jour après jour, d'apprécier le caquetage de tout un chacun.

Magdaline souhaitait faire de la première vraie sortie de Félix un événement dont il se souviendrait. Aussi avait-elle pris soin de lui confectionner une tenue chaude et confortable, seyant aux particularités de l'occasion. Évidemment, elle n'avait pas pu résister à son besoin d'égayer la morosité trop courante de ces petites choses de la vie, faites d'abord pour être pratiques. Guidée par ses pulsions artistiques, elle avait ajouté au vêtement, conçu avant tout pour le bien-être de Félix, une touche de cette folie de carnaval qu'auraient tous les déguisements des carêmes-prenants. À l'insu du principal intéressé, elle lui avait fabriqué, à partir d'une de ses combinaisons en laine aux reflets madère et souris, un costume de fakir des plus originaux.

Par-dessus le long sous-vêtement à l'allure de grenouillère pour grande personne, elle avait cousu un pagne drapé en tricot de mohair pervenche, inspiré de la mode persane des contes de Schéhérazade. Au dos, elle avait collé une imitation fort réussie d'un tapis de clous, faite avec du feutre rouge, de la bourre de laine et des crins à balai rasés, fixés du côté extérieur de manière à pouvoir amortir les chocs en cas de chute. Elle avait également pensé à protéger ses oreilles des engelures sournoises en imaginant une coiffure assortie, aux allures de turban monumental mais étonnamment léger, qu'elle avait doublée d'un bonnet de laine du pays et sertie d'un rubis en papier mâché aussi gros qu'un cône de pin.

La réalisation de ce chef-d'œuvre avait nécessité plusieurs heures de travail, mais Magdaline avait trouvé quelques petits moments pour s'inventer un costume de plumes molletonnées bleu de smalt, savamment superposées en rangées et avivées de perles or et nacre. Comme ça, elle aussi serait de la fête.

Félix tremblait comme une feuille. Il était pourtant bien arrimé sous l'aile de Magdaline, travestie en créature ailée évadée d'un tableau de Chagall. Certes, sa santé le préoccupait, mais sa nervosité provenait bien davantage de son image. En vérité, il se sentait franchement ridicule dans son déguisement et il aurait bien apprécié une larme ou deux de Southern Comfort pour engourdir son orgueil. Il trouvait toutefois prématuré de défier les recommandations du docteur Fournier, qui avait été ferme sur la question :

– Plus une goutte d'alcool, mon garçon ! Avec ces ulcères à l'estomac et l'état de ton foie, boire du fort, c'est comme avaler du poison à rat.

Félix n'avait pas trouvé le courage d'avouer à Magdaline sa gêne de parader en public ainsi accoutré. Sa logeuse s'était donné tant de mal qu'il était hors de question qu'il lui gâche son plaisir. Magdaline en avait tellement fait pour lui, depuis ce fameux après-midi au rond de course Poulin ! Il se serait senti abject et ingrat de bousiller la fête en refusant de se prêter à ce jeu. De toute manière, cela n'allait pas durer l'éternité. Il ne lui restait qu'à marcher sur sa fierté et à tâcher de se faire le plus petit et le plus discret possible, le temps de quelques tours de patinoire. Après quoi, tout le monde rentrerait heureux. En attendant, la mission lui semblait de taille : comment un colosse de plus de six pieds, déguisé en charmeur de serpents, allait bien pouvoir se faire invisible sur fond de neige blanche ?

Félix prétexta sa fragilité physique et son peu d'expérience en patinage pour limiter son champ d'activités à la bordure extérieure de la glace. L'idée n'était d'ailleurs pas du tout mauvaise pour la sécurité des autres patineurs. Maintenu en position verticale grâce à la bienveillance de sa logeuse à plumes molletonnées, le pensionnaire, en apparence bienheureux, glissait par petits coups, à pas de geisha, sur la surface brillante et lisse. Il avait pourtant l'esprit fort préoccupé ; afin que personne ne le remarque, il gardait la tête exagérément basse. À cause de ses épaules racornies et ainsi repliées, il ressemblait à un porc-épic géant en équilibre sur deux tiges d'acier. Il ne portait attention ni à la musique, ni aux costumes, ni aux danses, ni aux rires autour de lui. Toute sa concentration était canalisée sur sa volonté de passer incognito. Il guettait le balancement de ses bras et, chaque fois que l'élan de son corps en ramenait un à l'avant, il l'utilisait prestement pour remonter le loup de velours noir sur l'arête de son nez. « Camouflage parfait », pensait-il. Entre chacun de ces mouvements tant attendus, il priait le dieu des fakirs – en espérant qu'il en existe un et qu'il soit sensible à ses prières baroques – de bien vouloir le protéger d'éventuelles blessures à son amour-propre.

Au centre de la patinoire, une ribambelle de jolies petites faces de clowns, de corsaires barbaresques, de princes charmants rondouillards et de sorcières aux cheveux de saint Jean-Baptiste s'en donnaient à cœur joie. Certains s'amusaient à essayer d'identifier leurs voisins, d'autres dansaient et d'autres encore formaient de longues chaînes qui zigzaguaient à travers la foule. Soudainement, un lapin rose, un ourson noir, un canard bleu et un fou du roi, tous à peine plus hauts que trois pommes, doublèrent Magdaline et Félix. Les enfants, âgés de six ou sept ans, regardaient le couple bigarré comme si chacun d'eux était l'incarnation de quelque personnage des contes d'Andersen. De leurs grands yeux brillants comme la pleine lune, ils détaillaient ces êtres extraordinaires. Puis, le petit ourson chuchota à l'oreille de son voisin, le lapin rose, dont l'organe auditif était d'ailleurs fort bien caché sous son épaisse cagoule de peluche :

– Tu sais en quoi il est déguisé, le monsieur ?

– Heu... non. Toi ?

Félix faisait des gros yeux aux enfants depuis qu'il s'était senti examiné comme un zèbre saugrenu. Avec un accent qui se voulait arabe mais qui sonnait italien, il lança d'une voix plus rêche que celle d'un ogre :

– En charmeur de méchants serpents qui mangent les enfants !

Les petits se figèrent de peur. Le fou du roi, le seul qui ne semblait pas trop effrayé par la réaction biscornue du personnage à gros chapeau, chercha à obtenir quelques précisions.

– En charmeur de serpents ? Mais alors..., pourquoi vous n'avez pas de serpents ?

– J'en ai, pardi ! J'en ai beaucoup ! Au moins cent, figure-toi ! Tous bien enroulés dans mon chapeau ! Des tout-petits et des grands comme ça ! ajouta-t-il, en étendant ses longs bras en croix. Gare à vous ! Si je les laisse sortir, je vous conseille de courir vite !

Le lapin rose, complètement atterré, ne voulut pas risquer de se voir pourchasser par une horde de serpents mangeurs d'enfants. Il tira ses amis avec insistance et les quatre petites bêtes disparurent aussitôt en se tenant très fort par la main.

– Tu les as épouvantés, Félix. Ils étaient si charmants. Pauvres enfants !

Un rictus sardonique transforma le visage de Félix.

– Voyons, Magdaline ! Dans quelques minutes, ces petits diables auront tout oublié.

– Je n'en suis pas si sûre. À cet âge, ils ont l'esprit plus fragile qu'on ne le croit, rétorqua-t-elle vivement, vexée par cette position morale qu'elle jugeait irrévérencieuse. Que dirais-tu, toi, si un étranger déguisé en fakir allait raconter des horreurs pareilles à tes enfants ?

– Impossible, jeta Félix d'une voix distante.

– Impossible ? Comment ça, impossible ?

– Parce que je n'aurai jamais d'enfants, laissa-t-il tomber sèchement, la tête toujours entre les jambes.

– Ah ! Pourtant, personne ne connaît l'avenir, que je sache !

– Moi, oui, répliqua Félix, espérant clore le sujet.

– Tu te prends pour Dieu le Père, maintenant ?

– Mais non ! s'impatienta le jeune homme, piqué par l'acidité de la riposte.

– Alors..., comment peux-tu affirmer une chose comme celle-là ?

– Parce que je le sais, Magdaline. Je sais que je ne veux pas d'enfants. Donc, je n'en aurai pas. Simple, il me semble, marmonna Félix, de plus en plus irrité par cet entretien qui ne menait nulle part.

– Simple, en effet ! Voilà une façon qui m'apparaît radicale et plutôt réductrice de régler des questions existentielles et de se débarrasser rapidement des maux de tête qui viennent avec, rétorqua Magdaline, agacée par l'attitude de Félix.

Magdaline sentit qu'elle s'emportait. Elle s'en voulut. Elle prit une profonde respiration avant de reprendre plus calmement :

– Étrange... J'ai souvenir encore qu'au printemps dernier, quelques jours après ton arrivée chez moi... C'était un dimanche matin. Tu t'es installé dans les marches de l'escalier. Tu as regardé monsieur et madame Beauparlant, avec leurs douze enfants, traverser la rue pour aller au village. Tu les as observés. Contemplés, je dirais. Longuement ! Tes yeux brillaient d'admiration. Puis, lorsqu'ils ont été disparus de ton champ de vision, tu t'es retourné et tu m'as dit : « Ça, c'est un homme chanceux ! » Tu te souviens ?

– Hum..., grommela Félix malgré lui, espérant que son aveu bouclerait une fois pour toutes cette discussion ridicule.

– J'ai souvenir aussi que tu n'as jamais raté une occasion de taquiner un enfant du voisinage, renchérit Magdaline, décidée à vider la question, sans s'apercevoir de l'agressivité de sa persévérance. Je t'ai vu les asseoir sur tes épaules, leur offrir des sucres d'orge et leur caresser les cheveux. Je t'ai vu les aimer, Félix. Et comme ça, tout à coup, tu ne les aimes plus. Tu n'en veux plus. Pire ! Tu les effrayes, maintenant.

– Désolé, Magdaline ! Ton jugement t'aura joué des tours, se braqua Félix. Je peux bien dire que monsieur Beauparlant est un homme heureux, sans pour autant souhaiter lui ressembler, non ? Je peux bien dire que cet homme a l'air ravi et comblé avec sa marmaille, sans pour autant vouloir élever douze enfants. Jamais je ne me suis imaginé marié. D'ailleurs, t'ai-je déjà parlé de mariage, ne serait-ce qu'une seule fois ? J'aime trop les femmes pour me contenter d'une seule. Je le sais bien. Ce qui fait que... pas de femme, pas d'enfant ! Pas d'enfant, pas de famille ! C'est une question de gros bon sens, un point c'est tout, conclut Félix, essoufflé et drôlement assoiffé par son plaidoyer.

Une petite fille aux boucles blondes, costumée en adorable petit Chaperon rouge devant et en gros méchant loup derrière, fit irruption devant Félix et empêcha Magdaline de proposer une trêve.

– Pardon, monsieur ! J'aimerais pouvoir toucher aux pics-pics qui ont poussé dans votre dos. Je pourrais ?

Félix s'accroupit et, de la main, l'invita à toucher à ses clous de paille. La petite fille se mit à rire. L'expérience amusa Félix et libéra un peu de tension. L'enfant faisait rebondir sa petite main d'un épi à l'autre, et l'agréable sensation que cela lui procurait déclenchait de petits rires cristallins.

– Comment vous avez fait, pour les faire pousser ?

– Hum... Question épineuse, mon enfant ! D'abord, ça ne peut pas pousser sur le dos de tout le monde !

– Ah..., se désola la fillette, qui voyait son rêve se briser en miettes.

– Il faut être vieux. Vieux, vieux, vieux.

– Vieux de combien de doigts ? s'intéressa l'enfant, dans l'espoir d'être assez âgée un jour.

– Oh ! Petite mademoiselle ! Tu n'as pas assez de doigts pour compter autant d'années. Il t'en faudrait cent. Il faut être vieux de cent ans, au moins, pour faire pousser des pics dans son dos.

– Hein ! Vous avez cent ans, vous ?

– Bien plus ! Mais c'est un secret, d'accord ? Il ne faut en parler à personne.

– D'accord ! répondit la petite, ravie par l'histoire et par le privilège de partager le secret de cet étrange monsieur.

– Ensuite, ces vieux messieurs doivent faire un long, long voyage. En tapis volant ! ajouta Félix, emporté par son imagination et l'émerveillement de la fillette.

– Vous avez un tapis volant ? s'ébahit-elle, enchantée par les éléments toujours un peu plus fantastiques qui étoffaient le récit.

– Pas moi, malheureusement ! Il n'y a que les Picpiccotins qui peuvent en posséder un, répondit-il d'un air faussement désolé, mais impressionné, à part lui, par sa trouvaille subite.

– Les Picpiccotins ?

– Ce sont de très petits génies, pas plus gros que des hérissons. Ce sont eux qui prêtent les tapis volants aux vieux, vieux messieurs qui veulent aller à Picpicbourg, continua le jeune homme, surpris d'arriver à inventer pareille histoire sans la moindre goutte de Southern Comfort.

– À Picpicbourg ?

– Là où les génies Picpiccotins font pousser les pics-pics sur le dos des vieux, vieux messieurs, expliqua Félix le plus naturellement du monde.

– Ah oui... Et pourquoi les vieux, vieux messieurs font pousser de gros, gros pics-pics comme ça sur leur dos ?

La question, délicate, exigeait réflexion.

– Euh... Parce que les vieux, vieux messieurs sont fragiles. Très fragiles. Plus encore que les fleurs d'aubépine. Les pics-pics les protègent de ceux qui pourraient leur faire du mal.

– Mais vous avez des pics-pics juste derrière, pas devant. Il vous en faudrait aussi devant ! s'inquiéta l'enfant.

– Ce n'est pas nécessaire. Tu vois ? J'ai juste à me replier en boule, comme ça. Là, je suis complètement protégé, la rassura Félix.

– Pauvre vieux monsieur ! Je ne voudrais pas que quelqu'un vous fasse du mal. Je vous aime bien, moi. Si vous voulez, je pourrais prendre soin de vous. Il me semble que ça serait mieux que les pics-pics dans votre dos. Je prends déjà soin de mon gros chat Boumboum, vous savez. Et j'en prends très bien soin. Comme une maman chat, que dit mon papa ! Je pourrais prendre soin de vous, aussi. J'en serais capable !

Félix cala les lames de ses patins dans la neige et souleva la petite fille. Il la serra dans ses bras avec une intensité éloquente. Son émotion était si vive que, derrière son loup, une larme faillit s'échapper du coin de son œil.

– Merci, petit Chaperon rouge ! dit-il, la voix chevrotante, en la remettant sur ses patins. Je ne doute pas un instant que tu en serais capable. Je m'en souviendrai. Si jamais j'ai besoin de toi, je te le dirai. Promis !

– J'ai des galettes à la mélasse dans mon panier, se rappela tout à coup la fillette, qui semblait absolument vouloir faire quelque chose pour ce sympathique Picpiccotin. Vous en voulez ?

La petite fille souleva un des rabats de son panier et sortit une galette, qu'elle tendit à Félix.

– Merci ! Hum ! Ça a l'air délicieux, bredouilla Félix, ému.

La fillette regarda Magdaline avec curiosité.

– Est-ce que vous êtes aussi un vieux, vieux monsieur, mais sans pics-pics ? lui demanda-t-elle, essayant de déchiffrer le costume de ce bien étrange personnage.

– Non, ma chérie ! Non ! rit Magdaline.

– C'est pas grave, répondit l'enfant qui prit une autre galette dans son panier et la tendit à Magdaline. Tenez !

– Oh ! Merci, mon ange ! murmura Magdaline, remuée elle aussi par la magie de cette fillette.

– Je dois aller retrouver ma grande sœur, maintenant. Sinon, elle va être très fâchée et je vais me faire chicaner. Monsieur Picpic, vous pouvez vous baisser un peu ? Je voudrais vous donner un bec sur la joue, le pria l'enfant, visiblement triste d'avoir à le quitter.

Félix s'exécuta volontiers et la petite fille, heureuse, disparut dans la foule.

– J'ai les pieds engourdis, Magdaline. Je vais m'asseoir ici un instant. Tu me reprends au prochain tour, d'accord ? annonça Félix, ému.

– Moi aussi, j'ai les pieds engourdis. Je peux m'asseoir avec toi un moment ?

– Les bancs sont publics..., persifla-t-il avec un soupçon de sarcasme, honteux d'avoir à montrer son émotion.

En raison de son tapis de clous, Félix eut du mal à s'installer confortablement. Malgré tout, il parvint à poser une fesse sur le bord du banc. Il trouva une souche enfouie dans la neige, sur laquelle il bloqua son pied afin de garder un semblant de stabilité. Magdaline laissa choir ses ailes sur les trois quarts du banc inoccupé et planta la partie arrière de ses lames dans la glace.

– N'était-elle pas charmante ? souffla Magdaline avec ravissement.

– Hum..., grogna Félix.

– Comment résister à cette enfant ? reprit-elle, le cœur rempli d'admiration.

– Hum..., répéta Félix d'une voix monocorde, sans bouger.

– Un ange tombé du ciel ! Un petit être attachant ! Une merveilleuse petite fille ! Tout à coup, cela me rend bien triste de ne pas avoir d'enfants, constata Magdaline, le regret dans l'âme.

– Bon, eh bien ! Je vais rentrer, souffla Félix, voulant ainsi mettre un terme définitif à ces échanges trop intimes.

– Félix !

– M'oui ?

– Je ne veux pas insister... Je ne cherche pas à te provoquer. Ni à te choquer. J'avais même l'intention de renoncer. Mais, je voudrais comprendre... J'ai besoin de comprendre... Pourquoi souhaites-tu vieillir seul ?

– Ah... Magdaline ! Je n'ai pas dit que je voulais vieillir seul...

Magdaline fixait son pensionnaire, perplexe. Elle s'y perdait. Les contradictions, les négations et les non-dits du jeune homme embrouillaient son jugement. Félix vivait sous son toit depuis plus de neuf mois et il demeurait pour elle un mystère. Mais ces faux-fuyants, plutôt que de la décourager, l'incitaient à fouiller davantage. Elle voulait comprendre. Suspendue à ses lèvres, elle espérait une suite.

– Bon. D'accord. Tu l'auras voulu... Je ne vieillirai pas, Magdaline, cracha Félix. Je ne deviendrai jamais vieux. Le docteur Fournier me l'a dit. Ça te dit quelque chose, des ulcères d'estomac chroniques au point de provoquer des hémorragies graves, mortelles pour huit hommes sur dix ? Je connais le boniment par cœur. Je l'entends cent fois par nuit. Un beau portrait de santé, non ? Huit hommes sur dix en meurent ! À quand mon tour ? Ça, je l'ignore. Mais je sais que je ne ferai pas de vieux os. Je suis condamné, Magdaline. Condamné, avec un restant de vie hypothéqué. Le docteur appelle ça « un homme fragile ». C'est viril, ça, pour un homme ! Hein ? Un homme fragile... Plus capable de trimer dur. De forcer physiquement. Un demi-homme. Un moins que rien. Un homme pas foutu de faire vivre une femme, encore moins une famille. C'est ce que ça veut dire. Tu comprends, maintenant ?

Félix se leva, à bout de souffle.

– Maintenant, je rentre, Magdaline.

– Félix ! l'arrêta Magdaline, l'agrippant par la manche.

Elle ne voulait pas le laisser partir comme ça. Elle voulait l'apaiser. Le réconforter. Lui donner du courage. De l'espoir, peut-être. Mais le jeune homme se dégagea brusquement et elle ne trouva que des mots tout faits, faciles à servir comme ces repas à la mode que l'on offre aux siens lorsqu'on ne trouve ni l'imagination, ni le temps, ni les ressources pour inventer quelque chose de meilleur.

– La foi déplace les montagnes. Il y a une chance sur cinq ! Tu l'as dit toi-même. Les miracles existent, tu sais. Ils ne se manifestent pas toujours comme on le souhaiterait, mais ils existent.

– Si ça ne te fait rien, je vais aller les attendre au chaud, râla-t-il.

Félix chercha à traverser la foule pour se rendre jusqu'à la « cabane des hommes ». Au centre de la patinoire, une gigantesque poupée de chiffon, à la carrure d'un scieur de glace, pivotait sur elle-même. Une quinzaine de figurants étaient accrochés à son bras aux rayures rouges et blanches. Ceux qui se trouvaient à l'extrémité avaient peine à rester attachés à la formation, tant l'élan du groupe les propulsait avec vigueur. À chaque tournant, ils gémissaient des « ahhhhhhhhh » interminables.

Épuisé par sa traversée à pas de Japonaise, Félix rêvait de l'entrée de cette cabane. Il la fixait, là, devant lui, à moins de vingt pieds en ligne droite. C'est alors que la longue chaîne de patineurs en émoi s'amena dangereusement derrière lui. Le dernier maillon glissa soudainement et se détacha de la file à une vitesse abracadabrante. Un géranium en pot d'environ cinq pieds de hauteur, vraisemblablement en détresse, agitait confusément ses grappes de fleurs garance afin d'écarter les malheureux de son passage. Sans pouvoir s'arrêter ni même ralentir, le pot de fleurs percuta violemment les clous paillés du fakir. Sous l'impact, ce dernier perdit l'équilibre et s'étendit de tout son tapis sur les fleurs du pauvre géranium.

Magdaline regrettait de ne pas avoir offert son aile à Félix pour le raccompagner jusqu'à la cabane. Elle ne l'avait pas quitté des yeux depuis son départ. Quelques secondes avant l'impact, elle avait vu le pot de géraniums déraper dans le virage. Pressentant le danger, elle avait tenté, en vain, de le rejoindre pour l'éloigner de la trajectoire du pot de fleurs. Deux coups de patins de plus et elle y était. Elle s'agenouilla près des accidentés, tremblant de culpabilité. Ni l'un ni l'autre ne remuait. Elle dégagea l'énorme turban de fakir qui avait basculé sur le visage de Félix. Ses yeux s'ouvrirent.

– Ça va ? s'inquiéta-t-elle.

– Plus de peur que de mal, je pense. Aide-moi à me relever, veux-tu... Sur quoi suis-je tombé ? Qu'est-ce que j'ai écrasé, mon Dieu ? Pas un enfant, j'espère ! S'il fallait que j'aie blessé quelqu'un ! Aide-moi vite, Magdaline ! s'énerva Félix, se remettant lentement du choc et prenant peu à peu conscience de ce qui venait d'arriver.

Secondée par les curieux attroupés sur les lieux de la collision, Magdaline le remit sur pied. Tous se penchèrent aussitôt sur le pot de géraniums, ramassé en chien de fusil, la tête abritée entre ses bras en tiges. On l'étendit sur le dos et Magdaline le débarrassa de son loup.

– Mon Dieu ! gémit-elle en reconnaissant sa grande amie.

– Toi ! Va vite me chercher une poignée de neige ! ordonna Félix à un jeune garçon planté à ses côtés.

Avec la neige, le jeune homme nettoya doucement les joues de Camille qui étaient perlées d'infimes gouttelettes de sang. Heureusement, ses blessures paraissaient pires qu'elles ne l'étaient. Seules quelques égratignures abîmaient la carnation lisse et encore rose de la jeune femme. La main de Camille se mit à remuer et rejoignit instinctivement celle qui lui caressait le visage. Elle se crut au paradis.

– Camille, tu m'entends ? C'est moi, chuchota Magdaline en lui caressant le front.

La blessée ouvrit grand les yeux. Interloquée, elle regarda chacun des visages défaits penchés sur elle. Elle s'assit tout net sur la glace.

– La brosse à plancher ! La grosse brosse à plancher ! C'est ça, hein ? J'ai frappé la grosse brosse à plancher ! paniqua Camille.

Elle retira vite ses mitaines et, du bout des doigts, tâta son visage.

– Je suis défigurée ? Hein ? Mais répondez-moi ! Dites-le-moi ! Pourquoi me regardez-vous tous comme ça ? s'affola-t-elle en se souvenant de l'impact.

Félix avait retiré son loup. Il écarta quelques badauds et s'accroupit aux côtés de Camille.

— C'est moi ! La grosse brosse à plancher, c'était moi. Je suis désolé... Excuse-moi. Jamais je n'aurais voulu te blesser.

— Mon visage ?

— Quelques égratignures, sans plus. Vraiment pas de quoi t'inquiéter. Tu seras toujours aussi jolie. C'est le choc qui a été le plus dur. Tu es tombée dans les pommes pendant quelques minutes.

— Ah ! soupira-t-elle, soulagée d'apprendre qu'il ne lui manquait aucun morceau de joue, de nez ou de menton. Ah ! Ce n'est pas plus grave que ça ! ricana-t-elle, apaisée. Toi, ça va ? Hé ! Cette fois, c'est moi qui te suis rentrée dedans ! Dire que j'aurais pu m'empaler sur tes pics à balai. Tu parles d'un costume... C'est à moi de te présenter mes excuses.

— Non, non. J'aurais dû pouvoir me déplacer plus rapidement, mais je manque un peu de technique, sur ces couteaux à glace-là. J'ai été plus chanceux que toi. J'ai eu la bonne fortune d'avoir deux coussins pour amortir ma chute : un dans le dos et toi ! Une jolie jeune femme, que j'aurais pu étouffer avec mes cent soixante-quinze livres de muscles, a amorti ma chute, rigola Félix.

Camille se sentit rougir. Revoir le jeune homme après tous ces mois l'émouvait, et sa gentillesse la chamboulait.

— Tu veux un coup de main pour te relever ? Te sens-tu capable de te tenir sur tes patins ?

— Sans problème, le rassura-t-elle.

Dès qu'elle fut remise sur pied, Félix et Magdaline l'entourèrent et la foule se dispersa.

— Je te raccompagne jusque chez toi ? proposa Félix.

— C'est gentil à toi, mais j'ai travaillé sur mon déguisement pendant des mois. Depuis l'Action de grâce, en fait ! Je pense avoir de bonnes chances de gagner un prix. D'ailleurs, je me sens bien. Je te remercie, Félix, mais je préfère rester. J'aimerais tellement ça revenir à la maison avec un prix.

— C'est toi qui décides, acquiesça Félix, un peu déçu que ce hasard ne lui permette pas de profiter plus longuement de la présence de Camille qui, en vérité, lui manquait beaucoup. Si tu es d'accord, j'aimerais prendre de tes nouvelles bientôt, euh... Je veux dire, de temps en temps, bafouilla Félix, surpris de proposer un rapprochement sans réellement en désirer un. On ne sait jamais, ajouta-t-il précipitamment, sentant l'obligation de se justifier. Il arrive qu'après un gros choc comme celui-là, les problèmes mettent un certain temps à se déclarer. Ça ne veut pas dire que c'est ce qui va arriver. Mais si c'est le cas, je voudrais faire quelque chose. Je me sentirais moins coupable. Je ne voudrais pas qu'il t'arrive du mal, Camille.

Le coup l'avait sonnée, mais Camille n'avait mal nulle part. Elle ne se sentait ni mal en point, ni troublée, ni angoissée. Elle se souvenait de son nom, de ceux de Magdaline et de Félix et pas une seule ligne de son histoire de vie ne semblait lui échapper. Pourtant, ses pieds se dérobaient sous les attentions de Félix, de ce Félix de qui elle continuait de rêver. Il s'était littéralement transformé en fantôme, son

Félix, depuis juin dernier, depuis ce matin de pluie où, en sortant de l'impasse, monsieur Litner l'avait engagée sans remarquer son état second. L'été, puis l'automne avaient filé. À de très rares occasions, elle avait vu Félix entrer et sortir de chez Magdaline, mais sans plus.

« Il a l'air changé », pensa-t-elle. Derrière son étrange déguisement, son regard lui paraissait différent. Son exubérance semblait s'être émoussée. Peut-être l'impact l'avait-il sonné plus qu'il ne le croyait. Son comportement paraissait étrange : il agissait comme s'il cherchait gauchement une excuse pour rétablir le contact, comme pour réparer une amitié précieuse qu'il aurait négligée. Il agissait comme si Camille avait toujours été précieuse à ses yeux. Comme s'il lui était insupportable de l'avoir blessée d'une quelconque façon. Félix semblait avoir oublié l'humiliation qu'il lui avait infligée par son geste, stupide et déplacé parce que demeuré sans suite logique. Se rappelait-il qu'il lui avait servi cette boiteuse justification du « trop belle et trop bien pour moi » ?

– Oui, marmonna-t-elle finalement, au bout de longues secondes de silence, préférant clore ainsi l'incident puisque, se disait-elle, l'affliction de Félix se dissiperait certainement au cours des prochaines heures.

– Passe une belle soirée, Camille. Je te souhaite de remporter le premier prix. Je te le souhaite sincèrement. Sois prudente. Bonsoir, Magdaline ! ajouta le jeune homme, manifestement affligé, avant de s'éloigner.

Magdaline, muette d'inquiétude, et Camille, interloquée par tant d'égards, le suivirent du regard jusqu'à ce qu'il rejoigne, après moult acrobaties, la « cabane des hommes ». Comme si elle attendait ce signe, la musique redémarra et la fête reprit de plus belle. Une gitane passa en coup de vent et accrocha une des tiges du costume de Camille, l'invitant à reformer la chaîne. Camille déclina l'offre. Elle se tourna vers Magdaline. La toisant de la tête aux pieds, elle chercha à savoir si le hasard lui offrait une occasion de réconciliation ou une raison de maintenir leur guerre froide.

Depuis leur sortie en gondole, leurs échanges s'étaient limités aux politesses de bon voisinage. L'une comme l'autre s'en était tenue aux salutations écourtées et à l'échange de quelques rares services, par l'entremise de Rose ou d'Ernest. Magdaline avait craint qu'un rapprochement n'ouvre grand la porte à Camille, lui permettant d'envahir Félix. Elle avait voulu protéger son pensionnaire. Elle avait souhaité abriter le destin des deux jeunes gens de souffrances inutiles. Elle avait fait pour le mieux. Du moins, le croyait-elle jusqu'à ce jour...

Camille, elle, s'était sentie trahie par sa meilleure amie. Elle avait cru que Magdaline l'avait tenue à l'écart uniquement pour l'empêcher de contrecarrer ses plans. Afin de garder pour elle toute seule la satisfaction et la plénitude que l'on ressent lorsqu'on se sait essentiel, lorsqu'on est la seule personne qui puisse apporter à l'autre quelque chose d'aussi vital que l'air qu'il respire. Pour vivre, en secret et sans gêne, un amour défendu, fort semblable d'ailleurs à ceux dont elle raffolait et dont les souvenirs lui semblaient si chers.

La jeune femme baissa les yeux, pivota et poussa son patin droit devant elle. Magdaline la rattrapa.

– Camille !

Celle-ci considéra à peine l'appel.

– Excuse-moi, mon amie. Pardonne-moi. Je t'en prie...

Camille s'immobilisa. Ses yeux mouillés naviguaient à la dérive. Entre les vagues de colère, de jalousie et de haine qui lui bousculaient l'âme, elle toisait Magdaline.

– Si on s'asseyait un moment ? J'ai eu tort, je regrette. Je n'avais pas à intervenir. Je n'avais pas à juger tes sentiments. Tes intentions. J'ai mal agi. S'il te plaît, accorde-moi un instant. Seulement un tout petit instant.

– J'ai envie de te griffer ! De te mordre ! Je t'en veux tellement. Tu es amoureuse de lui, n'est-ce pas ? Ce que je suis bête, ragea Camille.

En dépit de la gravité de la situation, Magdaline ne put contenir son hilarité, tant les soupçons lui paraissaient farfelus.

– Tu crois vraiment que... Oh mon Dieu ! Tu penses que...

– Oui ! la coupa sèchement Camille, qui n'avait pas le cœur à rire.

– Quel malentendu ! Dans de pareilles circonstances, j'aurais moi aussi envie de te griffer... De te mordre... De te déchiqueter, même !

Camille resta déconfite devant l'aveu.

– Viens ! Laisse-moi te raconter..., insista Magdaline en lui prenant le bras.

– Tu l'es, ou pas ? demanda Camille, se laissant entraîner vers le banc malgré sa colère.

– Mais non ! Bien sûr que non ! Je ne suis pas amoureuse de Félix. Je te le jure sur notre amitié. Mais cela ne m'empêche pas d'avoir un grand défaut. Un travers franchement désagréable qui me fait mal agir, parfois.

– C'est-à-dire ? reprit Camille, sur un ton accusateur.

À cause de l'opulence de leur déguisement, les deux femmes se laissèrent lourdement tomber sur le banc. Bien qu'encore sur ses gardes, Camille choisit pourtant d'écouter.

– Malheureusement, il m'arrive de vouloir me charger du bonheur de ceux que j'aime. Comme si je n'avais pas assez de m'occuper du mien. Quelle horrible manie ! Je décide, moi, de ce qui est bon pour eux. Je juge de ce qui leur est nécessaire, dangereux ou inutile. J'organise leur vie comme je modèle mes chapeaux, comme je peins mes toiles, comme je règle la vie de mes plantes, celle de mon chat et de mon cheval. Je m'en sers, comme je me sers de toutes ces petites bricoles que je façonne. Je les place là où je veux, là où mon œil aime les voir, là où ils enjolivent mon petit monde à moi. Pour que mon bonheur soit sans faille, parfait. C'est ce que j'ai fait avec toi. Et avec Félix. Je te demande humblement de m'excuser. Je suis sincère. Pardonne-moi, Camille. Mes intentions étaient sans malice. Je te prie de me croire. Je sais que j'ai mal agi...

– C'est ce que les mères font avec leurs enfants, non ? déduisit Camille sur un ton qui ne semblait pas accorder beaucoup d'importance aux propos de Magdaline.

– Quand ils sont tout petits, ça peut aller ! Mais quand ils sont grands, qu'ils ont appris à penser, à sentir et à décider..., leur vie leur appartient. Totalement. Aimer ne permet à personne, pas même à une mère, de s'approprier la vie des autres. Chacun a assez de son jardin à entretenir. On n'a pas besoin d'aller bêcher celui du voisin. C'est pourtant ce que j'ai fait.

À certains moments, Camille ne saisissait pas tout à fait ce que Magdaline voulait dire avec toutes ses métaphores. Pourtant, sa manière de s'exprimer, sa façon de regarder, ses mains qui hésitaient dans l'air et parlaient avec franchise, créant une douce impression, tout de Magdaline pouvait calmer l'âme tumultueuse de Camille. Certes pas au point d'effacer d'un trait sa peine et de lui donner l'élan nécessaire pour sauter au cou de Magdaline, comme si le temps n'avait pas fait son œuvre ; mais suffisamment, en tout cas, pour qu'elle ouvre son cœur à la réconciliation.

Les deux amies passèrent le reste de la soirée ensemble. En général, Magdaline n'aimait pas rapporter à un tiers des confidences partagées mais, ce soir-là, elle eut besoin de le faire. Elle raconta à Camille l'histoire de Félix, depuis l'accident au rond de course Poulin jusqu'aux minutes qui avaient précédé sa collision avec elle. Soudain, la musique s'arrêta. Monsieur Chaussé appela les grands gagnants de la mascarade : le ruban d'or fut remis au Chaperon rouge-méchant loup ; le ruban d'argent alla au géranium en pot et le ruban de bronze fut décerné à l'oiseau molletonné.

Rassérénées par leur réconciliation, les deux femmes marchèrent en paix jusque chez elles. Chez les McCready, tout le monde était au lit. Camille gagna directement sa chambre. Elle enfila sa chemise de nuit et, par la fenêtre, elle contempla la chambre obscure de Félix avant de se glisser sous les couvertures. Elle ne pensa même pas à son ruban d'argent. Comme elle n'arrivait pas à s'endormir, elle sortit sa petite boîte à musique. Elle la tourna dans tous les sens, scrutant l'illustration, cherchant à s'expliquer la mystérieuse envolée de ces jeunes mariés à la rencontre du soleil. Elle remonta le mécanisme jusqu'à ne plus pouvoir tourner la clé et chantonna l'air de « Qui suis-je ? ... Une fée, un bon ange ». Les yeux grands ouverts et les bras derrière la nuque, elle repassa dans sa tête sa collision, les paroles de Magdaline et l'histoire de Félix. Les images et les sons s'emmêlèrent, se fondirent les uns dans les autres et se dissipèrent dans des rêves beaucoup trop beaux pour être vrais.

Chapitre 43

Bonheur-du-jour

Les jours s'allongeaient. Sous le soleil revigoré, l'extraordinaire accumulation de neige, empilée depuis novembre, se transformait peu à peu en éminences éparses de gros sel maculé d'humus et de poussière de macadam. Des bribes de trottoirs renaissaient çà et là, triomphant de l'épaisse couche de flocons tapés. Les Jérômiens se libéraient des tuques, des bonnets et des chapeaux, et les visages apaisés surgissaient des cols de castor et des écharpes de laine. Le village s'animait plus fréquemment, et le pas des passants se réconciliait lentement avec la musardise. Saint-Jérôme sentait le printemps.

Désormais, Camille allait rentrer chez elle, après sa journée de travail, accompagnée par une lumière indécise et presque cendrée. Cette nouvelle clarté ouvrait son cœur à l'espoir. Au cours des derniers mois, elle avait beaucoup appris. Monsieur Litner lui avait enseigné tout ce qu'elle voulait savoir. Elle en connaissait maintenant davantage sur la gestion des inventaires et des commandes, sur l'équilibre entre les marges de profit et les coûts d'opération, sur l'art de la publicité et sur l'importance de la rigueur dans la tenue des livres comptables. Camille aimait son travail, mais sa fougue des premiers jours s'était estompée à mesure qu'elle acquérait toutes ces notions. Comme elle avait consacré le plus clair de ses énergies à son nouvel emploi, elle s'était promis, avec l'arrivée des beaux jours, de s'occuper un peu plus de ses serins, de ses géraniums, de Wizz, de Lucky, de Magdaline et aussi de Félix. Il était passé six heures et, aujourd'hui, la jeune femme n'allait pas s'éterniser au magasin.

Avant d'entrer chez elle, Camille offrit quelques câlins à Wizard qui gardait la porte arrière de la maison avec indolence. Elle embrassa Annette et Emma, leur tira les tresses et s'informa de leur journée. Elle échangea quelques mots polis avec Rose et Ernest. Elle s'élança vers sa chambre pour enfiler prestement sa salopette de travail défraîchie. Elle redescendit à la course, emprunta quelques outils à son père, les empila dans le coffre de bois, enfila son manteau, salua toute la famille et courut chez sa voisine.

– Entre, Camille ! lança Magdaline en la voyant apparaître sur le balcon.

La jeune femme resta figée devant la porte. Il restait encore une semaine avant la fin du carême, mais la table qu'avait dressée Magdaline avait des allures de Pâques. Sans considération pour l'austérité de cette période de privation, Magdaline avait étendu une nappe de chanvre presque blonde, sur laquelle elle avait disposé une dizaine de godets de verre éclairés de bougies vanille. Les flammes dansaient entre les quelques bouquets de fleurs en papier parme et bigarade qui encerclaient les plats disposés au centre. Selon les règles de l'art de la table « à la de Tonnancourt », deux couverts aux assiettes habillées de serviettes pliées en cerf-volant invitaient les convives, sur un ton délicieusement mignard, à un joyeux tête-à-tête. Un vrai repas de fête avait été préparé.

– Dépose ton coffre, enlève ton manteau et installe-toi, chantonna Magdaline.

– Mais on est en plein carême ! s'indigna Camille.

Magdaline s'approcha de la table pour mieux analyser le bien-fondé de cette récrimination.

– Voyons voir : nous avons ici du pain, des œufs, du fromage et des fèves au lard... Rien de contre-indiqué pour la période, il me semble.

– Et ça ? insista la jeune femme en pointant un index accusateur.

– Oh ! s'esclaffa son amie. Un tout mignon, gentil et minuscule morceau d'une adorable petite fesse de jambon. Si tu préfères, mets une fleur dessus et fais semblant de ne pas le voir.

– Enfin, c'est péché ! la gronda Camille, faisant aussi allusion à l'ambiance créée avec tant de soins.

– C'est le curé Bergevin qui va être heureux. Pour une fois que j'aurai un péché à confesser. Tu t'assois ou tu préfères manger debout ?

Camille ne bougea pas.

– Pourquoi ? Pourquoi tout ça... et la musique... ?

– Tu aimes ? C'est du charleston. Une danse vraiment amusante. Ça se danse comme ça, regarde !

Magdaline remonta sa robe et se mit à agiter rapidement les jambes en serrant les genoux.

– Il ne faut pas oublier les bras ! ajouta-t-elle, déjà essoufflée. Aux États, on les appelle les *flippers*, les danseuses de charleston. Justement à cause des bras qui font comme ça. Essaye, tu vas adorer!

– Euh... Non, merci. J'aime mieux te regarder, marmonna Camille, tiraillée entre l'envie de s'abandonner au plaisir et l'idée du péché qui chatouillait sa conscience.

Félix choisit cet instant pour apparaître.

– Il me semblait bien que j'avais entendu des voix. Vous avez l'air de vous amuser follement, ici ! rit-il. Bonsoir, Camille !

Les deux jeunes gens se toisèrent de la tête aux pieds et, spontanément, éclatèrent de rire.

– Voilà que je retrouve ma petite demoiselle qui ne fait certainement pas de tartes ! rigola-t-il.

– Et voilà que je vois enfin Félix Calvé habillé autrement qu'en dandy ou en brosse à plancher ! renchérit Camille.

– Ah non ! C'est en fakir qu'il était costumé ! intervint Magdaline, amusée de les voir vêtus d'une salopette presque identique et plantés face à face comme deux reflets désynchronisés d'un même miroir.

– Veux-tu bien me dire ce que tu fabriques, accoutré comme ça ? bégaya Camille, hilare.

– Si ça peut te rassurer, je ne fais pas de tartes ! répliqua Félix, dans une cascade de rires.

– Si on s'assoyait pour jaser de tout ça ? proposa Magdaline, le cœur toujours sous l'effet de ses quelques pas de danse.

– Merci, mais j'étais descendu seulement pour dire bonjour. Je vous laisse à votre tête-à-tête. J'ai du travail qui m'attend et, pour tout vous dire, ça n'avance pas trop vite !

– Attends ! le retint Camille. Je t'ai apporté des Cascarets. Tu sais ? Ces pilules qu'on voit annoncées dans le journal. Sur la boîte, on dit que ça guérit toutes les maladies d'estomac, de foie et d'intestin. Et le contenu de la boîte devrait durer des mois. Tiens !

– C'est gentil, Camille. Je te remercie, fit-il, sincère, en prenant la petite boîte noire, rouge et blanche. Si c'est écrit que ça guérit tout ça, c'est sûrement vrai. Tu aurais dû ajouter une médaille de saint Jude à l'intérieur, pour qu'on soit plus sûr, china-t-il, sans vouloir être désagréable, mais sachant très bien que les Cascarets ne changeraient pas grand-chose à son état.

– Félix ! Tu m'as dit, il y a à peine deux semaines, que tu allais t'organiser pour guérir, ronchonna Camille, le menaçant de l'index. Alors, aide-toi un peu !

– Tu as raison, reconnut le jeune homme, avec un sourire penaud en coin.

Depuis la mascarade du mardi gras, et à la demande de Félix, Camille passait régulièrement prendre de ses nouvelles. Ainsi, il était inutile d'expliquer ou d'officialiser leur relation. Félix aimait bien les visites de Camille. Il apprenait à la connaître et, pour tout dire, il l'appréciait davantage chaque fois. La jeune femme s'ouvrait, mais Félix, lui, préférait les blagues, les taquineries et les bons moments aux confidences plus intimes. Il n'avait pas envie de parler de ses cauchemars, de ses fantômes ou de sa soif, de cette foutue soif d'alcool qui devenait de plus en plus grande.

Félix avait envie d'espoir. Oui, il avait dit à Camille qu'il guérirait. Qu'aurait-il pu lui dire d'autre ? Qu'est-ce que cela changerait à l'histoire, d'ailleurs, qu'il lui dise autre chose ? Il éprouvait des sentiments sincères pour Camille, mais elle ne serait jamais autre chose qu'une grande amie. Jamais. C'était clair dans sa tête. Toutefois, c'était la seule jeune personne du sexe opposé qu'il fréquentait. Comme Camille était fort désirable, que l'homme était homme et que la chair était faible, ses instincts de mâle s'imposaient facilement, par moments, annulant tout effort de jugement.

– Assieds-toi, Félix ! ordonna Magdaline. C'est pour Camille et toi, le repas. Je dois partir dans une dizaine de minutes. La chorale répète pour la messe de Pâques. C'est dans moins de dix jours !

– Comment ça, Magdaline ! Si tu t'en vas, qu'est-ce que je viens faire ici ? s'étonna Camille.

– Un bonheur-du-jour, mon amie. Tu es ici pour faire un bonheur-du-jour.

– Qu'est-ce que tu racontes, encore ? Après ma journée de travail, je cours comme une folle pour enfiler ce que j'ai de plus vieux et de plus laid. J'emprunte des outils sans donner d'explication. J'arrive à bout de souffle et à moitié morte. Là, tu me dis que tu t'en vas et que je suis ici pour faire un bonheur-du-jour ! Franchement, Magdaline ! Joli bonheur-du-jour !

– Du calme, Camille ! N'avions-nous pas convenu que je t'engageais pour effectuer des travaux de menuiserie ?

– Juste, grogna Camille, la mine boudeuse, les mains enfoncées dans ses poches.

– N'avions-nous pas convenu que tu passais ce soir, et que tu mangeais un petit quelque chose, ici, avant de te mettre au travail ?

– Toujours juste, s'impatientait la jeune femme.

– Eh bien ! Nous y voici. Félix parle, depuis quelques jours, d'aménager un coin de travail dans sa chambre, à l'étage. Les matériaux sont déjà là. Mais Félix n'a pas... tes habiletés manuelles. Alors, je t'ai embauchée pour que tu lui donnes un coup de main. J'ai pensé que ce serait une activité à partager, qui vous ferait plaisir à tous les deux. Me suis-je trompée ?

– Voilà qui devient un peu plus clair. Je dis bien, *un peu*. Maintenant, quelqu'un voudrait-il m'expliquer ce qu'est, au juste, un bonheur-du-jour ? grinça Camille, mi-figue, mi-raisin.

– C'est un petit bureau, tout simplement. Une espèce de secrétaire à tiroir, avec un gradin dessus pour y ranger des papiers, précisa Félix, tout fier de lui apprendre ce que lui-même ne savait pas encore deux jours plus tôt. Quel joli nom pour une table de travail !

– Félix et moi avons dessiné le plan ! s'exclama Magdaline, heureuse de souligner sa contribution. Il est là-haut. Je ne crois pas que ce soit un ouvrage très compliqué à réaliser. Tu peux au moins essayer ! Au pire, nous refilerons la commande à ton père. Qu'en dis-tu ?

Camille regarda Félix, qui lui adressa un sourire guilleret.

– Est-ce que j'ai entendu un « oui » ? s'enquit-il, la couvant d'un regard craquant.

– Bayou ! Tu as dit quelque chose, toi ? fit Camille, narquoise, en s'approchant du chat roulé en boule sur la berçante.

– Si Bayou s'en mêle, l'heure est à la réjouissance, rigola Magdaline, levant les yeux au ciel et remerciant Dieu de cette heureuse issue. Bon, je cours me préparer et je sors en douce par la porte avant. Je ferai un détour par la rue Fournier pour ne pas passer devant chez toi, Camille. Faites-vous invisibles, juste au cas où Bella Labelle s'éloignerait de chez elle. Je rentre vers neuf heures trente. Amusez-vous bien ! chanta Magdaline avant de disparaître.

Les deux jeunes gens mangèrent avec appétit, savourant ce merveilleux péché culinaire que leur amie leur avait concocté. Camille préféra ne pas toucher au jambon et Félix, par altruisme, se chargea d'en éliminer toute trace. Grâce à sa dévotion, l'âme de Magdaline serait sauve. Puis il débarrassa la table et lava la vaisselle. Camille, qui n'avait jamais vu d'homme contribuer aux tâches ménagères, en fut étonnée.

Félix lui confia qu'à son arrivée chez Magdaline, lui non plus n'avait jamais vu d'homme faire ça. En un an, cependant, cette habitude lui était devenue naturelle. Magdaline lui avait appris que la cohabitation impliquait le partage des tâches, peu importait leur nature, et que ni une femme ni un homme n'avait à sacrifier sa vie pour servir l'autre. Chaque humain, indépendamment de son sexe, devait apporter à l'autre et au foyer le meilleur de lui-même, selon elle. C'était donc la règle de la maison. Félix avoua à Camille que l'idée l'avait d'abord choqué, mais qu'après discussion et réflexion, et surtout à cause de la réciprocité du concept, il avait finalement trouvé plusieurs bons côtés à cette façon originale d'envisager la vie commune. Dans les circonstances, comme Félix était plus habile avec un torchon et un balai qu'avec une égoïne et un marteau, il lui semblait tout naturel de ranger la cuisine, puisque Camille l'aiderait ensuite à construire son bonheur-du-jour.

Il monta le lourd coffre à outils. En passant, il prit un des petits lampions vanille sur la table. Il courut fermer le rideau de la fenêtre qui donnait sur la rue Saint-Georges et demanda à Camille de s'occuper de l'autre fenêtre, celle qui veillait la sienne. Elle eut un pincement au cœur. Debout devant la vitre, tandis que la lampe de la chambre d'en face dessinait discrètement les volumes du lit et de la commode, Camille eut l'étrange sensation de jouer le rôle de l'observatrice observée ! Comme on voyait bien chez elle, quand la toile n'était pas baissée ! Et quand elle l'était, s'inquiéta-t-elle, pouvait-on apercevoir des ombres suggestives ? Camille sentit ses joues s'embraser. Non. Elle veillerait à ce que rien de tout ça n'arrive.

– Qu'est-ce que tu fais, Camille ? Dépêche-toi, nous n'avons pas toute la nuit !

– Dommage, murmura-t-elle, en s'exécutant.

– Viens vite voir le plan, la pressa Félix, tout excité.

Camille s'agenouilla aux côtés du jeune homme, qui avança la chandelle. Afin de mieux voir les détails du dessin, Camille appuya sa cuisse sur celle de Félix, qui ne sembla guère noter le rapprochement. Félix glissa le coin droit de la grande feuille roulée dans la main de Camille. Puis, il entreprit d'expliquer le plan en détail. À son insu, il offrit à sa compagne un ballet avec ses longs doigts libérés qui faisaient voler des ombres semblables à des papillons. Ses doigts virevoltaient, allant du dessin à la cuisse de Camille, puis des morceaux de bois coupés et judicieusement organisés en fonction de leur assemblage ultérieur jusqu'au dessin, puis du dessin à la cuisse. Camille déployait des efforts surhumains pour rester concentrée sur les explications plutôt que sur les envolées de ces doigts butineurs dont elle rêvait de dévier la course pour mieux en goûter la douceur.

– Ça ne semble pas trop difficile. Nous devrions y arriver, estima-t-elle, tâchant de se raisonner.

– Merveilleux ! se réjouit-il en l'empoignant spontanément par les épaules et l'embrassant joyeusement sur la joue. J'aurai mon bonheur-du-jour à moi !

– Au travail ! ordonna-t-elle en se levant rapidement, craignant de faire une folle d'elle en restant plantée là, à espérer une suite à ses impossibles fantasmes. On commence par le dessous et les pattes.

– Belle entrée en matière, blagua Félix, ne s'apercevant qu'après coup de la teneur grivoise de ses propos.

– Félix ! le tança Camille. Tu devrais faire attention à ce que tu dis. Quand tu parles comme ça, tu donnes l'impression d'être un homme sans éducation, sans manières et sans avenir, alors que tu es... que tu rêves de devenir un monsieur, comme tu dis.

– Tu as raison. Il m'arrive, en effet, de trop parler.

« Sans compter, se dit-il en lui-même, que ça donne soif, cette foutue manie, et que ça permet aux autres de mesurer combien je peux être idiot... »

– Et qu'est-ce que tu veux faire avec ton bonheur-du-jour ? reprit la jeune femme, tout en continuant le travail et en tâchant de ne pas rompre l'harmonie complice qui régnait entre eux depuis son arrivée.

– Je veux écrire, compter, ranger mes idées et mes papiers, annonça-t-il, à la fois heureux et gêné d'avouer son projet.

– Tiens donc cette patte ! Et que veux-tu écrire et compter, dis-moi ? marmonna-t-elle, le crayon dans la bouche, véri-fiant la hauteur du meuble.

– Je vais te dire quelque chose qui va probablement te faire rire... Ça peut te paraître étrange, mais je ne me vois pas vivre comme tous ces gens qui triment dur, du matin jusqu'au soir, pour une petite bouchée de pain. J'ai assez travaillé fort, tu sais. J'en ai assez vu, du pain noir et des vies d'horreur. Je veux être quelqu'un de respecté et de respectable, aussi longtemps que je vivrai. Tu comprends ?

Camille s'arrêta.

– Et pourquoi ça devrait me faire rire ?

– Parce que...

Félix eut envie de lui répondre : « Parce que je ne suis pas allé à l'école très longtemps ; parce que j'ai passé ma vie sur un chantier et que je ne sais pas faire grand-chose d'autre ; parce que je n'ai pas de famille ; parce que j'ai tout d'un aventurier grand parleur, petit faiseur ; parce que je déteste l'engagement ; parce que j'ai une vie hypothéquée ; parce que j'ai une soif de Southern Comfort que rien ni personne ne pourra jamais étancher. » Des dizaines et des dizaines d'autres raisons se bousculaient dans sa tête, toutes aussi légitimes les unes que les autres. Mais Félix ne dit rien.

– Moi aussi, je rêve d'être quelqu'un.

– Ah..., gémit Félix, qui essayait de fixer une patte en imitant péniblement les manœuvres de Camille.

– Félix, es-tu déjà allé chez Dupuis Frères, à Montréal ?

– Une fois.

– Un jour, je vais bâtir un petit Dupuis Frères à Saint-Jérôme. C'est pour ça que je travaille chez monsieur Litner, en ce moment. J'apprends à tenir un magasin et, bientôt, je vais pouvoir me lancer. Ça va arriver, tu vas voir. Ça va marcher. Toi, Félix..., à quoi ressemblent tes rêves ?

– Bah... Moi, ce n'est pas aussi précis que ça..., bafouilla-t-il, surpris par la question.

– Tu pourr...

Camille dut se mordre la lèvre pour ne pas proposer à Félix de faire équipe avec elle, dans la réalisation de son rêve. Elle en mourait d'envie. Il lui semblait que Félix et elle avaient besoin l'un de l'autre. Elle avait l'impression que leurs idéaux n'étaient pas si différents et qu'ils pourraient facilement s'associer. Bien que Félix ne lui aie jamais donné de détails sur sa maladie, la jeune femme se répétait qu'elle saurait l'aimer assez fort pour qu'il retrouve, un jour, la santé. Comme si la vie et la mort n'étaient qu'une question de volonté... Ils seraient heureux, ensemble. Elle *saurait* le rendre heureux. Elle le *voulait* et il n'en fallait pas plus.

Camille s'étonnait que Félix ne sente pas tout cet amour qu'elle éprouvait pour lui. Elle ne comprenait pas pourquoi il continuait tantôt à se rapprocher, tantôt à garder ses distances, et à lui répéter qu'elle méritait mieux que lui, tandis qu'elle ne rêvait que de lui.

— Tu ne vois même pas dans quelle branche ? poursuivit-elle. En photographie ? À la *barber shop* ? Quelque chose comme ça ?

— Pas la photographie. Plus maintenant. Peut-être à la *barber shop*, mais ce n'est pas avec ce genre d'échoppe qu'un homme devient prospère. Monsieur Chaperon ne roule pas sur l'or, tu sais. À vrai dire, je suis davantage attiré par les domaines moins conventionnels. Les courses de chevaux ou les cartes, par exemple.

— Les courses de chevaux et les cartes ! s'étouffa Camille, outrée par cette étrange ambition et comprenant, du coup, qu'il était sans doute préférable que leur relation reste sur le plan amical. Ce n'est pas un avenir, ça !

— Il y a beaucoup d'argent à faire là, Camille. Plus que tu ne peux l'imaginer. Mais c'est un domaine où il faut risquer pour gagner. La plupart des gens ont peur de prendre des chances. Pas moi. Je sais bien que *gambler*, ce n'est pas vraiment convenable pour un époux ou un père de famille. Mais comme je ne suis pas fait pour le mariage, c'est un moindre mal, dans mon cas, ricana Félix.

– Ouais, acquiesça Camille, ravalant sa déception. Appuie fort ici et ne bouge plus. Il faut qu'il soit solide, ton bonheur-du-jour, pour supporter de gros projets comme ça !

– Comme tu es belle, souffla-t-il, ébloui par l'ovale du visage de Camille, teinté d'ambre par la flamme ondoyante du lampion. Et plus encore quand tu es un tantinet contrariée, comme maintenant.

– Félix !

– C'est vrai. J'ai peine à croire que tu ne sois pas mariée. As-tu déjà été amoureuse ?

– Arrête ! Comment veux-tu que je me concentre à clouer des pattes d'équerre, si tu dis des sottises pareilles ?

– Je ne dis pas des sottises, Camille. Non seulement tu es belle, mais tu es aussi très intelligente et habile comme personne. Celui qui va t'épouser sera un homme chanceux. Avec une femme comme toi, un homme peut aller loin. Très loin.

Camille aurait souhaité être sourde pour ne pas entendre ces mots qui la torturaient. Tout ce qui sortait de la bouche de Félix chamboulait ses sentiments. Ses propos l'amenaient du désir au rejet, puis du réconfort de l'intimité à la douleur de l'indifférence, soumettant son cœur et son âme, tour à tour, au possible et à l'impossible. Tant d'émotions bouillonnaient en elle, sans jamais trouver de répit ! Tantôt elle aimait Félix, tantôt elle le haïssait. Il l'attirait puis la repoussait, la réapprivoisait et la rabrouait encore, comme un enfant inconscient qui s'amuse à un jeu de prince cruel. Ce jeu lui faisait mal. Affreusement mal. Curieusement, pourtant, malgré la douleur, Camille restait là, prisonnière consentante de ces fantaisies iniques, incapable de reculer. Parfois, elle était bousculée par des éclairs de raison qui la sommaient de s'éloigner, mais elle revenait toujours, aspirée par cette attraction insensée.

— Assez loin pour attraper ça ? lança-t-elle en guise de boutade.

Ce disant, elle s'étira pour ramasser quelques chevillettes de bois qui traînaient derrière elle, mais son bras n'était pas assez long pour les atteindre.

— Tu parles ! Au moins jusque-là ! blagua Félix, altier comme un aspi en parade.

Il vola à sa rescousse, exécutant un saut arrière, maintenant d'une main la patte du bonheur-du-jour et allant de l'autre à la conquête des pièces à repêcher. Il se retrouva dans une étrange torsion, nez à nez avec Camille, renversé sur ses talons et dans une posture anormalement allongée qui le cloua au sol.

— Au secours ! Aide-moi, vite ! Mes jambes ! Elles sont coincées.

— Lâche la patte, Félix, lui conseilla-t-elle, ricanant de le voir ainsi bloqué en position de vadrouille essorée.

Félix obtempéra, sans arriver pour autant à se remettre à genoux ou à dégager ses jambes.

— Camille, ne ris pas. Je suis vraiment en mauvaise posture. Aide-moi.

— Tu le fais exprès. Roule sur le côté, fripon !

– Aide-moi, je te dis, insista-t-il d'un ton éteint par l'inconfort.

– D'accord, d'accord, soupira Camille, sceptique. De toute évidence, tu n'aurais pas d'avenir dans un cirque !

– Camille, il y a des clowns, au cirque. Vite !

Camille ramena le bras gauche de Félix parallèlement au droit. Elle se leva et ancra ses jambes de chaque côté des cuisses repliées. Elle lui prit les mains et les tira vers elle, tâchant de ramener son torse en position verticale.

– Pas comme ça. Tu vas te faire mal. Je fais deux fois ton poids, au moins. Ramène-moi plutôt vers ta droite, s'inquiéta Félix, dangereusement contorsionné.

– C'est que tu n'es pas en caoutch.....

La jambe droite de Félix céda subitement sous son poids et le contre-coup projeta Camille, de tout son long, sur le corps étendu de son compagnon.

– Mon Dieu ! Si Bella nous voyait ! bégaya Camille, étouffée par le rire. Je suis désolée !

La jeune femme gigotait d'un côté puis de l'autre, essayant de se relever en évitant de son mieux d'entrer en contact avec ce beau corps tout chaud qu'elle n'osait même pas regarder, tant son désir était grand.

– Arrête de bouger, veux-tu ? la somma finalement Félix en l'étreignant solidement pour mieux la calmer. Laisse-moi faire. Tu n'as rien à craindre.

Il la fit doucement rouler à côté de lui, puis il s'assit. D'une main, il lui souleva la tête et de l'autre, il replaça ses boucles éparpillées.

– Quelle aventure, murmura-t-il, troublé.

– Ah..., expira Camille en tâchant de reprendre son souffle. Que c'est bon de rigoler.

La jeune femme s'assit à son tour. Ce faisant, elle se retrouva nez à nez avec Félix. L'espace d'un instant, elle eut envie de fermer les yeux et d'espérer un peu de romance, mais elle choisit de jouer la carte de la plaisanterie, histoire de rentrer chez elle le cœur indemne.

– Ton nez, Félix ! badina-t-elle en lui pinçant l'appendice nasal. Je ne sais pas ce qui lui prend, ce soir, mais il n'en finit plus de se retrouver au beau milieu de mon visage. Tu devrais sérieusement le remettre à sa place. Parce que, nez en moins, tu n'aurais plus de flair, ni pour les courses, ni pour les cartes, ni pour ton bonheur-du-jour, ou pour celui d'un autre jour !

– Doucement ! Tu vas me l'arracher, grimaça Félix en retenant sa main.

– Impossible ! Il est collé à la glu. Allez, debout ! Nous avons un bonheur-du-jour à terminer !

Docile, le jeune homme bondit sur ses pieds. Il tira Camille vers lui, la soulevant littéralement de terre et la propulsant, du coup, au creux de ses bras. Un bouquet soyeux de boucles folichonnes et cuivrées l'envahit. Les cheveux de Camille sentaient le miel, la vanille et la tendresse. Le cœur de Félix s'emballa. Ses jambes fléchirent et ses doigts cédèrent à la tentation de caresser ce visage fascinant. Ses paumes s'embuèrent de désir. Ses pouces hésitèrent puis glacèrent de toute leur convoitise les quelques broussailles désobéissantes des sourcils adorables de la jeune femme. Épaulé d'une rasade de Southern Comfort, Félix se serait abandonné à l'ivresse des sensations, mais la sécheresse de sa gorge le réduisait à une pudeur inexplicable. Avec douceur, il comprima les tempes brûlantes de Camille entre ses mains et déposa un baiser bref sur la douceur de son front.

– Hop ! la fit-il virevolter. Au bonheur-du-jour, jeune fille !

– Il était temps ! Où en sommes-nous ? claironna Camille, qui luttait furieusement pour ne pas laisser ses sentiments s'engluer dans ce romantisme dangereusement sirupeux. Ah oui ! Les chevillettes ! Tu mets tes deux mains ici et tu ne bouges pas. Compris ? Tu ne bouges plus jusqu'à ce que je te le dise.

– À vos ordres, mademoiselle, abdiqua Félix d'un ton faussement obéissant.

Camille reprit le travail.

– Au rythme où nous avançons, nous ne pourrons pas terminer ce soir, annonça-t-elle.

– Tant pis. Tu reviendras un autre soir. Nous nous amusons bien, ensemble. Nous formons plutôt une bonne paire, tu ne trouves pas ?

– Pour s'amuser, c'est vrai qu'on s'amuse. Pour le reste, en toute honnêteté, on ne peut pas dire que tu contribues à accélérer les choses, soupira Camille, en se disant qu'il valait mieux qu'elle parte bientôt.

– C'est voulu, juste pour faire durer le plaisir, belle *mestengo*...

– Belle quoi ?

– *Mestengo* ! Une bête sans maître. Comme les chevaux sauvages, les mustangs !

– Tu dis vraiment n'importe quoi, le rabroua-t-elle un peu brusquement, n'ayant plus envie de se faire du mal. Il doit certainement être près de neuf heures, maintenant. Tiens cette patte en place. C'est la dernière. Nous la fixons et après, je rentre.

– Comme tu veux, fit Félix, déçu. Camille ?

– Oui ?

– Combien faut-il de bonheurs du soir pour faire un bonheur-du-jour ?

– Hum..., réfléchit la jeune femme, adoucissant le ton. Quelques-uns, Félix, pas plus de quelques-uns.

– On parie qu'il en faudra beaucoup plus ?

Chapitre 44

Fumure circonstancielle

– *Boswell*, ça pue ici ! C'est épouvantable, s'indigna Douglas.

Une cinquantaine de personnes avaient déjà pris place dans l'enceinte du Théâtre Diana, anciennement appelé la Salle du Marché. Notables, artistes jérômiens et montréalais et membres du clergé avaient tenu à arriver tôt, car ils avaient eu vent que le gérant, Honorias Larue, devrait refouler des spectateurs longtemps avant le début du concert. Le tour de chant de la soprano Carmen Tiernan était censé attirer autant de monde que celui du folkloriste Charles Marchand. En tout cas, c'est ce qu'avaient prédit les mélomanes de la région.

Jules-Édouard Parent y était certes pour quelque chose. Dans la dernière édition de son hebdomadaire, le propriétaire de *L'Étoile du Nord* avait consacré à la chanteuse un article si élogieux qu'il avait suscité une véritable fièvre parmi les férus de chant classique. Les amateurs de belles voix accouraient donc en grand nombre afin de découvrir le talent rare de cette artiste montréalaise qui avait si généreusement accepté de venir se produire dans leur patelin.

Ennuyés par les arômes de crottin de cheval qui empestaient l'air ambiant, les spectateurs attendaient avec impatience le début du spectacle. Certains avaient transformé leur programme en éventails qu'ils agitaient vigoureusement devant leur visage afin d'aspirer quelques bouffées d'air purifié. D'autres se pinçaient le nez si fort que son extrémité avait l'allure d'une framboise bien mûre. D'autres encore, espérant se faire plus discrets, avaient choisi d'enfouir leur visage dans la doublure satinée de leur manteau de printemps, cherchant avec avidité le parfum de leurs aisselles talquées pour s'isoler de ces exhalaisons d'écurie si désagréablement marquées.

– On se croirait dans une stalle de luxe ! Tu ne trouves pas que ça pue, Mac ?

– On n'est pas dans une stalle de luxe, Doug, on est au-dessus, précisa Ernest, pas le moins du monde incommodé.

– Pffff ! Au-dessus d'une stalle de luxe ! On est au second étage du poste de police et de pompier, pas au grenier d'une écurie ! le rabroua son cousin.

– D'après toi, ils se déplacent comment, les policiers et les pompiers, à Saint-Jérôme ?

– Avec des chevaux, *boswell* ! convint Doug dans un large sourire.

– Et les chevaux, ils les gardent où, tu penses ?

– Mais qui donc a eu l'idée d'aller faire une salle de spectacle au-dessus de l'écurie de la police et des pompiers ? Ça n'a aucun bon sens. C'est Carmen qui doit être contente, rigola Doug. Il me semble la voir, derrière le rideau, en train de se pomponner dans les relents de caca d'étalon ! Afin de lui éviter l'asphyxie, Sarah a dû lui confectionner une espèce de voilage, un peu comme celui que portent les danseuses du ventre des contes des mille et une nuits ! Hé ! Je voudrais bien être un petit oiseau pour voir ça !

– À propos, Doug..., qu'est-ce qui te prend, tout à coup, de tenir mordicus à venir entendre ta fille chanter ?

– Bof... Je ne sais pas, Mac. Des remords de conscience, peut-être. Il faut croire que je me ramollis en vieillissant.

– Ça ne te fera pas de tort.

– Hé ! Hé ! Tout doux, Mac ! Tu oublies que tu parles à ton cousin, là, riposta celui-ci, feignant d'être offensé.

– Tu dois admettre que, avec Carmen, tu n'as pas été un papa gâteau.

– Elle n'a jamais manqué de rien, se défendit farouche-ment Douglas.

– Ce n'est pas de ça dont je te parle...

– Qu'est-ce que tu veux que je te dise, Mac ? J'ai fait mon possible, tu sais.

– Oui, je sais. C'est ce qu'on essaie tous de faire, reconnut Ernest avec sympathie.

Douglas se rapprocha de son cousin.

– Je vais te dire quelque chose qui n'a vraiment aucun bon sens. Mais je vais te le dire pareil. Des fois..., souvent, même..., j'ai pensé que ça ne se pouvait pas que moi, Douglas Tiernan, je sois le père d'une enfant comme celle-là...

– Qu'est-ce que tu veux dire ? Tu ne penses tout de même pas que Sarah aurait pu...

– Mais non, Mac, ce n'est pas ça que je veux dire. Carmen..., elle n'est pas... Elle n'a rien de Sarah... Ni rien de moi, rien du tout, siffla Doug, dépassé par son propre aveu.

– C'est vrai qu'à part ses cheveux roux, ses yeux verts, ses taches de rousseur, son grand front, son nez aquilin et ses jambes longues comme des montants d'échelle de pompier..., elle n'a rien de toi, le taquina Ernest.

– Pour une fois que j'essaie de parler sérieusement, tu ne m'aides pas beaucoup.

– Désolé, Doug !

– Toi, les aimes-tu toutes de la même manière, tes sept filles ?

– De la même manière ? Je sais que le bon Dieu nous a dit d'aimer tous nos enfants pareil, sans faire de différences. Mais d'après moi, c'est impossible. Ils ont beau être nos enfants, il reste que ce sont toutes des personnes distinctes, chacune avec son caractère. Il n'y en a pas deux pareilles. Ça fait que... De la même manière ? Je ne pense pas, Doug.

– Mais tu les aimes toutes, toujours ? insista ce dernier.

– Oui. Je serais bien malheureux d'apprendre qu'il y en a une en difficulté. Je ne voudrais pas qu'elles soient malades ou dans la misère. C'est certain. Sauf que... Pour être honnête, la mienne, c'est Camille. Je ne pourrais pas te dire pourquoi. Avec Camille, ce n'est pas pareil. Je la sens ici, dans mon cœur. Dans mon vieux cœur qui fait mal. Camille, elle est vraiment la chair de ma chair, le sang de mon sang. J'ai quasiment l'impression que cette enfant-là, c'est moi, dans une autre personne, à une autre époque, mais en mieux. En beaucoup mieux. Comme si Camille me permettait de m'améliorer à travers elle. De vieillir en étant meilleur. Comme si, même après ma mort, j'allais rester en vie, quelque part, à l'intérieur d'elle... C'est curieux, hein ?

— Pas du tout, Mac. C'est ce que j'essayais de te dire, tout à l'heure. Avec Timothy, même s'il était tout petit, je sentais ça. Avec Carmen, c'est tout le contraire. C'est comme si rien d'elle ne venait de moi et rien de moi ne pouvait ou ne voulait aller vers elle. Que Dieu me pardonne, mais je mentirais si je disais que je l'aime. C'est effrayant... Un père ne devrait pas penser ces choses-là. Si tu savais combien ça me rend heureux qu'elle se marie. Pour être franc, ça me soulage. Comme ça, elle va faire sa vie loin de moi. Je ne lui souhaite pas de mal. Mais je ne peux rien pour son bonheur, tout comme elle ne peut rien pour le mien. J'aime mieux qu'elle aille vivre son bonheur ailleurs. J'ai l'impression que ça va lui faire du bien et à moi aussi. Tu sais, on dirait que, déjà, l'idée du mariage lui adoucit les mœurs. Tant mieux pour elle, remarque ! Et pour le grand Vertefeuille, aussi. Ce n'est pas un mauvais diable, au fond. Sarah l'aime pour deux. Il ne perdra pas tout.

— Est-ce qu'il a fini par se remettre de ses émotions, ce pauvre Miville, depuis l'été passé ? Je pensais qu'il allait mourir étouffé à la table, ce soir-là.

— Ça m'a tout l'air qu'il a réussi à digérer sa salade de foin comme sa surprise. Carmen et lui parlent du mois de septembre pour fêter leurs noces, je crois. Les deux ont l'air bien heureux de ça. Tant mieux pour eux !

– Ouais, tant mieux pour eux, acquiesça Ernest d'une voix compatissante. Tout le monde mérite le bonheur.

– Et Camille... Qu'est-ce qu'elle fait de bon ? s'enquit Doug.

– Elle est bien renfermée depuis quelque temps, ma Camille. Depuis qu'elle travaille pour monsieur Litner, on ne l'entend plus, on ne la voit plus. Quand elle est dans la maison, elle parle à peine. Elle coud pour ses sœurs. Elle gosse des cages pour ses serins. Elle leur apprend même à chanter. Elle catine ses géraniums qui fleurissent comme le diable et qui se multiplient comme des lapins. Elle visite la voisine. Quand elle est dehors, elle enseigne toutes sortes de folies à son chien : elle le fait danser, monter et descendre l'escabeau, aller chercher la balle et faire le mort. Elle prend soin du cheval et elle lui paie une bonne *ride* de temps en temps. Mais elle ne chante plus. Elle ne rit plus. Elle ne m'aide plus. Elle ne se chicane même plus avec Rose. C'est comme si elle était là et partie en même temps.

– Veux-tu bien me dire quelle mouche l'a piquée ? Pourquoi elle fait sa tête dure comme ça ? Pourquoi elle s'entête à ne pas vouloir venir travailler avec moi ? Tu sais, Mac, je n'ai plus vingt ans. L'hiver passé, j'avais décidé de m'embarquer avec McLaren dans une nouvelle usine de pâte à papier à Masson, un barrage et une centrale électrique à High Fall. Je suis passé à ça de dire oui. Mais, tout seul, pas de bras droit et à mon âge, ça n'avait pas de bon sens. C'était trop. Quand Camille m'a annoncé, au printemps, qu'elle refusait mon offre, je n'en croyais pas mes oreilles. J'ai bien essayé de trouver quelqu'un d'autre, en me disant que ce serait en attendant. Parce que je ne pouvais pas croire que Camille ne changerait pas d'idée. Pendant un moment, j'ai cru que j'avais trouvé mon poulain. Je l'ai regardé aller. Un jeune homme à mon goût ! Vite, vif, ambitieux et qui n'avait pas froid aux yeux. Le jour où j'avais finalement décidé de lui faire une offre, il a eu un... un accident. Effrayant ! Tu aurais dû voir ça. Il saignait comme un cochon, Mac. Je pensais qu'il allait mourir dans mes bras. Après, plus de nouvelles. Ah... J'aurais pu faire l'effort de le retrouver, mais je n'ai pas osé. C'est mieux comme ça. Parce que si jamais le pauvre gars s'en est remis, aujourd'hui, il n'a certainement plus la santé pour faire ce que j'attendais de lui. Après cette mésaventure, je me suis convaincu que si les choses s'étaient passées comme ça, c'était parce que Tiernan and Son devait rester dans la famille. Cette compagnie-là, elle revient à Camille et à personne d'autre. Le seul problème, c'est qu'elle n'en veut pas ! Si tu savais combien ça me fait de la peine. Pourquoi lève-t-elle le nez sur un si bel avenir, tout tracé d'avance et offert sur un plateau doré ? Si tu savais comme ça me fait mal.

— Je sais que tu l'aimes comme si c'était ta propre fille. Moi aussi, ça me fait mal de la voir agir comme ça. Le pire, Doug, c'est que j'ai l'impression que c'est ma faute. C'est moi qui l'ai amenée à Saint-Jérôme. C'est moi qui en ai fait mon bâton de vieillesse pour ensuite me marier avec Rose. J'étais assez fou pour croire qu'on retrouverait tous un peu d'Hermione en elle. Je me dis que, sans le vouloir, je l'ai brisée, cette enfant-là. Parfois, j'ai l'impression qu'elle ne s'en remettra jamais. Ça me fend le cœur, tu ne peux pas imaginer. Quand j'y pense, j'en braillerais comme un veau.

— Allons donc, Mac ! Ce n'est pas ta faute, pas du tout ! Voir si on peut briser quelqu'un parce qu'on l'aime et qu'on fait son possible pour le rendre heureux. Enlève-toi ça de la tête.

— J'aimerais en être aussi sûr que toi.

– Ce doit être juste une passade. Penses-y ! Connaissant Camille comme on la connaît, elle va finir par retomber sur ses pattes. Elle est trop intelligente pour passer le reste de ses jours repliée sur elle-même, à broyer Dieu sait quelles sortes d'idées noires.

– Tous les jours, je demande au Ciel de l'aider.

– Tu me donnes quasiment envie de la relancer. Peut-être qu'elle en a assez de son travail chez Litner et qu'elle serait mûre pour s'en venir en ville !

– Il n'y a rien d'impossible. Ça me ferait bien de la peine de la voir partir pour la ville, Doug, mais j'aimerais mieux la savoir heureuse avec toi à Montréal, que de la regarder se morfondre à Saint-Jérôme.

– Penses-tu qu'elle accepterait ? se réjouit Douglas.

– J'ai toujours pensé que Camille aimait trop la campagne pour retourner en ville. Maintenant, je ne sais plus...

– Je vais réfléchir à ça, Mac. Il me semble que...

– Hé, Doug ! le coupa Ernest. Je pense à quelque chose, tout à coup ! Ton ami Flynn, le banquier... Il m'a montré un supplément paru dans le *Financial Post* de Toronto, il y a quelques semaines. Le journaliste écrivait que Saint-Jérôme est en passe de devenir le centre industriel de la province de Québec. Le centre industriel du Québec, Doug ! Ce n'est pas rien ! Et dans *La Patrie* d'hier, il y avait une grosse annonce du greffier de Saint-Jérôme, pour attirer les industriels et les commerçants de Montréal à venir s'installer ici. Flynn et tout ce beau monde-là, ils disent que les affaires sont bonnes comme jamais, à Saint-Jérôme. Il paraît même que ce n'est qu'un commencement. C'est censé aller de mieux en mieux, Doug.

– Ouais... Et puis ?

– Tu pourrais venir t'installer à Saint-Jérôme ! Ici, tu aurais beaucoup plus de chances de gagner Camille. Je suis certain de ça !

– Tu n'es pas sérieux, Mac. Tu voudrais que je m'en vienne ici ! Que je ferme la *shop* en ville et que je recommence à zéro à Saint-Jérôme ! Après toutes ces années passées à trimer comme un nègre ! Tu n'y penses pas...

– Tu ne recommencerais pas à zéro, Doug. L'expérience, ça ne se perd pas ! Tu mettrais ta *business* dans les mains de Camille et, toi, tu suivrais ça d'en haut. Ça réglerait ton problème d'associé et celui de Camille en même temps. Tu pourrais commencer à profiter de la vie, en plus !

– Pour un gars qui n'a pas la bosse des affaires, tu m'arranges ça à la mode. As-tu pensé au chiffre d'affaires que j'aurais ici, en comparaison de celui que j'ai en ville ? Je perdrais sûrement beaucoup.

– La différence ne serait peut-être pas aussi grande que tu penses. Il y a moins de monde ici, c'est vrai, mais avec les routes et les voies ferrées que le gouvernement nous a promis pour bientôt, tu seras capable de vendre dans le Nord jusqu'à Sainte-Agathe, à l'Est, passé Terrebonne, à l'Ouest, jusque de l'autre bord de Brownsburg, et au Sud, jusqu'à l'Île Jésus. C'est assez grand pour faire une piastre, il me semble !

– C'est trop grand justement. Trop de territ...

La phrase de Douglas resta en suspens dans la cacophonie tonitruante qui vrombit soudain sous ses pieds. Sous les soucoupes de fonte rouge suspendues aux murs de la caserne, les maillets de fer cognaient l'urgence de l'incendie. La foule assise bondit. Des sonneries stridentes frappaient de toutes parts les murs de la salle. Les haro ricochaient au plafond avec véhémence et retombaient ensuite sur les spectateurs comme un orage de détresse. Chaque pied carré du plancher tremblait sous les manœuvres précipitées des pompiers. Ces derniers s'empressaient de désengager les poulies retenant au plafond les attelages des chevaux. Les unes après les autres, les petites roues de fer battaient les poutres de chêne qui répercutaient leurs complaintes sans broncher. Les câbles débandés s'agitaient, l'air paniqué, et filaient comme des couleuvres entre les chapes. Les attelages atterrissaient sur le dos des chevaux comme des parachutes qui s'écrasent en chandelle. Les spectateurs affolés se ruaient vers l'escalier. Honorias Larue tournicotait sur la scène, comme une girouette rendue folle par des vents enragés. En vain, il s'époumonait à tenter de ramener les spectateurs vers leurs sièges.

Les hautes portes rouges et arquées de la caserne laissèrent échapper deux voitures de pompiers, qui disparurent aussitôt derrière la vitrine du magasin Litner. La nouvelle se répandit comme une traînée de poudre : la maison des Duquette était en flammes. Vu l'ampleur de l'incendie, le chef des pompiers faisait appel à tous ceux et à toutes celles qui étaient en mesure de prêter main-forte pour maîtriser le brasier. Sur le trottoir de la rue Saint-Georges, des groupes de citoyens volontaires s'organisaient rapidement. Ernest ôta son chapeau et sa veste et roula ses manches.

– Viens, Doug !

– Où tu vas ?

– Au feu ! Et toi aussi ! Vite ! lança Ernest avant de foncer au pas de course du côté de la rue Labelle, une main sur la poitrine.

– Attends-moi, *boswell* ! gémit Douglas, qui ahanait derrière son cousin en retenant son beau panama tout neuf.

Offusquée d'avoir été si sauvagement abandonnée, Carmen se pointa le nez dehors. La rue avait été désertée. Perchée sur l'étroit balcon de la Salle du Marché, coincée entre le gérant et sa mère, Carmen se pinçait les narines. Défaite, elle regardait au loin les flammes gigantesques et l'épaisse fumée noire qui léchait les nuages.

– Mon Dieu que ça pue, dans votre salle, monsieur Larue ! C'est épouvantable ! se plaignit-elle, comme si l'odeur du fumier importait davantage que la tragédie qui se déroulait sous leurs yeux.

– Bah... On finit par s'habituer, mademoiselle Tiernan. D'ailleurs, c'est bon pour la santé. Ça dégage les poumons, il paraît. Ça donne du coffre aux chanteurs !

– Du coffre ! J'en ai assez, de coffre ! Mi, mi, mi, mi, mi, mi, mi ! Miam, miam, miam, miam, miam, miam, miam ! Mium, mium, mium, mium, mium, mium, mium..., vocalisa Carmen avec puissance et dérision.

Pour masquer son irritation, Honorias Larue se couvrit les oreilles, feignant d'être étonné de la vitesse avec laquelle l'incendie s'intensifiait.

– Ça m'a l'air vraiment sérieux, ce feu-là. Je vais aller voir si je ne pourrais pas leur être utile, moi aussi. Excusez-moi ! s'exclama monsieur Larue en dévalant l'escalier.

– C'est ça ! Et vous, maman..., vous n'y allez pas ? demanda la jeune femme, volontairement provocante.

Sarah voyait l'exaspération creuser les traits de sa fille. Un large sourire fit briller ses yeux. Elle releva sa robe et, à toute allure, se précipita sur les traces de monsieur Larue.

– Oh ! Ma mère aussi ! s'indigna Carmen.

Elle frappa la balustrade d'un poing rageur. Elle jeta un œil à ses chaussures neuves en peau d'ange, à ses bas de soie, à sa robe en crêpe-satin et organza mousseux, brodée de perles de verre, et à ses gants qui montaient de ses doigts jusqu'à la chair charnue de ses bras blancs et mouchetés de rousseur. Elle palpa tendrement ses aigrettes de paon amoureusement tapies dans les méandres de ses boucles fauves, comme pour leur dire au revoir. Elle dégagea son éventail laqué, retenu à son poignet par un cordonnet de soie moirée, et le balança avec vigueur au bout de son bras.

– Eh bien ! Moi aussi, j'y vais ! gronda-t-elle en frappant chaque marche de coups de talon bien appuyés d'une hargne toute crue.

Chapitre 45

Pour la frime

Deux mois plus tard, la ville parlait encore de l'incendie qui avait rasé la maison des Duquette. Les Jérômiens ne digéraient pas cette tragédie. Les flammes n'avaient rien épargné : ni le commerce de meubles et de cercueils, situé au rez-de-chaussée, ni le logis à l'étage. Pire encore, le feu avait volé trois vies humaines. Les deux cadets des dix enfants de la famille n'avaient pas eu de chance. Un mur s'était écroulé devant eux et les débris avaient emprisonné dans la cuisine les bambins de quatre et six ans, paralysés de frayeur. Madame Duquette avait refusé de les abandonner. Elle avait tout fait pour les tirer des flammes. Dans une ultime tentative pour les sauver, elle les avait rejoints, traversant un mur de feu, les avait couchés par terre et s'était étendue sur leurs petits corps tremblants pour les protéger.

Le feu avait rapidement encerclé les victimes, les isolant complètement. Les flammes avaient rampé, sournoisement, jusqu'à la chevelure de madame Duquette, dispersée en bataille sur le parquet brûlant. La mère avait bien senti la chaleur se rapprocher d'elle mais, courageuse et volontaire, elle n'avait pas bougé. Son mari, depuis le couloir, l'avait suppliée de ne pas rester là. Rien à faire. Madame Duquette n'allait pas sacrifier un seul cheveu de sa progéniture au brasier meurtrier. Sans tarder, les flammes avides avaient assailli la tête de la mère résignée. Son mari avait crié son désespoir derrière le mur de feu vorace. Il ne la voyait plus. Seuls quelques gémissements plaintifs, poussés par les enfants, étaient parvenus à percer le bruit d'enfer du brassier. Deux pompiers étaient apparus derrière le père affolé et l'avaient agrippé par les bras. Le pauvre homme hurlait le nom de sa femme et de ses enfants et pleurait toutes les larmes de son corps. Les pompiers l'avaient traîné à l'extérieur de la maison. Là, monsieur Duquette était devenu de pierre, paralysé par l'horreur qui lui glaçait le sang. Sous ses yeux, le second étage de la bâtisse s'était effondré comme un château de cartes balayé par le souffle innocent d'un enfant.

Les citoyens de Saint-Jérôme n'avaient pas eu besoin du sermon du curé Bergevin pour venir en aide aux Duquette. Les nantis comme les moins fortunés, les organisations de charité, les sœurs de Sainte-Anne, les sœurs Grises, les zouaves et l'Église avaient joint leurs efforts pour procurer tout ce qu'ils pouvaient au commerçant et à ses enfants, afin de les soutenir dans cette épreuve. Monsieur Laviolette avait offert à monsieur Duquette d'habiter le second étage de sa maison, tout près de l'Île Idéale. Le logement était étroit, mais il ferait l'affaire en attendant qu'un groupe de citoyens volontaires rebâtissent une maison à la famille.

De son côté, Christo Javellas, le Grec, comme on l'appelait au village, avait proposé à monsieur Duquette de l'aider à réinstaller son commerce sur la rue Saint-Georges, à quelques portes de son restaurant, entre chez Thibodeau et la buanderie chinoise, dans un local qui lui appartenait. En échange, Christo avait demandé à monsieur Duquette de garder un espace libre dans son arrière-boutique afin d'accommoder les voyageurs qui avaient pris l'habitude de s'arrêter là, quatre fois par année, pour présenter leurs nouveautés aux commerçants de la place. Les zouaves, quant à eux, s'étaient chargés de remplir à ras bord la glacière et le garde-manger de la famille éprouvée. Finalement, les religieuses avaient veillé à ce que les enfants soient soignés, habillés et chaussés pour l'été qui arrivait, mais aussi pour l'hiver qui, comme toujours, serait là plus tôt qu'on ne l'attendait.

Madame de Tonnancourt, comme tant d'autres citoyens, avait été ébranlée par le drame. La tragédie vécue par cette famille l'avait ramenée aux questions existentielles qui l'assaillaient immanquablement quand des événements aussi insensés survenaient. Ce qu'elle appelait des « stupides injustices de vie » allumaient toujours en elle une colère implacable. Elle ressentait alors une envie de remuer ciel et terre pour trouver comment éviter de pareilles absurdités. Pourquoi Dieu rappelait-il à lui une femme d'à peine trente ans, mère de dix enfants ? Pourquoi cette femme-là ? Et, de surcroît, deux enfants innocents qui n'avaient encore rien goûté de la vie ? Pourquoi ? Voilà qui mettait à rude épreuve sa foi en l'infinie bonté divine.

Magdaline voulait ajouter, à la contribution collective, une sorte de cadeau personnel qui apporterait aux Duquette autre chose que le nécessaire, quelque chose qui s'apparenterait plus à du réconfort, voire à de l'amour. C'est avec cette idée en tête qu'elle avait décidé de laisser Vertu chez les Duquette. Magdaline avait pris des arrangements avec monsieur Poulin et, selon ses prévisions, quelques bêtes seraient en âge d'être séparées de leur mère en juin. À ce moment-là, elle reprendrait sa vieille haquenée et offrirait aux Duquette un de ces poulains que la famille pourrait dresser comme elle le souhaitait. Entre-temps, monsieur Duquette pourrait au moins profiter de la vaillante Vertu pour ses livraisons de meubles et de cercueils. Surtout, les enfants trouveraient, dans la nature particulièrement affectueuse de la vieille jument, un peu de tendresse, de chaleur et de bien-être pour apaiser leur peine.

Magdaline ne connaissait rien aux chevaux. Aussi avait-elle demandé à Camille de l'accompagner à l'écurie Poulin, le moment venu, pour l'aider à choisir une bête conforme aux besoins des Duquette. La jeune femme ne s'était pas fait prier. De plus, elle avait proposé de conduire elle-même le poulain ou la pouliche jusqu'à sa nouvelle famille d'adoption et de ramener Vertu au bercail.

Dressée sur la pointe des pieds, les bras relevés au-dessus de la tête et le menton appuyé sur une traverse de l'enclos, Camille attendait son amie, sans avoir conscience du temps qui filait tant le spectacle la fascinait. À quelques pas devant elle, monsieur Poulin dansait sur le sable de l'enclos, dans un corps à corps passionnel avec une bête en apparence indomptable.

Semblable à un pivot d'ancrage, amarré à la muserolle de chanvre du cheval, il luttait contre la détermination de l'animal avec une patience acharnée. L'autre, un yearling opiniâtre à la robe isabelle, oscillait nerveusement entre la résistance et la soumission, comme une catapulte de guerre en alerte, hésitant à pulvériser son ennemi. À l'écart, un palefrenier suivait le rythme de la chorégraphie, selle en mains. Il guettait les rares moments pendant lesquels l'animal immobilisait ses sabots au sol. Chaque fois, le jeune costaud remontait doucement le faux quartier de la selle le long du flanc gauche du cheval et, avec une précaution extrême, tentait d'asseoir la matelassure feutrée au creux de ses reins. Mais, chaque fois, le cheval bondissait, se cambrait, ruait et piaffait. Puis, le pas de deux reprenait de plus belle, avec une violence sans cesse renouvelée.

De la route, Félix avait vu le manège. Tout aussi subjugué que Camille, il s'était avancé vers l'enclos sur la pointe des pieds. À cause de ses six pieds passés, il n'avait pas eu à lever les bras pour les appuyer sur la traverse, là où les ongles de Camille griffaient les éclisses de cèdre.

– Quelle bête magnifique ! chuchota-t-il.

– Hum..., approuva Camille, ne quittant pas l'enclos des yeux. Magdaline te suit ?

– Non. Elle est allée aider la voisine d'en arrière. Ses jeunes ont la varicelle. Elle a dit que toi et moi, nous étions bien capables de choisir un cheval sans elle, et qu'elle serait certainement plus utile chez les Auger.

– D'accord, répondit la jeune femme, ni déçue, ni surprise. Ça t'ennuie si on reste ici encore une petite minute avant d'aller à l'écurie ?

– Au contraire, rétorqua Félix, trop heureux que la suggestion vienne d'elle.

Suffisamment proches pour sentir leur chaleur réci-proque, Camille et Félix n'avaient même pas échangé un regard. Pourtant, leur absence de contact visuel était en soi un langage riche en références communes. Leur passion se lançait des clins d'œil complices qui, étrangement, leur échappaient. Tantôt, c'était avec les mains qu'ils chantaient leur admiration pour la rébellion et le courage de cette bête qui résistait à l'homme ; tantôt, c'était avec les yeux qu'ils s'émouvaient de compassion pour ces hommes, empreints de détermination, qui s'obstinaient à coups de stratagèmes et de patience à maîtriser l'animal. Les deux jeunes gens vibraient à l'unisson. Les mêmes frissons d'excitation leur parcouraient l'échine, aux mêmes moments. Les mêmes désirs chamboulaient leur cœur, au même instant. Recueillis devant la ténacité et priant pour la soumission, ils communiaient ensemble à la même puissance et avec la même foi.

– Trente cents qu'ils ne le sellent pas aujourd'hui ! marmonna Félix.

Camille dévisagea son compagnon. La bulle qui les unissait venait d'éclater. Le charme était rompu. Son irritation monta, non pas parce que Félix pariait, mais parce qu'il prenait pour le cheval plutôt que pour l'homme. Il faisait des bêtes des créatures plus valeureuses que les humains. Voilà qui la surprenait. La décevait. Camille aimait les chevaux. Autant, voire plus, que Félix. Mais elle avait la certitude que toutes les bêtes, peu importait leur race, leur espèce ou leur force, finissaient tôt ou tard par se soumettre à l'homme. Elle ne doutait pas que l'homme, grâce à son intelligence, son savoir-faire et son courage, arrivait toujours à dominer la bête. Sans cette certitude, l'ordre des choses aurait été compromis. La suprématie de l'homme sur les autres organismes vivants n'aurait plus eu de sens. Et Félix ne respectait pas ce principe vital.

– Une piastre que je le monte avant de partir, enchérit Camille, dangereusement déterminée.

Renversé par la contre-offre et le montant de la mise, Félix lui serra la main, croyant à une blague. Il s'attendait à un sourire, à une raillerie ou au dénouement de ce qu'il avait reçu comme une bonne boutade. Mais Camille demeurait imperturbable. Sa gageure, aussi invraisemblable fut-elle, s'annonçait sérieuse. Félix pouffa de rire. Depuis un long moment, deux hommes s'évertuaient à seller ce pur-sang effarouché, et cette petite demoiselle haute comme trois pommes allait candidement poser ses fesses sur le dos de la bête et chevaucher en toute quiétude dans les prés environnants... Camille était complètement folle !

La jeune femme n'accorda aucune importance au rire sarcastique de Félix. Son esprit avait déjà rejoint les hommes et la bête, claustrés dans leurs desseins incertains. Félix n'insista pas. Il avait fallu de long mois pour tisser leur amitié. Camille allait perdre une piastre : tant pis pour elle.

— Dimanche prochain, c'est l'anniversaire de Magdaline, murmura-t-il.

— Hum..., fit-elle, sans plus de sollicitude.

— On devrait lui faire une fête, proposa Félix.

— Elle en aura une. Une grande et plutôt bien organisée. Avec monsieur le maire, le curé et la fanfare de Saint-Jérôme. Magdaline a dû te raconter...

— Je ne parle pas de cette fête-là ! Tu connais Magdaline. Elle n'oublie jamais de nous fricoter un petit quelque chose de spécial. Alors, je me disais que, toi et moi, ensemble, nous pourrions lui concocter une espèce de surprise. Je ne sais pas, moi... Ça pourrait être une pho...

— Ça y est maintenant, regarde ! le coupa Camille, les yeux écarquillés.

Félix se retourna du côté des hommes et de la bête. Le palefrenier avait réussi à déposer la matelassure de la selle sur le dos du cheval. D'une main douce mais ferme, il ramena la partie la plus longue de la sangle sous le ventre de l'animal. Il la retint par l'anneau métallique de l'extrémité et y glissa la partie courte. De son côté, monsieur Poulin flattait les naseaux du cheval. Il écoutait attentivement chacune de ses respirations. Il suivait avec vigilance le rythme des battements de son cœur. Il demeurait à l'affût de ses moindres réactions. Le cheval remontait encore le chanfrein, de temps à autre, mais sa nervosité paraissait s'assoupir. Du regard, monsieur Poulin enjoignit le garçon d'écurie à poursuivre la manœuvre. Lorsque la sangle fut suffisamment tendue pour maintenir la selle en place, le palefrenier rabattit l'étrivière sur le flanc du cheval avec la même précaution. La bête ne manifesta aucune résistance. Monsieur Poulin et son acolyte échangèrent un sourire satisfait. L'indocile s'était rendu.

Le palefrenier recula jusqu'à la barrière de l'enclos. Monsieur Poulin glissa son gant sur les rênes, à quelques mains sous le mors. Sans tourner le dos à l'animal, il tira les brides. Le cheval le suivit sans s'insurger. Monsieur Poulin lui fit faire un tour complet de l'enclos et le ramena au centre du terrain. Là, il relâcha les rênes, de manière à augmenter la distance entre le cheval et lui. La bête demeura docile. D'un coup de guides, il indiqua au cheval d'avancer. La bête, sans rechigner, marcha autour de son nouveau maître comme il le lui ordonnait. Monsieur Poulin fit stopper le cheval, puis avancer, puis arrêter, puis trotter, puis arrêter enfin. Il récompensa le jeune étalon de son obéissance avec un carré de sucre qu'il sortit de la poche de sa veste en peau de porc, ridée et patinée par le temps. Camille, Félix et le palefrenier tapaient joyeusement dans leurs mains en scandant des bravos à celui qui venait de démontrer la supériorité de l'homme sur l'animal. Monsieur Poulin, fier comme un gladiateur victorieux, marcha vers eux, tirant son yearling maté.

– Trente cents dans mes poches ! murmura Camille d'une voix triomphante, au creux de l'oreille de Félix. Et ce n'est pas fini...

– Tout le monde peut se tromper, concéda Félix, bon joueur, mais désireux de ne pas évoquer l'autre pari.

– Surveillez bien la suite, cher monsieur !

Monsieur Poulin alla à la rencontre des deux spectateurs.

– Il y a une demi-heure, je ne pensais pas que vous y arriveriez, avoua Félix en serrant vigoureusement la main du propriétaire de l'écurie.

– C'est dommage que vous n'ayez pas apporté votre *kodak* ! Ça aurait fait des saprés de beaux portraits, mon ami.

– On se reprendra. Je ne pense pas que vous ayez le plaisir de connaître mademoiselle McCready...

– Non, en effet, acquiesça monsieur Poulin en lui tendant la main.

– Camille McCready ! Toutes mes félicitations, monsieur ! Une main de fer dans un gant de velours. Du beau travail.

– Ne me dites pas que vous êtes une des rares dames qui s'intéressent aux chevaux, se rengorgea le dresseur, flatté par la sincérité du compliment.

– Certainement ! Plus ils sont rebelles, plus ils me passionnent.

– Tiens donc ! Ce n'est pas souvent qu'on entend ça de la bouche d'une jeune femme.

– Savez-vous ce qui me ferait vraiment plaisir ?

– Je n'en ai pas la moindre idée, mademoiselle, lança monsieur Poulin, que la perspective de pouvoir faire quelque chose d'agréable pour cette charmante jeune femme rendait déjà heureux.

– J'aimerais que vous me laissiez votre bel étalon, juste un petit moment, pour que je lui fasse faire quelques pas dans le clos.

– Euh..., réagit le propriétaire, surpris par une telle requête. Ce n'est pas un chien de poche, une bête comme ça, bafouilla-t-il, déstabilisé par sa demande.

– Je sais ! Ne craignez rien.

– Ne craignez rien ! Pffff ! Facile à dire ! L'avez-vous vu piaffer et ruer dans les brancards ? Ce n'est pas dit qu'il ne recommencera pas, vous savez. Il pourrait vous faire mal. Et si les rênes vous glissaient des mains... S'il fallait qu'il prenne la poudre d'escampette ! Avez-vous pensé au plaisir qu'on aurait, nous, à le ramener à l'écurie ? Sans compter qu'il pourrait se blesser en essayant de se sauver. Cette bête m'a coûté la peau des fesses, mademoiselle ! Vous n'avez pas idée ! Ah... Venez plutôt à l'écurie. On va vous en trouver un autre à monter. J'ai de vraies belles bêtes, à l'intérieur.

Tandis que monsieur Poulin s'égosillait, Camille s'était approchée du cheval. Elle avait déjà tendu sa main pour qu'il la renifle. À en juger par la réaction de l'étalon, son odeur ne l'effrayait pas. Elle blottit alors sa tête sous la ganache et caressa l'encolure.

– Mais pourquoi celui-là plus qu'un autre ? se désespéra Poulin, dépassé par l'insistance de cette petite demoiselle.

– Croix sur mon âme, je vous le ramène dans quelques minutes, sans écorchure, sans cassure ni fêlure, et à peine dépeigné ! Je vous le promets.

Perplexe, le propriétaire de l'étalon lui remit les rênes sans comprendre pourquoi il acceptait. De toute évidence, il résistait plus facilement aux chevaux qu'aux femmes.

Camille raccourcit les guides et se planta au niveau des yeux de l'animal. L'étalon la dépassait d'au moins deux têtes et demie, mais il se laissa mener comme un bon gros toutou. Elle entraîna le cheval jusque sur la butte de la voie ferrée. Les hommes, inquiets, la suivaient des yeux. La jeune femme tira l'œil de l'étrivière. Bien qu'elle parût assez solide pour porter son poids sans tourner, elle la jugea trop haute pour l'atteindre. Elle défit la boucle de la sangle et l'amena jusqu'à sa pleine longueur. Monsieur Poulin s'énervait.

– Ne me dites pas que cette enfant-là a l'intention de le monter !

Félix resta muet, ne sachant trop s'il s'agissait là d'une véritable question ou d'une manifestation de panique.

– Monsieur Calvé ! Ne me dites pas qu'elle va essayer de le monter ! Ça n'a aucun bon sens ! répétait Poulin, de plus en plus nerveux.

– Peut-être bien... Mais j'ai l'impression qu'il est trop tard pour aller le lui dire, répliqua Félix, repoussant son chapeau, stupéfié par la hardiesse de la jeune femme.

Camille glissa son pied dans l'étrier. Elle s'agrippa solidement au pommeau de la selle. Sans effort apparent, elle balança sa jambe droite par-dessus la croupe de l'animal et atterrit en douceur au centre du troussequin. L'étalon s'affola. Il se dressa sur ses pattes arrière, cherchant à se débarrasser de la charge qui lui alourdissait subitement les reins. Sa tête balayait l'espace, sa colère fendait l'air. Il hennissait tout ce qui lui restait d'insoumission. Il exhalait à pleins naseaux sa furie de se voir spolier de sa nature.

Camille s'accrochait. Secouée dans tous les sens, elle s'obstinait à ne pas concéder un seul pouce de la bride à l'étalon. Ses genoux serraient les flancs de l'animal et sa main s'ancrait encore plus profondément aux mèches rebelles de la crinière drue et presque blonde. Mais l'étalon se mit à pivoter brutalement, comme un cheval de manège qui se mutine contre son mestre. Camille relâcha les rênes. Elle chercha à garder son calme de manière à ce que son corps épouse, avec souplesse, les soubresauts de l'animal ; c'était le seul moyen de rester en selle.

— Si jamais elle tombe, le cheval la piétine, gémit monsieur Poulin, craignant maintenant le pire.

— Elle ne tombera pas, déclara Félix, non pour le rassurer mais bien parce qu'il avait la certitude que sa *mestengo* resterait sur le cheval.

Les trépidations de la bête ralentirent. Camille se garda de manifester trop prématurément son autorité. Elle commença plutôt à lui parler :

— Doux... Tout doux... C'est ça !

Le cheval s'immobilisa. La jeune femme poursuivit son baratin.

— Gentil... Bon cheval... Viens ! On avance maintenant, l'incita-t-elle d'un coup de bride inoffensif.

L'étalon obéit. Félix souriait. Monsieur Poulin n'en croyait pas ses yeux. Confiante d'avoir retrouvé le contrôle, Camille fit trotter la bête. Elle sentit le cheval conciliant et sa main, plus sûre. Elle fonça au galop jusqu'à l'enclos. Elle mit pied à terre, replaça la crinière emmêlée de l'animal et tendit les rênes à monsieur Poulin. Elle alla vers Félix et lui lança, à voix basse :

– Une piastre !

Le jeune homme jubilait, amusé par le cran inimaginable de ce petit bout de femme. Il venait de perdre une piastre. Et alors ? Une somme ridicule, considérant le trésor offert en échange. Il avait envie de danser tant sa bonne humeur débordait. Mais il se retint : il ne voulait pas laisser croire à monsieur Poulin qu'il le ridiculisait, pas plus qu'il ne souhaitait que Camille se méprenne sur le sens de ses effusions. Mais son petit doigt lui disait que Camille et lui étaient faits pour former une équipe. Elle deviendrait son alliée, sa partenaire de jeu, son trèfle à quatre feuilles. Avec elle, il gagnerait, car elle n'avait pas à bluffer pour empocher la mise. Camille était une gagnante-née et Félix aimait gagner.

– Alors ! On veille ici ou on va le choisir, ce poulain ? lança Camille.

– On y va, mademoiselle, on y va..., grommela monsieur Poulin, encore ébranlé par la démonstration de Camille.

Chapitre 46

Sans perdre le nord

Rose ne s'amusait pas. Que le gouvernement provincial fasse enfin de Saint-Jérôme le chef-lieu du district judiciaire, après soixante-cinq ans d'efforts réitérés, ne changeait strictement rien à son existence. Que l'on construise un magistral palais de justice avec chauffage à l'eau chaude, ventilation, éclairage perfectionné, voûtes et prison à l'épreuve du feu ne la rendait pas plus heureuse. Que l'on érige un monument au curé Antoine Labelle dans le parc aménagé en l'honneur de sa mission, pour veiller à la fois sur ce nouveau « temple de la justice » et sur le « temple de Dieu », ne sécurisait en rien sa propre vie affective. Cette cérémonie officielle, à laquelle tous les citoyens avaient été conviés, n'était à ses yeux qu'un autre prétexte, inventé par et pour les messieurs, à lever le coude, reluquer les jeunes créatures et se raconter toutes sortes d'histoires insignifiantes, tout en gardant bonne conscience. Rose aurait volontiers sauté par-dessus ces célébrations du 12 juin pour laver les moustiquaires qu'Ernest avait promis d'installer dans l'après-midi.

Rose espérait un répit, mais ne trouvait qu'agitation et bruit autour d'elle. Au milieu du parc, à la demande générale, la fanfare reprenait et reprenait encore l'air de *La Jérômienne*, cette toute nouvelle chanson officielle de la ville, écrite pour la circonstance par messieurs Grignon et Marchand. Rose ne pouvait déjà plus la souffrir, cette chanson, ainsi que tous ces fêtards qui faussaient à tue-tête et qu'elle aurait étripés jusqu'au dernier. D'abord, les enfants ! Ces charmants petits enfants du bon Dieu qui couraient partout. Elle les aurait étranglés pour ne plus les avoir entre les pattes et pour qu'ils ne s'amusent plus à piétiner ses belles chaussures fraîchement astiquées. Une vraie misère ! Et les grands n'étaient guère mieux. Il y avait aussi tous ces messieurs, qui lui donnaient la migraine à vanter haut et fort leurs succès, à imposer vertement leurs points de vue et à pour-chasser les députés David et Prévost dans l'espoir de leur vendre leurs projets. Le maire et les échevins ne donnaient pas non plus leur place : ils se pavanaient dans le parc comme des paons qui se rengorgent de vanité.

Et les femmes ! Ah, les femmes, regroupées en dizaines d'anneaux parfaits de créatures modèles, éparpillés çà et là au gré des humeurs de la gent masculine ! Rose aurait voulu se changer en lampadaire plutôt que d'avoir à les rejoindre pour papoter de robes, de chapeaux ou d'enfants. Elle n'avait pas non plus envie de rencontrer ce nouvel abbé de Villères, que monsieur le curé promenait d'un essaim à l'autre en le présentant, avec un orgueil digne des plus grands pécheurs, comme l'homme qui allait concrétiser le projet de la cathé-drale. Les dames se pâmaient d'admiration devant lui. Elles couraient les unes derrière les autres pour faire la connais-sance de ce Bruno de Villères, le bel abbé débarqué de la Nouvelle-Orléans, avec sa tête de star de cinéma, sa carrure de sportif, son élégance princière et son charme de tombeur. Il avait tout pour alimenter les ragots de Bella Labelle pendant des années !

Rose avait bien d'autres préoccupations. Elle devait guetter, avec rigueur et vivacité, le perron de l'édifice majes-tueux de quatre étages, tout de pierre et de brique. Elle était chargée d'inquiétude : son Ernest et Charles Larin, l'entrepreneur en construction du palais de justice, étaient disparus derrière ses colonnades de granit depuis maintenant plus d'une heure. Elle se morfondait littéralement. Que pouvait-il y avoir de si intéressant à l'intérieur pour retenir deux hommes aussi longtemps ? Des femmes ? De l'alcool ? Des cartes ? Chaque minute qui passait avait sur elle l'effet d'une poignée de sel frottée sur une plaie vive. Plus le temps avançait, plus invraisemblables étaient les scénarios qu'elle s'inventait. Elle se construisait des histoires ineptes qui n'avaient strictement rien à voir avec le caractère des protagonistes en cause mais qui, plutôt, donnaient vie à sa panique. Sa colère fermentait. Rose avait tout à coup perdu le contrôle de son cher époux et la situation la rendait complètement folle. Elle ne le voyait plus, son Ernest. Elle ne savait pas ce qu'il faisait, ni avec qui, ni pourquoi et, surtout, elle ne savait pas quand il reviendrait. Horreur ! Fatalité ! Calamité ! De quoi devenir cinglée...

Rose cherchait à détourner son attention de ces satanées portes de chêne mangeuses de mari. Lorsqu'elle y parvenait, son regard revenait invariablement sur le colossal monument du curé Labelle, dont la main pointait vers le Nord, comme pour indiquer aux Jérômiens la route à suivre. Là encore, l'ire lui raidissait la mâchoire et lui rougissait les lobes d'oreilles. Devant le socle de granit en provenance de Stanstead, elle retrouvait chaque fois sa voisine, madame de Tonnancourt, évidemment accoutrée pour attirer l'attention et qui, depuis un bon moment, avait établi ses quartiers sous la main de bronze bienveillante du grand Roi du Nord. Elle s'entretenait très chaleureusement avec le sculpteur du monument, un dénommé Alfred Laliberté, un type aux moustaches aussi longues que celles d'un chat mature et tellement cirées qu'elles lui collaient aux pommettes. Ce drôle de moineau semblait avoir beaucoup, beaucoup de choses à raconter à madame de Tonnancourt. Rose l'avait même vu embrasser la main de Magdaline avec un élan de passion des plus torrides et probablement réservé à de rares privilégiées de l'espèce humaine, aux yeux doux et à la silhouette bien roulée.

C'était l'anniversaire de Magdaline, aujourd'hui. Soit ! Mais aux yeux de Rose, l'attitude de ce monsieur coloré dépassait largement les bornes de la politesse indiquée pour souhaiter bon anniversaire. Peut-être ce monsieur faisait-il partie du cercle fermé des amis, intimes et plutôt discrets, de madame la voisine. Possible ! Même dans ces circonstances, jugea Rose, la conduite de l'artiste, tout comme celle de madame de Tonnancourt, n'en était pas moins déplacée. Ah ! Cette Magdaline ! Une bonne personne, sans doute. Mais une personne aux mœurs qui faisaient de plus en plus jaser.

Rose savait combien Magdaline exerçait une influence importante sur Camille. D'ailleurs, elle lui imputait la responsabilité de la manière d'être de plus en plus provocatrice de sa nièce. Ces derniers temps, et à son grand désespoir, Camille et ce fameux monsieur Calvé baguenaudaient toujours autour d'elle, tout comme maintenant, d'ailleurs. Ils papotaient joyeusement, de l'autre côté de la statue, à quelques éclats de rire de la femme qu'ils semblaient tous deux avoir adoptée comme modèle. Rose se retenait à deux mains pour ne pas aller cueillir sa nièce à grands coups de pincettes, la ramener à la maison par la peau du cou et l'obliger à réfléchir un peu, seule dans sa chambre, à l'attitude convenable qu'une jeune fille de bonne famille devait adopter en présence d'un jeune homme, surtout en public. Décidément, Ernest n'avait pas l'œil pour ce genre de choses.

Depuis que Camille avait accepté le poste de commis chez Litner, il se passait quelque chose d'étrange entre elle et ce monsieur Calvé. Étrange et inconvenant. Plusieurs fois par semaine, Rose les voyait sortir à la même heure, comme par hasard, et descendre ensemble au village. Sans chaperon ! Il n'était pas rare qu'elle les surprenne à revenir du travail, encore ensemble, toujours par hasard et toujours seuls. À l'occasion, elle les trouvait au fond de la cour, à la brunante, à bavarder comme de vieux amis, chacun sur son bord de clôture, comme si ces piquets blancs qui les séparaient minimisaient l'indécence de leurs rencontres clandestines. Et quand Camille visitait Magdaline, Dieu seul savait si cette espèce d'exilé sans famille rôdait dans la maison et si madame de Tonnancourt assumait correctement ses responsabilités de chaperon. Cette femme baroque avait une façon bien amorale de se comporter avec les étrangers, et il était hors de question que Camille adopte ces manières choquantes, tant et aussi longtemps qu'elle vivrait sous le toit de Rose McCready. Si ce monsieur Calvé avait l'honnête intention de faire la cour à Camille, il devrait le faire de manière officielle, avec la permission de son père, selon les règles de la bienséance et dans le respect de la religion catholique. Ah... Si seulement Ernest pouvait sortir de ce château fort. Elle l'enverrait de ce pas la rappeler à l'ordre, sa chère Camille.

Rose pestait en silence, mussée derrière son érable, pendant que Camille et Félix s'amusaient comme des enfants. Ils avaient toutes les raisons du monde d'être heureux. Depuis le matin, ils s'étaient faits complices de quelques délicatesses à l'intention de leur amie Magdaline. Ils avaient tout mis en œuvre pour qu'elle garde un doux souvenir du jour de ses quarante-neuf ans. Ils l'avaient d'abord sortie de son sommeil, dès l'aurore, en lui chantant *À la claire fontaine*. Ils lui avaient préparé des crêpes bien épaisses, tartinées de sucre d'érable et de confiture de fraises, généreusement arrosées de crème fermière. Puis, après la messe, les deux jeunes gens s'étaient rejoints à la « Montagne de cire », derrière le terrain des sœurs de Sainte-Anne. Ils avaient cueilli un gigantesque bouquet d'orge queue d'écureuil, de sétaire verte, de renouée liseron, de persicaire pâle, de lychnide blanche, de silène enflé, de renoncule rampante, de moutarde des oiseaux, de vesce jargeau, de salicaires, de carottes sauvages, de liserons, de chardons et de marguerites. Ils avaient garni la gerbe de rubans roses et avaient couru l'offrir à Magdaline, quelques minutes avant qu'elle ne rejoigne les célébrations du chef-lieu. Félix avait en tête une dernière surprise.

Magdaline flottait. Elle n'aurait pu imaginer mieux pour son anniversaire. Les surprises de ses amis lui avaient fait chaud au cœur. Toute la journée, elle s'était laissée porter par les douceurs des uns et les bons souhaits des autres. Après la messe, elle avait eu la visite de monsieur Duquette et de ses enfants. À son grand bonheur, la famille ne se portait pas si mal, malgré leur peine encore vive. Puis, madame Auger, sa voisine d'en arrière, lui avait fait livrer par son aînée quelques galettes à la mélasse encore chaudes. Même Edward, ce cher Edward, avait pensé à elle. Il lui avait envoyé, de Boston, un mot de réconciliation, rempli de tendresse bien amicale. Son cœur était enfin en paix. Magdaline rendait grâce à la vie de lui réserver tant de bienfaits. Elle était entourée de gens qu'elle affectionnait profondément et qui l'aimaient tout autant. Que pouvait-elle attendre de plus ? Rien. Pourtant, le destin continuait à se faire généreux, par exemple en lui faisant rencontrer des gens merveilleux.

Ce monsieur Laliberté l'enchantait. En dehors de ses rares sorties à l'Art Association of Montreal, les occasions de parler d'art, de formes, d'ombre et de lumière n'abondaient pas à Saint-Jérôme. D'ailleurs, ses longues conversations avec Edward, lors desquelles ils discutaient, critiquaient et s'affrontaient au sujet des courants d'art, des peintres, des sculpteurs, des collections et des salons, lui manquaient terriblement. En compagnie de cet Alfred Laliberté, Magdaline goûtait de nouveau, aujourd'hui, à cette magie, à cet excitant spirituel qui la transportait dans son monde chéri de couleurs, de textures et de sens inventés. Ces voyages la grisaient, parce qu'ils l'amenaient là où la sensibilité domine le monde, là où l'émotion transcende la raison, là où l'artiste est maître.

Magdaline aimait bien le curé Bergevin, mais lorsqu'elle le vit marcher d'un pas cadencé dans sa direction, elle croisa les doigts pour que messieurs David, Prévost, Nantel, Legault ou même le bon Dieu lui-même surgissent et modifient sa trajectoire. Elle ne voulait pas qu'on interrompe son plaisir. Elle n'avait pas envie qu'on taise prématurément ces douces histoires d'âme avec de ternes discours. Elle n'avait pas envie d'entendre parler de la mission du colonisateur du Nord, du travail du comité des fonds pour la statue, des coûts extraordinaires du bronze, du granit et des matériaux nobles si prisés des artistes sculpteurs. Malheureusement, le desservant de la circonscription ecclésiastique de Saint-Jérôme et son nouvel acolyte arrivèrent à bon port et sans accroc.

— Madame de Tonnancourt ! Très chère, enfin, je vous retrouve ! Combien ma route jusqu'à vous fut longue !

— Monsieur le curé ! Vous connaissez monsieur Laliberté, je crois ?

— Comment allez-vous, mon ami ? Magnifique travail que cette statue ! Bravo ! Rares sont les mains habiles comme les vôtres, capables de faire naître la vie de la terre, du bois, de la pierre et du métal. Dieu vous a fait cadeau d'un grand talent, monsieur. Chérissez-le ! Peaufinez-le ! Et, surtout, continuez à en offrir les fruits à vos semblables ainsi qu'à Dieu et à l'Église.

Alfred Laliberté faillit répondre « Ainsi soit-il ! », mais il se contenta d'accepter le compliment avec humilité et, pour toute réponse, rendit un sourire transi.

– Mes amis, j'aimerais vous présenter l'abbé Bruno de Villères, reprit le curé.

Monsieur Laliberté lui serra chaleureusement la main. Magdaline allait l'imiter lorsqu'elle croisa les yeux de l'homme. Un frisson intense la détourna de son intention : des sourcils de jais, drus et dessinés comme des accents circonflexes, deux billes bleu de Saxe, aux pourtours plus noirs que l'âme de Satan, lui chatouillaient la raison. Une kyrielle d'émotions formidables gambillaient dans le regard de ce prêtre. Magdaline cherchait à en décrypter les fragments. Le jeu d'images qui s'y succédaient la fascinait.

– J'ai dit à l'abbé de Villères qu'il pourrait certainement compter sur votre aide pour notre projet, précisa le curé, légèrement contrarié par ce silence gênant qui ne laissait rien présager qui vaille. Figurez-vous, mon enfant, que nous avons idée de mettre en scène « La Passion », ajouta-t-il, puisque son abbé aussi semblait avoir perdu sa langue.

– Mettre en scène la passion..., répéta Magdaline, sans se rendre compte qu'elle attribuait au mot « passion » le sens de l'amour plutôt que celui de la souffrance auquel le curé faisait allusion.

Chamboulée par l'intensité du regard de l'abbé de Villères, elle ajouta :

– Mais quel beau projet !

– Avec votre aide, chère madame, ce travail sera bien loin de la souffrance, j'en suis certain, glissa l'abbé de Villères, d'une voix chaude et calme comme celle d'un sage... ou celle d'un fou...

L'après-midi tirait à sa fin. Quand Félix entendit la voix du curé, de l'autre côté du socle de granit, le moment lui parut approprié pour inviter Camille à s'éclipser en douce. Au pied de la côte Saint-Georges, il lui fit part de son plan. La jeune femme trouva l'idée géniale et lui suggéra de ne pas attendre la Saint-Jean-Baptiste pour passer à l'action. Félix voulut parier trente cents qu'il arriverait le premier en haut de la côte. Camille négocia la mise à cinq cents. La course fut serrée. Pour gagner, la jeune femme dut retenir son adversaire par le pan de sa veste. Félix contesta sa victoire, menaça de l'accuser de haute trahison et d'amener l'affaire jusqu'au tout nouveau palais de justice. Ils rirent de bon cœur et chacun remit à l'autre sa pièce de cinq cents.

Pendant ce temps, Rose avait délaissé l'agitation du parc. Elle arpentait la rue Virginie, rebaptisée pour l'occasion rue du Palais. Ses yeux ne quittaient plus les quatre fûts des colonnes hautes de deux étages qui protégeaient trop bien le parvis du palais de justice des regards curieux comme le sien. Elle comptait les colonnades d'est en ouest et les recomptait d'ouest en est. Tantôt, elle les additionnait, tantôt elle les soustrayait, puis elle les multipliait ou les divisait ; bizarrement, le compte restait le même ! Prise d'une panique devenue incontrôlable, elle suppliait pour qu'un miracle se produise. Elle voulait son mari.

À cet instant, comme pour l'exaucer, Ernest jaillit du temple de la justice en trépignant de joie comme un gamin. Il ne s'attendait pas à trouver Rose sur le trottoir, mais la surprise lui fit plaisir. Il descendit les marches trois par trois et la rejoignit, excité, pressé de tout lui raconter. L'intensité de son bonheur l'empêcha de remarquer la tiédeur de l'accueil.

– Oh, Rose ! Il faut que tu voies ça ! C'est beau sans bon sens ! Un soubassement de quatorze pieds de haut avec des murs en fruit donné ! Des solives en chêne rouge et en épinette blanche, à tous les vingt pouces ! Un comble en croix qui donne un étage tout ouvert, sans colonne, entièrement supporté par les murs extérieurs ! Et des escaliers, des garde-corps, des planchers, des lambris, des moulures, des enduits, des cadres de portes et des fenêtres tout en chêne massif ! Eh ! Que c'est beau ! Viens, je vais demander à monsieur...

– Ernest ! Arrête-toi ! Ce n'est pas le temps de t'extasier sur des bouts de bois. Il y a des choses bien plus pressantes à régler.

Le ton de Rose glaça l'enthousiasme d'Ernest.

– Tu vas commencer par aller chercher ta fille, ordonna sèchement Rose à son mari. C'est bien simple..., elle me fait honte.

– Ma fille ?

– Oui, ta fille ! Regarde, là, en dessous de la main du curé Labelle. Regarde ce qu'elle fait, ta Camille !

Ernest pivota dans la direction indiquée.

– Elle n'est pas là...

– Ta vue baisse, mon vieux ! le rabroua Rose en se retournant à son tour.

Mais Ernest avait raison. Camille n'y était plus.

– Bon, elle est partie. Mais elle était là. Elle a passé l'après-midi là. Et elle ne faisait rien de bien plus joli que ce que notre voisine fait maintenant.

Ernest regarda deux fois plutôt qu'une.

– Rose... Veux-tu me dire ce qu'il y a de pas joli à jaser avec le curé Bergevin et le nouvel abbé ? Il n'y a rien de péché là-dedans, ma foi d'honneur !

– Ah, Ernest ! Tantôt, ce n'est pas avec monsieur le curé que madame notre voisine parlait. De toute façon, avec ceux-là ou avec l'autre, c'est du pareil au même. Regarde-la ! Mais regarde-lui l'air !

– Si tu veux, Rose, on va retourner tranquillement à la maison. Je vais te faire une bonne tasse de thé chaud et tu vas me raconter tout ça.

– Je n'ai rien à raconter, Ernest. Si tu voulais seulement t'ouvrir les yeux, tu verrais peut-être quelque chose. Mais tu ne veux pas ! Viens-t-en ! Il y a les moustiquaires à poser. Je suppose que tu avais oublié ça...

Sur ces paroles, Rose mit le cap en direction de la rue Saint-Georges. Ancrée au bras de son homme, elle marchait, le précédant d'une enjambée, obligeant Ernest à suivre son rythme. Ni dans sa tête, ni dans son cœur la tempête ne s'était calmée. Mais Ernest avait baissé les voiles. Il voguait sur la mer tourmentée, le nez encore dans les essences de bois et la tête remplie d'images de cette impressionnante construction.

Chapitre 47

Clair-obscur

Félix se dépêchait comme un enfant pressé de retourner à ses jeux. Il courait, d'un coin à l'autre de la chambre, rassemblant son équipement de photographie endormi dans sa cachette depuis presque un an. Comme s'il avait rangé ces précieux objets la veille, il allait chercher chaque pièce directement, avec l'instinct d'un écureuil finaud qui retrouve, au premier coup de museau, son butin dispersé aux quatre vents. En deux temps, trois mouvements, boîtier, lentilles, plaques de nitrate d'argent, trépied, pinceau et chiffon recouvrirent les acrobates de popeline et de laine qui flottaient sur son lit. Il passa l'attirail en revue. Il enleva sa veste et, d'un geste extravagant, l'expédia sur l'oreiller rebondi. Le bruit du verre qui tinta contre le métal du sommier lui rappela qu'il restait encore une bonne gorgée de Southern Comfort dans la flasque qu'il avait glissée dans sa poche, en revenant de la messe. Il récupéra la bouteille à la hâte et, d'un seul trait, la vida. Finie l'abstinence. Aujourd'hui, c'était la fête.

Après douze mois d'existence claustrale, il avait décidé qu'il recommençait à vivre. Au diable les diagnostics, les conseils et les mises en garde tragiques de ces érudits médecins. Il se sentait mieux, c'était l'important. Et si, comme on le lui avait laissé croire, il n'avait que quelques années devant lui, mieux valait jouir de chaque moment, dès maintenant, avec fureur et passion. Il ramassa son équipement en vitesse, dévala l'escalier, agrippa sur le dossier du sofa le châle en soie de Magdaline et fonça vers la porte arrière.

Camille avait sorti Vertu de son box et l'avait installée au fond de la grange. Elle avait pris soin de la tourner, de manière à placer sa tête entre les longues ombres langoureuses dessinées par les rayons de soleil qui entraient par l'œil-de-bœuf de la façade. Quand Félix referma la porte derrière lui, l'image était si belle qu'elle lui coupa le souffle. L'orangé de la lumière diffuse baignait la grange d'une fragilité saisissante. Les balles de foin empilées contre le mur opposé réfléchissaient des paillettes d'ocre chatoyantes qui traçaient, tout autour de Camille et du cheval, un halo translucide, doux et mystérieux comme celui qui découpe les anges des images saintes. Sur la pointe des pieds, la jeune femme lissait de sa petite main aimante la crinière de Vertu qui retombait, sous chaque coup de brosse, en filaments soyeux, couleur de nougat, de tire et de caramel. Tout en soignant le cheval, Camille chantonnait une chanson aux paroles incompréhensibles.

Pendant un moment, Félix eut l'impression de se retrouver sur la Rouge, chamboulé par un roulis de passions violentes et luttant contre un courant trop puissant. Une intense décharge, forte comme un coup de dynamite, le traversa des pieds à la tête. Il n'en croyait pas ses yeux. Il divaguait certainement. Le clair-obscur de cette scène aux allures enchantées lui révélait, là, comme par magie, ce qu'il avait osé imaginer une fois seulement. Une fois, à travers sa fenêtre. Une fois bénie. Lorsqu'il avait aperçu Camille, en chemise de nuit, entre les brides de dentelle du rideau, à peine éclairée par la flamme bleutée de la lampe à huile. Ses longues boucles rousses couraient sur ses épaules et coulaient jusqu'à sa poitrine en galbant ses seins ronds et pleins.

Oui, ce soir-là, derrière son rire, il avait osé imaginer. Il avait eu l'audace d'inventer sous ses doigts sa poitrine gorgée de suc comme un fruit qui veut être cueilli. Dans son imagination, il avait laissé ses lèvres savourer cette chair qu'il supposait délicieuse. Cette fois-là, il en aurait voulu tellement plus. Comme un corsaire qui fouille la mer avec rage pour repérer son trésor, il avait alors cherché, au-delà de la blancheur du vêtement de nuit, un ventre, des hanches, des fesses, des cuisses, ou même un genou. En vain. Camille avait soufflé la lampe et baissé le store avant même qu'il ait pu apercevoir l'ombre d'une courbe. Maintes fois, l'idée de récidiver lui avait traversé l'esprit. Il lui aurait suffi de se mettre à nouveau à la fenêtre, à la même heure, mais cette fois en secret, blotti derrière le cadrage et couvert par la noirceur. Mais il n'avait jamais osé. Pourquoi ? Cela restait, pour lui, un véritable mystère.

Maintenant, la lumière incidente traversait l'interdit. Elle dispersait ses faisceaux entre les plis de la robe de mousseline, vaporeuse comme la bruine et d'un vert plus tendre que celui des bourgeons d'amaryllis. Sans s'infléchir, chaque rai de lumière longeait amoureusement la silhouette de Camille, suivant chaque ligne de son corps, épousant chaque courbe. Il n'avait plus à jouer les pirates. Le trésor remontait à la surface. Il s'étalait sous ses yeux et s'offrait à lui : un corps petit, mais harmonieux, affriolant. Un corps qui le réclamait. Un corps qui ne ressemblait à aucun de ceux qu'il avait loués, ni même à ceux qu'il avait rêvé posséder. Pourtant, ce corps l'appelait avec une force semblable à celle d'un remous qui appelle et appelle encore le torrent à mourir en lui.

Comme le contre-jour l'aveuglait, Camille tarda à remarquer la présence de Félix. Quand elle l'aperçut, elle s'arrêta de chantonner *Jabadaw*. Elle lui envoya un sourire dévastateur et le rejoignit en gambadant.

– Dépêchons-nous avant que Magdaline ne revienne.

– Oui ! acquiesça le jeune homme en lui tournant le dos pour cacher l'effrayante érection qui boursouflait son pantalon.

– Quelle bonne idée tu as eue, Félix ! Dommage que tu n'y aies pas pensé quelques jours plus tôt. On aurait pu lui offrir le portrait de Vertu aujourd'hui.

– Ce n'est pas si grave. Ça va faire durer le plaisir plus longtemps.

– Pas bête. Laisse-moi te donner un coup de main, d'accord ? On va voir si je me souviens.

– Euh... répondit Félix, hésitant, craignant que Camille ne remarque son état embarrassant.

– Allez !

– Belle *mestengo*, va ! Quand tu as une idée dans la tête, toi, tu ne l'as pas dans les pieds, rouspéta Félix, taquin.

– Ah... Tu l'as remarqué ? rétorqua-t-elle d'un ton faussement innocent, empoignant le trépied sans attendre son accord.

À la grande surprise de Félix, Camille refit les manœuvres qu'il lui avait enseignées au *merry-go-round*, au printemps de l'année dernière, comme si elle les avait répétées

514

la veille encore. Elle n'avait rien oublié. L'installation fut rapidement complétée. Il ne restait que la mise au point à faire. Félix glissa son voile noir derrière sa nuque. Il colla ses yeux au viseur et fit disparaître sa tête sous l'étoffe.

– Que c'est beau ! On est chanceux d'avoir une si belle lumière. On va faire ça vite avant de la perdre.

Camille se réjouit que Félix ait l'intention d'agir rapidement. Cette urgence allait lui éviter de se retrouver à nouveau coincée, nez à nez avec lui, dans cet enfer torride en épaisse laine noire. Elle avait encore en travers de la gorge ce baiser mémorable, dans le chariot ailé du *merry-go-round*. Elle avait tant cherché à l'expliquer et l'avait si souvent désiré à nouveau. Elle l'avait maudit, puis avait ensuite cherché à l'oublier. Après tout ce temps, l'épisode du *merry-go-round* restait encore aussi nébuleux dans sa tête mais, maintenant, elle n'avait plus besoin de percer le mystère pour avancer.

Son idée était faite. Si le Ciel voulait qu'elle finisse ses jours avec un homme, ce serait avec Félix. Il fallait bien qu'elle se l'avoue : elle l'aimait à la folie. À son âge, ce serait cet homme-là ou personne. Depuis le moment où elle l'avait aperçu, le jeune homme vivait dans son cœur et dans sa tête, le jour comme la nuit. Il lui brûlait la peau comme une flamme que ni l'eau, ni le sable, ni le temps ne peut éteindre. Elle le voulait. À elle. Pour elle. Et cela, même en étant consciente de la nature différente et si ambiguë des sentiments qu'il avait pour elle.

Camille l'opiniâtre avait décidé de miser sur le temps. Elle laissait au temps le soin de la rapprocher de Félix. Elle savait que chaque plaisir partagé souderait un nouveau maillon entre eux. Chaque nouveau projet les propulserait, ensemble, un peu plus loin qu'aujourd'hui. Avec la patience d'un moine et la persévérance d'un castor qui érige, branche après branche, un barrage aussi large qu'un bras de rivière et presque aussi haut qu'une maison, la jeune femme se tricoterait, maille après maille, une place importante auprès de l'homme qu'elle aimait. Quoi qu'on put dire ou penser, Camille gardait espoir qu'un jour, le sablier façonnerait les sentiments de Félix. Avant que les derniers grains de sable ne rejoignent l'infini, elle aurait gagné son cœur. Ainsi, un baiser volé sous cette chambre mortuaire portative, aussi désiré soit-il, aussi délicieux fût-il, n'allait qu'étouffer le souffle de son dessein. Il agirait comme un coup de cravache sur leur amitié et, après coup, ferait fuir Félix à bride abattue, là où l'engagement ne pouvait le traquer, là où les responsabilités ne pouvaient l'attacher. Il valait mieux éviter toute tentation et maîtriser ses désirs. Le moment n'était pas venu de passer à l'action.

Félix prit un premier cliché. Il rechargea rapidement l'appareil et replongea sous le voile noir.

– Oh ! Le châle ! J'allais l'oublier, s'écria-t-il, perturbé qu'il était par l'effet du clair-obscur. Dis, Camille..., tu veux bien essayer de trouver une façon amusante de le nouer autour du cou de Vertu ? Il me semble que ça donnerait quelque chose d'intéressant.

– Certainement, consentit Camille, enchantée que Félix lui serve un alibi en or pour s'éloigner du foyer de la tentation.

Félix n'avait pas laissé le viseur de la caméra. Lorsqu'il aperçut la silhouette de la jeune femme poindre à la droite du cadre, la même décharge explosive le terrassa, encore une fois, jusque dans son pantalon. Cette fois, il profiterait du plaisir de l'image. Pris par l'émotion, il enfonça le déclencheur, ôta la plaque et rechargea. Il reprit la séquence deux ou trois fois jusqu'à ce que, dans l'obscurité, son désir monte et le pousse à vouloir plus encore que ce qu'il pouvait voir. Les jambes tremblantes comme des roseaux sous la bise, il courut rejoindre Camille.

– J'ai une idée de génie ! Nous allons en faire quelques-unes avec toi !

– Avec moi ? s'étonna-t-elle, ne s'attendant pas du tout à ça.

– Vite ! Pendant que nous avons la lumière !

– Comme ça ? proposa Camille en collant sa tête contre celle de la jument.

– Non, toi sur Vertu !

– Quoi ? Ce n'est pas sérieux ! Pas avec cette robe ! Je vais aller enfiler autre chose. J'en ai pour deux minutes.

– Non ! imposa Félix. Pas besoin ! Monte en amazone !

– Le plafond ne sera jamais assez haut !

– Tu es toute petite ! Allez !

– On va la seller, alors !

– Inutile ! Je connais tes talents d'écuyère, maintenant. Je sais que tu peux tenir facilement sur le dos de Vertu sans selle.

– Bon !

Félix croisa ses mains et les offrit à la jeune femme en guise d'étrier. Avec un friselis d'hésitation, Camille remonta sa robe jusqu'au-dessus du genou et y cala l'empeigne de sa chaussure jusqu'au talon. Félix ne se souvenait pas d'avoir vu, chez un adulte, un aussi petit pied. L'extrémité de l'escarpin caramel doré en cuir souple dépassait à peine les paumes de ses mains. Entre ses doigts effilés, un cou-de-pied délicieux, plus potelé que long, lustré par des fils de soie de la couleur du miel, ressemblait à un chaton fragile, recroquevillé de décence et pelotonné de peur. Il eut envie de s'agenouiller pour l'étreindre, le caresser, le réconforter. Plutôt, il leva les yeux et s'enquit si Camille était prête pour l'ascension. Elle fit rebondir sa jambe restée au sol, de manière à s'avancer pour s'accrocher à la crinière de Vertu. Le genou de son autre jambe se plia alors en révélant l'intérieur de sa cuisse, qui s'échappait de l'extrémité supérieure de son bas. Mais Camille n'avait rien remarqué. De la tête, elle fit signe qu'elle était prête.

Afin de donner à l'élan le ressort qui convenait, Félix se pencha. Son menton trébucha contre la jarretière de la jeune femme. Ses yeux plongèrent malgré eux dans les adorables replis rosés de sa cuisse, d'une peau plus douce que le duvet d'un oisillon. Il resserra ses mains, espérant du même coup rasséréner son âme et apaiser ses désirs, et souleva Camille sans effort. La poussée ne dura que quelques instants. À peine. Mais l'effet produit s'imprima à jamais dans ses veines, comme des vapeurs d'opium aux arômes de paradis. Pendant son envol, le corps de Camille avait frôlé son visage. Ses seins, puis son ventre, son sexe, sa cuisse et son genou avaient tour à tour nargué sa morale, saoulé sa raison, grisé ses instincts. Il avait chaud. Une main accrochée à sa cheville et l'autre fondue dans l'intimité de son jupon, il attendait, atermoyant, guettant la réprobation. Mais Camille, droite et fière, lovée à l'anglaise au creux des reins de Vertu, ne broncha pas.

Félix interpréta cette impassibilité comme un assentiment silencieux et balaya ses scrupules. Il posa délicatement les lèvres sur l'une des chevilles de Camille. Puis sur l'autre. Il promena ses mains, lentement, presque avec nonchalance, tantôt sur les fils de soie, tantôt plus haut, sur les infimes parcelles de peau qui trahissaient le plaisir qu'elle éprouvait. Avec la subtilité d'un amant doué, il insinua l'index, puis le majeur, entre les mollets de la jeune femme, pressés l'un contre l'autre. Avec une langueur à faire saliver une lionne repue, il gravit l'interstice formé par leur croisement, jusqu'à ce que ses doigts atteignent, en son sommet, l'arrondi moelleux de ses genoux. Là, il renversa les mains vers l'extérieur et avec plus d'audace, cette fois, il plongea les pouces entre ses cuisses, emprisonnant ses jambes dans ses larges paumes. Il fixa Camille droit dans les yeux. Une audace enivrante les éclairait. Une sorte de défi s'en échappait. Une invitation à jouer à un jeu dangereux. C'était à son tour de démontrer qu'il pouvait, lui aussi, aller au-delà des limites de sa hardiesse. Il relèverait le pari.

À l'intérieur des cuisses de Camille, il fraya sa route vers un péché au moins véniel... Se laissant envahir par une jouissive avidité, il enserra le haut de sa cuisse dans sa main, lui imprimant tout son désir. Les doigts de la jeune femme glissèrent de la crinière de Vertu jusqu'à la joue de Félix. Elle la caressa de la paume, puis du dos de la main. Elle parcourut ses sourcils, chercha ses paupières, glissa son doigt sur l'arête fine de son nez et engouffra son pouce entre ses dents. Corps et âme, Camille dérivait vers le péché. Félix bondit sur la petite main de Camille. Il en embrassa chaque doigt, les mordilla, les lécha, les savoura. Les yeux fermés, la bouche entrouverte, la jeune cavalière appelait des émotions plus fortes, des sensations plus puissantes, des caresses plus audacieuses. Félix glissa ses mains sous les fesses de Camille qui, naturellement, trouva appui sur ses épaules. Il la souleva et l'étendit sur la paille qui brillait des lueurs du soleil de l'après-midi. Il s'allongea à ses côtés. Le pacte était scellé. Dès lors, sur la poussée de leur témérité, ils s'envolèrent sans retour, sans compromis, sans frayeur et sans crainte du lendemain, droit vers une douce désobéissance.

Magdaline rentra fatiguée mais heureuse. La journée avait eu l'effet d'une véritable inspiration. Elle n'avait qu'une idée en tête : courir dans son atelier rejoindre ses couleurs et ses pinceaux. Elle voulait donner une forme à sa joie, une couleur à sa reconnaissance, une composition à son émerveillement. Elle confierait tout à la blancheur du canevas, sans la moindre réserve. Elle fut surprise de voir Bayou se faufiler dans l'entrebâillement de la porte quand elle mit le pied dans la maison. Il lui semblait l'avoir fermée et verrouillée avant de partir, et Félix circulait rarement par cette entrée. Elle sortit sur le perron, regarda tout autour mais ne vit rien d'anormal. Elle referma derrière elle, prit Bayou dans ses bras et fit le tour de chaque pièce du rez-de-chaussée. Elle n'y trouva personne non plus. Du pied de l'escalier, elle appela :

– Félix ? Tu es là-haut ?

Pas même un mulot ne donna signe de vie.

– Bon ! conclut-elle.

Elle troqua sa robe à pétales de soie turquoise contre ses salopettes bariolées, griffées et reprisées, avant de se précipiter dans ses quartiers d'artiste. Elle épingla une vingtaine de feuilles à dessin à son chevalet, fit une provision abondante de fusain et de sanguine, puis se laissa tomber sur le tabouret. Le premier trait étant toujours aussi difficile à faire sortir qu'un génie rondouillard du goulot d'une burette d'huile sainte, elle chercha, autour d'elle, un point de départ. Elle remarqua combien la lumière extérieure était belle. Elle voulut la voir de plus près, la sentir en plus grand. Elle se leva prestement, enroula les pans du rideau et les noua lâchement au sommet de l'ouverture. Elle plaqua ses mains ouvertes de chaque côté et écrasa son front, son nez et sa bouche contre la vitre chaude. Tout à coup, elle remarqua la porte de la grange entrouverte.

« Curieux... », pensa-t-elle.

Un frisson d'horreur la pétrifia lorsqu'elle s'imagina soudainement que Vertu avait peut-être eu un quelconque accident. Elle savait que, de l'étage, à travers l'œil-de-bœuf de la grange, il lui était impossible de voir le box de sa jument. Mais elle s'étira tout de même, juste au cas où, par miracle, elle apercevrait quelque chose qui calmerait ses idées insensées avant de se précipiter sur les lieux. La vue, de cette fenêtre, s'ouvrait en un faisceau quasi harmonique, du centre de la grange jusqu'au mur du fond. Moins de trente pieds séparaient la lucarne du bâtiment de son point d'observation. De là, les formes apparaissaient, claires et distinctes. Aussi, lorsqu'elle risqua un premier coup d'œil, la surprise la fit reculer d'un pas. Elle hésita et, comme si elle cherchait à apprivoiser la scène, elle avança à nouveau.

Les corps étaient nus. Complètement nus. Les têtes, perdues dans l'épaule du partenaire. Les jambes, enchâssées dans une union sublime. Au premier coup d'œil, Magdaline avait reconnu les acteurs. Ils ne faisaient qu'un, mais deux petits salomés caramel entrecroisés parachevaient la boucle qui soudait les deux corps. Elle se souvenait de ces petits salomés caramel...

Elle faillit courir pour aller sauver Camille du péché, du mal et des conséquences. Mais elle s'arrêta. Sans chercher à condamner, elle regarda les corps affamés de caresses rouler dans la paille. Ils tanguaient, heureux, d'un côté, puis de l'autre. Tantôt, une peau de courbes et de rondeurs, d'un rose presque bleuté, surplombait la scène. Puis, dans un roulis de désir, une peau d'angles et de muscles, aux reflets de brou et de latérite, dominait à son tour le corps-à-corps. Le spectacle mouvant, ondoyant et d'un équilibre parfait qui se peignait sous ses yeux exhalait une beauté extraordinaire. Rien de ce qu'elle voyait là ne ressemblait au péché ou au mal. Quant aux conséquences, elles ne pouvaient pas être pires que celles de la guerre. Magdaline approcha son tabouret et son chevalet de la fenêtre. Elle choisit un fusain et s'installa confortablement. Elle confia alors son geste au génie enfin sorti de sa burette qui la guida, croquis après croquis, jusqu'à ce que la brunante referme, sur les corps essoufflés, le voile sacré de leur intimité.

Épilogue

Illusion

Les artistes maîtrisent l'art de façonner des images qui racontent de belles histoires. Ils les fabriquent à partir d'éléments divers qu'ils profilent selon une certaine conception de l'idéal. Ils s'amusent avec ces composantes ; ils les permutent et les colligent de manière à constituer un récit sans discontinuité, beau, haut en couleurs et rempli de promesses imperturbables. Ces images servent de refuge mais, surtout, elles parlent d'espoir et d'absolu à ceux qui en rêvent. Magdaline, comme tant d'artistes, avait reproduit sur son tableau cette illusion du bonheur parfait, du bonheur passé trop vite et que l'on s'empresse de fossiliser, dans l'espoir d'en assurer la pérennité jusqu'à la fin des temps. Le soir venu, la réalité de Camille divergeait de cette illusion artistique. Son existence vacillait entre le gris du chaos et la lumière euphorisante, sans trouver le faufil pour faire, de ces événements ponctués de contradictions et d'hésitations, un bonheur sur mesure.

Ce soir, Camille avait donné à Félix une partie infiniment précieuse d'elle-même, une partie qu'elle n'avait jamais donnée à quiconque, une partie qu'elle n'aurait jamais pensé donner, une partie dont elle ignorait même l'existence. Elle avait accueilli cet homme, avec tout son désir, tout son cuir et toute sa virilité, sans pudeur et sans restriction. Félix l'avait habitée. Toute entière. À coups de tendresse, il s'était introduit en elle, loin dans son ventre, entre son âme et son cœur, tout au cœur de sa vie, là où personne n'était encore jamais allé. Camille portait dorénavant en son sein l'empreinte indélébile de Félix. Ce stigmate réclamerait à jamais ce corps qui l'avait constitué. Sans lui, Camille dépérirait. Cela était un fait, pas une illusion.

La jeune femme avait souhaité passer la nuit dans les bras de son amoureux, mais l'entreprise, selon ce dernier, était bien trop hasardeuse Son refus était venu avec une inflexibilité immédiate et irrévocable. Trop de réputations étaient en jeu et trop d'avenirs pouvaient s'y perdre. Monsieur McCready chercherait inévitablement Camille. Et la trouverait. Magdaline hériterait de l'odieux de tous les péchés du monde, et la ville entière la condamnerait sans pitié. Pour sauver son honneur et celui de sa fille, monsieur McCready obligerait Félix à prendre ses responsabilités, alors que lui ne pouvait porter rien d'autre que l'insistante imminence de sa mort. Son estomac ulcéré lui faisait si mal...

Il n'y aurait pas de nuit. Il n'y aurait pas même de répit. Le désir et l'audace de Félix s'étaient dissipés, alors que le corps de Camille tremblait et mendiait encore une dernière pulsion de cette fusion absolue. Félix ne l'avait pas entendue. Il n'avait pas gémi son dernier souffle d'extase qu'il cherchait déjà ses vêtements et ceux de Camille, éparpillés autour d'eux. Il fallait faire vite pour ne pas éveiller les soupçons, avait nerveusement invoqué Félix. Il devait effacer les traces. Il devait couvrir Camille. Il devait l'abriter de la soirée fraîche, de la rigueur de la paille et de tous ces yeux qui auraient pu la voir ainsi, en disgrâce, abandonnée à l'éblouissement de cet amour qui l'illuminait et dont lui ne savait que faire. Il lui fallait la renvoyer chez elle, sans attendre, et battre ensuite en retraite pour aller se réconforter, lui aussi, au plus profond du remords et de la peur, dans le très lointain refuge de l'illusion. Son estomac supporterait-il encore quelques lampées d'alcool ? Il le faudrait bien.

Félix avait embrassé sa *mestengo* avec tendresse. Il l'avait serrée fort dans ses bras. Très fort. Il lui avait dit, en boutade, de ne pas traîner à la fenêtre ce soir. Il lui avait recommandé de bien se reposer et lui avait souhaité de faire de jolis rêves. Puis il avait ajouté : « À bientôt... » Pas « à demain », mais « à bientôt ». Pas « tu me manques déjà », pas « comment vais-je faire pour vivre loin de toi toute une nuit », pas « reviens-moi vite ». Félix avait été charmant. Il n'avait rien perdu de son sens de l'humour. Mais il avait agi, avec Camille, d'une façon conforme à tout ce qui avait précédé cet après-midi-là. Félix ne l'avait pas suivie des yeux jusqu'à la maison. Il ne lui avait pas fait un dernier au revoir de la main. Il ne lui avait pas proposé un prochain rendez-vous. Il ne lui avait pas parlé d'amour, de leur amour, de cet amour que ceux qui s'aiment follement veulent gaver, à tout instant, pour le faire durer toujours. Félix était resté Félix, mais Camille, elle, était devenue femme, amante de l'amour et amoureuse d'un homme.

Frissonnant dans ses draps blancs, Camille écoutait l'illusion du *Domino Noir*. Elle rêvait d'entendre, derrière les sons cristallins de sa boîte à musique, la voix d'une fée ou celle d'un ange. Rien n'était plus pareil. Pendant toutes ces années où elle avait été là pour Ernest, elle n'avait jamais pensé au sens de la vie. Elle n'en avait jamais cherché un. Son existence avait défilé sans qu'elle ait à la remettre en question, sans qu'elle ait à fouiller en elle, ni en personne d'autre. L'amour existait et c'était tout. Il était là, simple, paisible et réconfortant, sans désir ni séduction, si facile qu'il se confondait avec l'invisible. Cet amour lui avait suffi. Cet amour avait existé, puis il était mort. Soudain, sa vie n'avait plus eu de sens. Depuis, lentement, l'idée du bonheur était réapparue, avec les esquisses de rêves réinventés, avec la chaleur redécouverte de l'amitié, avec les restes d'amour réincarnés. Camille s'était alors surprise à chercher. Il lui avait fallu trouver comment, au-delà de la nécessité de survivre, aligner ses gestes, comment organiser ses aspirations et articuler son univers pour se constituer un récit continu, harmonieux et réconfortant. Au cours des mois passés, sa composition s'était précisée, mais quelque chose continuait à manquer. Un alliage, un liant, un fil peut-être...

Aujourd'hui, Félix avait laissé en elle l'embryon de ce fameux fil de sens perdu. Aujourd'hui, pour la première fois de sa vie, Camille avait été désirée, prise et s'était éprise. Elle avait désiré, elle avait goûté, mais elle n'avait pas pris. Félix s'était défilé. Il ne savait que se défiler. Pourtant, avant sa récusation, il avait bel et bien ancré, en son sein, cette première maille de la continuité du temps. Camille le sentait, ce fil, chanter sa force et sa folie, là, en elle. Ses vibrations couraient partout dans son corps et grisaient son âme et son esprit, son cœur et son imagination. Oui, ce fil avait la minceur d'un cheveu. Il était petit, friable et fragile, mais il était là, bien vivant. Il n'était ni sens, ni blanc ; il ne pourrait jamais lui coudre un bonheur parfait, un avenir raisonné, continu et absolu. Mais ce fil avait la couleur de l'espoir et la matière du possible, et cette maille lui suffirait à construire, maille après maille, son propre sens. Ce n'était pas une illusion ; c'était une décision.

Camille ferma les yeux. Elle savourait encore le souvenir du désir de Félix qui lui chatouillait l'abdomen, comme s'il n'y avait pas eu de fin, comme s'il était encore là, étendu sur elle, fou d'amour et d'ardeur. Elle s'endormit en rêvant à son amant. Dans ses rêves, elle rejoua les événements et en constitua un récit sans discontinuité, beau, haut en couleurs et rempli de promesses imperturbables. Camille était amoureuse. Et c'était la plus belle des illusions. Mais, au-delà de l'illusion, Camille pouvait-elle espérer, dans ses rêves comme dans la vie, d'autres petits bonheurs aussi exaltants avec son beau Félix ?

FIN DU TOME I

Lyne Gagnon

Des années folles

Magdaline

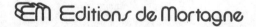
Editions de Mortagne